लेडीज़ क्लब

(उपन्यास)

लेडीज़ क्लब

नमिता सिंह

सामयिक पेपरबैक्स
नई दिल्ली-110002, भारत

सामयिक प्रकाशन द्वारा प्रकाशित सजिल्द प्रथम संस्करण : 2011

ISBN : 978-93-93232-87-8 (Paper Back)

लेडीज़ क्लब

नमिता सिंह

प्रकाशक

सामयिक प्रकाशन

3320-21, जटवाड़ा, नेताजी सुभाष मार्ग
दरियागंज, नई दिल्ली-110002

संस्करण : 2025 ₹ 395.00

आवरण : अमित कुमार

कम्प्यूटर कम्पोजिंग : कल्याणी कम्प्यूटर सर्विसेज,
नई दिल्ली

मुद्रक : अजीत प्रिंटिंग प्रेस, दिल्ली

LADIES CLUB
Novel by NAMITA SINGH
Price : ₹ 395.00

Published By : **SAMAYIK PRAKASHAN**
3320-21 Jatwara, Netaji Subhash Marg,
Daryaganj, New Delhi - 110002, INDIA
Helpline No. : +917065507086
Mobile : +919811607086, +919868934715
E-mail : samayikprakashan@gmail.com
Website : www.samayikprakashan.com

कुंवरपाल की स्मृतियों को
समर्पित है यह उपन्यास
जो इसके पहले पाठक थे

जनाना पार्क से लेडीज़ क्लब तक

सबेरे के आठ बजे थे।

फोन की घंटी चीखी।

"अरे भाई, फोन उठाओ।" अतुल अखबार पर से नजर हटाए बिना चिल्लाए।

गैस धीमी की। भागकर फोन उठाया। वहीं फोन रखा है, लेकिन क्या मजाल जो उठा लें। अखबार जो नाराज हो जाएगा।

फोन शहनाज़ आपा का था।

टेढ़ी गर्दन कर कंधे पर फोन टांगते और कढ़ाई में सूजी भूनते हुए कुछ सुना और कुछ अनसुना रह गया। सबेरे का वक्त, युद्ध के मैदान से कम नहीं होता। जिंदगी मिनट दर-मिनट का हिसाब मांगती है। साढ़े आठ तक नाश्ता-पानी निबटाना ही है। इसके साथ ही दनादन एक के बाद एक अतुल की चाय की फरमाइश। नौ बजे मिसरानी पधारेंगी। फिर नूरेजहां अवतरित होंगी हांफती-कांपती। उसे भी जल्दी और हमें भी जल्दी। इसीलिए तो वह दांत निपोर कर कहती है—

"मैडमजी! आपको भी ड्यूटी पर जानो और हमें भी!" यहीं पर तो हम सब एक नाव के सहयात्री हो जाते हैं। इसीलिए निभती भी है हमारी।

लेकिन इस निभाव में जाड़ों में आराम से दोपहर की धूप सेंकती, अचार डालती पड़ोसिन के सहज संवाद–

''आप सर्विस वाली हैं न! आपके यहां कामवालियां ऐसी बिगड़ जाती हैं कि बस! हमारे यहां फिर नहीं चल सकतीं।''

बुरा लगता है सुनकर। गुस्सा भी आता है। हमारे बस का नहीं कि पीछे-पीछे जाकर देखें कि फर्श का कोना कितनी बार रगड़ा गया। उंगली फेर कर फर्श पर धूल के कणों की खोज करते फिरें। बहुत कुछ है ढूंढ़ने के लिए दुनिया में। अरे आज फर्श ठीक से नहीं पोंछा गया तो कल हो जाएगा। कल नहीं तो परसों। कभी-कभी लगता है सारी जिंदगी संविदा पर गुजर जाएगी।

संविदा, हँसी आई मुझे। आजकल हमारे विश्वविद्यालय में संविदा पर लोगों की नियुक्तियां हो रही हैं न! बेहद चर्चा और बहस चल रही है! पूरी व्यवस्था एडहॉक पर चल रही है।

कढ़ाई उतारकर नीचे रखी और दूध का भगौना चढ़ा दिया! नाश्ता तैयार है श्रीमान!

''राधाऽऽऽ।'' फिर अतुल ने आवाज दी।

मैं उसी तर्ज पर कहना चाहती थी, 'हां, कन्हैयाऽऽऽ।' शब्द मुंह तक आते-आते रह गया। नाराज हो जाएंगे अतुल! हास-परिहास तो अपनी ही मित्र-मंडली में भाता है न!

''हां, बोलो। चाय ला रही हूं अभी।'' हौले से आवाज को थामा मैंने।

''चाय नहीं यार! कुछ प्रेशर नहीं बन रहा है। जरा गर्म पानी में नीबू तो देना।''

दूसरे बर्नर पर पानी चढ़ा दिया मैंने।

ये मर्दों का प्रेशर बनने में इतनी देर क्यों लगती है। हम औरतों के काबू में कैसे आ जाता है ये प्रेशर! मैं मन ही मन हँसी। काबू में न आए तो हमारे लिए कौन बैठा है पूछने। जिसकी जैसे निभ जाए।

पानी को गरम होता देखती रही और लंबी-गहरी सांसें लेती रही। स्वास्थ्य के लिए जरूरी है न, सांस की कवायद। सवेरे आधा घंटा निकालना मुश्किल है अपने लिए।

कभी-कभी एक बड़ा दिलचस्प सपना देखती हूं मैं। सुल्ताना का सपना। घर के बाहर बड़ा-सा लॉन। खूब हरा-भरा। मखमली घास! रंग-बिरंगे फूल। लंबा

चौड़ा बरामदा। पृष्ठभूमि में संगीत। नहीं, बिस्मिल्ला खां की शहनाई। मैं आरामकुर्सी में अधलेटी। हाथ में अखबार या कोई उपन्यास! या कुछ और नया। तिपाई पर रखा चाय का प्याला या कॉफी। प्याला खाली होता है, दस मिनट बाद कोई आकर दूसरा प्याला रख गया।

क्या ठाठ हैं बीबी आपके! बहरहाल कल्पना अच्छी है। अब आ जाइए मैडम जमीन पर!

"ये लो नीबू पानी...और मैं अबाउट टर्न! कंजूस की तरह सवेरे का हर पल पकड़ने को तत्पर!

तभी दस बजे तक काम निबटता है। अब ग्यारह बजे की क्लास लेनी हो तो साढ़े दस तक तो पहुंचना ही चाहिए न! वर्ना पता चला कि हांफते हुए क्लास में पहुंच रहे हैं।

इसीलिए सवेरे किसी का आना-जाना कितना संकट पैदा करता है। यहां तक कि फोन भी खटकने लगता है। सोचती हूं रिटायरमेंट के बाद खूब आराम से सोकर उठूंगी। लंबे-लंबे फोन करूंगी सबको।

लेकिन इस वक्त फोन शहनाज़ आपा का था। शहनाज़ आपा की तो बात अलग है।

मैंने कैलेंडर देखा। 15 मार्च!

क्या फर्क पड़ता है 8 मार्च हो या 15 मार्च। हमारे लिए तो हर दिन वीमेंस डे है। क्या कम मसले हैं हम औरतों के! रोज एक उठाओ तो भी दिन कम पड़ेंगे। हमारा हर महीने का पहला शुक्रवार लेडीज़ क्लब के नाम! लेकिन मार्च की बात अलग है। पिछले तीन साल से शहनाज़ आपा क्लब की सेक्रेटरी हैं। हम लोगों ने ही क्लब में आठ मार्च को खास तौर से मनाने की शुरुआत की है, लेकिन अबकी ये ऐन मुहर्रम के दिन। आठ मार्च को पड़ गया दसवां मुहर्रम। अब शिया मेंबरान के लिए तो मुश्किल की बात ठहरी। खुद हमारी प्रेसिडेंट साहिबा मजलिस में मुब्तिला! दसवां मुहर्रम कैसे कोई छोड़ देगा। लखनऊ में होते तो इसी बात पर छुरियां चल जातीं। हमारे अस्सी मेंबरानों में लगभग आठ या दस शिया ख़वातीन हैं। चलो, माइनॉरिटी का खयाल तो रखा किसी ने। शिया माइनॉरिटी ही सही!

माइनॉरिटी शब्द आज दिव्य ज्योति से जगमग आसमानी ताकत धारण किए है। युद्ध क्षेत्र का अचूक ब्रह्मास्त्र। छोड़ दीजिए तो संहार करके ही छोड़ेगा।

नहीं तो अपने ऊपर चलकर भस्मासुर बन जाएगा, साक्षात्। पूरी सियासत का दारोमदार माइनॉरिटी दर्शन पर है। आप किसी माइनॉरिटी में नहीं हो! अच्छा!! हो भी नहीं सकते? पन्ने पलटो इतिहास के। खंगालो अपने घरों का कोना-कोना, बस्ती, जंगल! उधेड़ डालो अपने बाप-दादाओं को। खोद डालो घर के आंगन-द्वार। कहीं कुछ तो मिल ही जाएगा। कोई कल-पुर्जा, कोई पोथी, परचा। गड़े मुर्दे की कहानी, कंकाल, जो आपको एक नयी माइनॉरिटी में बदल दे। नया इतिहास-नयी पहचान। जो दे दे हाथ में एक पारस पत्थर। एक नया हथियार और एक अंतहीन प्रतीक्षा। एक लंबी कतार।

शुक्र है यहां ऐसा कोई माइनॉरिटी फोबिया नहीं है।

जावेद भाई ।

ऐसे मौके पर जावेद भाई बेसाख्ता याद आते हैं। जावेद भाई का फ़िकरा, ''यू नो अतुल। अ माइनॉरिटी इज़ आल्वेज़ अ माइनॉरिटी। शिया इज़ ऑल्वेज़ अ शिया...''

मुसलमान हो! शिया हो! बोहरा हो, इस पर हमेशा उनसे मेरा झगड़ा होता।

''जावेद भाई! यू आर सो प्रेजुडिस! प्लीज़, मत कहिए इतनी घटिया बात।'' वह हँस देते और शिकायत करते अतुल से।

''देखो मियां! क्या कह रही हैं आपकी बेग़म।''

''और क्या! इतने बड़े शायर हैं आप और ऐसी बातें, नहीं! मेरे सामने नहीं।''

''अरे भाभी! बस आप भी, मियां अगिनहोत्री, नाराज हो जाऊंगा मैं...'' जावेद भाई ने अतुल की पहचान अग्निहोत्री से अगिनहोत्री में बदल दी थी।

लेकिन जावेद भाई नाराज कैसे हो सकते थे हमसे। उनकी बेटी शकीला ने जब अपने जीवन की डोर जोगेन्द्र चौधरी से बांधी तो घऱ में राज़दार सिर्फ जावेद भाई थे और घर से बाहर हम लोग।

पहले तो जावेद भाई और सबीला भाभी ने इस जोगेन्दर चौधरी प्रकरण को गंभीरता से लिया ही नहीं। दोनों साथ-साथ इंजीनियरिंग में हैं। दोस्ती होती ही है। लड़के घर भी आते-जाते हैं। जोगेन्द्र ईद-बकरीद घर जा रहा है। कभी कूंडे खाने आ रहा है। होली पर गुझिया खाने शकीला जा रही है, अपने और दोस्तों के साथ। कभी शबे-रात का हलवा टिफिन में भरकर डिपार्टमेंट में जा रहा है। फिर एक दिन पता चला कि वो किसी काम से घर आया।

"नमस्ते अंकल, आंटी नमस्ते..." कहते-कहते जाने क्या सूझी, फटाफट दोनों के पैर छू लिए।"

"इसे क्या हो गया है।" भाभी बोलीं। उनका माथा ठनका था। जावेद भाई तो ठहरे मस्त मौला। एक क्षण को ध्यान गया होगा और फिर सिर झटक दिया!

"अरे भाई, इन लोगों के यहां ऐसा ही चलता है। बड़ों की इज्जत पैर छूकर करते हैं। क्या हर्ज है?

लेकिन, एक साल बाद ही उनका घर-परिवार उबाल पर था। दुबली-पतली नन्हीं सी जान शकीला! कौन कहेगा कि इंजीनियर हो गई है। विप्रो जैसी बड़ी कंपनी के द्वारा जोगेन्द्र का और शकीला का कैंपस सलेक्शन पहले ही हो चुका था, लेकिन उनके इरादे तो कुछ और ही थे। तूफान बरपा दिया था उसने।

सबसे दिलचस्प भूमिका जावेद भाई की थी। घर में होते तो सबीला भाभी के साथ उनकी हां में हां मिलाते, "वह स्साला जोगिन्दर..." दांत पीसते, शकीला को गरियाते।

"बंद कर दो घर में इसे।" अकेले होते तो बिटिया के साथ खड़े नजर आते। धीरे-धीरे जैसे उसे ऊंच-नीच समझा रहे हों। हमारे घर आते। सलाह-मशविरा करते। शकीला को हमने भी बहुत समझाया। दुनियादारी की बातें। भविष्य। आसान नहीं होगा उसका जोगेन्द्र के घर-परिवार में खपना। पूरी ज़िंदगी का सवाल है।

लेकिन भीतर ही भीतर कुछ और ही प्लान थे उनके। एक दिन अदालत में सब नज़र आए। शकीला के साथ गवाही में जावेद भाई और अतुल। जोगेन्द्र के साथ उसके दो दोस्त थे।

मैंने बहुत मना किया अतुल को। कम-से-कम इस मामले में पड़ने की ज़रूरत नहीं। कोई हंगामा हुआ तो? संवेदनशील शहर का अति संवेदनशील मामला। हमारे यहां दूसरों के घर-परिवार के नितांत निजी मामले सार्वजनिक बन जाते हैं। अपनी इज़्ज़त के मामले उछलते रहें, लेकिन हम लोग एकदम ग़ैर, दूसरों के घर के मामले को सबका मामला बना देने में माहिर होते हैं और राजनीति के गलियारों तक जाकर हांक लगा आते हैं।

मैं इस हंगामे से डरती थी, लेकिन अतुल खड़े थे अपने मित्र के साथ मजबूती से! जावेद भाई ने एक काम और किया। अदालत से आए। क्वालिटी में लंच दिया और वहीं से विदा कर दिया दोनों को। अपने प्राविडेंट फंड से जो पचास हजार रुपये निकाले थे, वह चेक बिटिया के हवाले किया।

शकीला को गले लगाकर बहुत रोए थे जावेद भाई उस दिन!

दूसरे दिन जोगेन्द्र और शकीला की फ्लाइट थी दिल्ली से। नाइजीरिया चले गए थे दोनों।

कल अगर कोई यह पूछे कि शकीला को भागने में किसने मदद की तो जवाब यही होगा न कि उसके पूज्य पिताजी ने। जावेद भाई ने यह तोहमत खुशी से कबूल की।

जावेद भाई का यह रूप मेरे लिए अद्‌भुत था। इतना साहस! इतना भरोसा। अकेले खड़े होने का दम। अविचलित। घर-परिवार-कुनबा-समाज, सबसे ऊपर। इन्सान। सिर्फ इन्सान। केवल इन्सानी रिश्तों में विश्वास।

बहुत प्रगतिशील देखे हैं—सिद्धांतकार। उपदेशक। बुद्धिजीवी, लेकिन जब व्यवहार का मौका आया तो ताश के पत्तों की तरह भरभराकर ढह गए। घर के अंतःपुर में उस वक्त सिद्धांतों की भाषा बदल जाती। उस समय पत्नी, मां-बाप, खानदान, समाज, संस्कार, सब कुछ याद आने लगता है।

इसीलिए जावेद भाई जैसा सुलझा, आगे बढ़ा इन्सान यह कहे कि हिन्दुस्तान से कभी माइनॉरिटी मीनिया खत्म नहीं हो सकता, तो मैं बहस में उलझ जाती हूं।

"भाभीजी, आप देख लेना। माइनॉरिटी! वह अपने ही कोटर में घूमेगी। उसकी वजह है, मैं समझाता हूं, उड़ जहाज को पंछी, पुनि जहाज पर आवे।" और उनका ठहाका। उन्होंने मुहावरे की शक्ल ही बदल दी।

जावेद भाई यादों की भूल-भूलैया में खो गए। कभी-कभार शकीला का ध्यान आता। पता चला कि नाइजीरिया से दो साल बाद ही वे दोनों अमरीका चले गए। खुश हैं वहां।

कितना मुश्किल है खुशी को पकड़ पाना। अपनी धरती, अपने लोगों के बीच यह खुशी क्यों नहीं मिलती। हमारे घर-परिवारों के बीच रिश्तों की डोर में इतनी गांठें क्यों होती हैं। परस्पर स्नेह का बंधन गले में फांसी के फंदे में क्यों तब्दील होने लगता है। कितनी दीवारें खड़ी हैं, आदमी-आदमी के बीच।

हुमैरा बेग़म वाला वाकया हुआ तो जावेद भाई जैसे फिर सामने आ खड़े हुए। बोलते हुए, पान के छींटे उड़ाते हुए, मासूम हँसी के साथ जावेद भाई।

"देखा, मैं कहता था न!" और उसी अंदाज में आंख दबाकर हँसते हुए।

जावेद भाई बहुत जल्दी ईश्वर को प्यारे हो गए। झरने के पानी की तरह लगातार बोलते रहने वाले जावेद भाई की बोलती ईश्वर ने उनके आखिरी दिनों

में बंद कर दी। उनकी ज़बान में कैंसर हो गया था। जाने से एक महीने पहले तक जरूरी बातें लिखकर बता देते। उस दिन हम लोग उनके साथ थे। वे लेटे हुए थे। उन्होंने स्लेट मांगी। दे दी उनके हाथ में। अतुल की ओर देखा और लिखा, "एक शेर हुआ है, सुनो और लिखा—कोई भी हादसा हुआ, कोई भी सानिया हुआ, गर्दिशे रोज़गार ने मेरा पता बता दिया।" अतुल की ओर देखा, दाद लेने के अंदाज में। अतुल ने हाथ उठाकर दाद दी। उन्होंने फिर लिखा, "क्या करूं यार! बोलने का अपना कोटा जल्दी पूरा कर चुका हूं।" उनकी इस ज़िंदादिली ने हमारे दिल भारी कर दिए, लेकिन रोना मना था। अतुल जाने किस तरकीब से मुस्कुराए और उनकी बांह थपथपाते हुए कहा, "अच्छा है! ग़ज़ल पूरी कर लो।" ईश्वर भी अपने बंदों को कैसी-कैसी अदाओं से प्यार करता है। जावेद भाई तो ईश्वर के कायल भी नहीं थे। फिर भी ईश्वर ने उन पर प्रेम बरसाया और अपने पास बुला लिया। सबीला भाभी का यही कहना था।

हुमैरा का किस्सा तो रह गया। जावेद भाई के किस्सों के बीच किसी और का प्रवेश थोड़ा मुश्किल हो जाता है। उन दिनों हम यूनिवर्सिटी कैंपस में ही रहते थे। पड़ोस में ख़ान साहब का परिवार। इम्तियाज अली ख़ान रजिस्ट्रार ऑफिस में उस समय डिप्टी रजिस्ट्रार थे। इत्तफाक ये कि वे लोग अवध के इलाके के हैं। हम ठहरे कानपुर के। इम्तियाज साहब की बेगम लखनऊ की हैं और ख़ान साहब खुद फ़ैजाबाद के हैं। हम मिलकर बैठते तो मिसेज ख़ान चालू हो जातीं। उन्हें पछांव के लोगों की माश की दाल और रोटी कभी नहीं भायी, "हम ठहरे घी में तर अरहर की दाल खाने वाले", उनका फ़िकरा अकसर सुनाई दे जाता। ये अरहर की दाल या सत्तू भरे परांठे और दालभरी पूरी जैसे हमें एक सूत्र में बांधती थी। हमारे हिन्दुस्तान में इसीलिए तो भोजन का इतना प्रताप है। खाना-खजाना जिंदगी में बड़ी अहमियत रखता है। उनकी रसोई में जिस दिन पुरबिया व्यंजन बनता, हम लोग खुद-ब-खुद आमंत्रित हो जाते। सिर्फ हम लोग ही नहीं, सी-ब्लॉक में रहने वाले सिंह साहब के यहां भी दालभर पूरी और सत्तू भरे परांठे पहुंच जाते। दरअसल उनके गांव से लोग आते-जाते रहते और सत्तू, मटर का देसी खजाना उनके यहां पहुंचता रहता, जिसमें हम सब भागीदार बनते।

एक दिन जैसे मिसेज खान ने अपने दिल का दर्द जाहिर किया। कोई तो चाहिए न दर्द बांटने के लिए। उन्होंने ही बताया कि बेटी हुमैरा तीस साल की हो रही है।

"सच!" मुझे ताज्जुब हुआ। "लगती तो नहीं।"

"नहीं लगती न! लेकिन सच्चाई थोड़ी बदल जाएगी?" हिन्दुस्तानी मां का दिल बोल रहा था। ऐसा नहीं कि हुमैरा के लिए रिश्ते न आए हों, लेकिन कोई ढंग का तो हो। हुमैरा सांवली सी। छरहरा बदन। ठीक-ठाक नाक-नक्श। एम.ए. बी.एड! एक कान्वेन्ट स्कूल में पढ़ा रही थी।

हुआ यह था कि हाल-फिलहाल में हुमैरा के लिए जो रिश्ता आया, वह लगभग चालीस साल का था। यूं अच्छा संपन्न व्यापारी था। उसकी बीवी का इंतकाल हो चुका था और पांच साल का एक बेटा था।

मिसेज खान का दिल रोने-रोने को हो गया। अब क्या दुहेजू ही बचे हैं उनकी बेटी के लिए। उनके कानों में खतरे की घंटी बजने लगी थी।

मैं निश्चित रूप से उनकी चिंता में शरीक थी। प्यारी सी हुमैरा। ऐसा भी अकाल नहीं लड़कों का, मैंने उन्हें आश्वस्त किया।

इत्तफ़ाक, कुछ ही दिनों बाद डा. अली अमीर के घर जाने का मौका मिला। डॉ. अमीर की नियुक्ति दो साल पहले इंजीनियरिंग कालेज में हुई और वो भी अतुल के ही विभाग में। बनारस हिन्दू यूनिवर्सिटी के पढ़े हुए अली अमीर अतुल का शुरू से बहुत सम्मान करते रहे हैं। शायद फिर वही पुरबिया कनेक्शन। विचित्र है हमारा हिन्दुस्तानी समाज! जितनी विभाजन रेखाएं हैं, उतनी ही जोड़ने वाली डोरियां भी हैं। अपनी ही जमीन पर उगने वाली शीशे की दीवारें परदेस में जाकर पिघलने लगती हैं और अचानक राखी की डोरियों में तब्दील हो जाती हैं।

अली अमीर की छोटी बहन की शादी तय हो गई। खुद आकर वे आने के लिए आग्रह कर गए थे। उनके दो-तीन बार आ चुकने के बावजूद हम पलट कर नहीं जा पाए थे उनके घर। सोचा, कि लड़की की शादी है, शादी से पहले एक बार जाने का फ़र्ज बनता है। घर की व्यस्तताएं तो लगी रहती हैं। सामाजिक नियम-धरम भी तो निभाने होते हैं। एक ही कैंपस में रहते हुए इतना तो करना ही है।

शाम को हम दोनों उनके घर पर थे। अली अमीर का छोटा-सा परिवार! दो भाई-बहन और मां। तीन कमरों वाला लेक्चरर्स क्वार्टर। सुरुचि के साथ सजाया हुआ। बाहर लॉन की घास और फूल घरवालों की मेहनत और सौंदर्य बोध को जाहिर कर रहे थे। घर के रख-रखाव में पूरी सुघड़ता दिखाई दे रही थी।

मेरा ड्राइंग रूप में क्या काम। मैं भीतर चली गई। अली अमीर की अम्मी ठहरीं पर्दे वाली। रिश्तेदारी की दो औरतें भी वहां मौजूद थीं। अम्मी आंगन से लगे बरामदे में थीं। पलंग पर बैठी कपड़े देख-सहेज रही थीं, जो तभी सिलकर आए थे।

मुझे देखा। बहुत प्यार से अपने पास बिठा लिया। दुल्हन का सामान बिखरा था। एक थैली से गोटा-लचका लगे दुपट्टे निकालकर देख रही थीं।

''बेटी, चाय ड्राइंग रूम में भिजवा रही हूं।''

''अरे नहीं! मैं तो यहीं आपके साथ पिऊंगी अम्मी!''

''जीती रहो बिटिया।'' और फिर वह कपड़े मिलाने और देखने में मशगूल हो गईं।

अली अमीर की बहन सबीहा को देखा तो अचानक मुझे हुमैरा याद आने लगी। हालांकि ऐसा कोई मिलान नहीं था दोनों के बीच। फिर भी। इसके अलावा मुझे अली अमीर पसंद था। गंभीर। अच्छा कैरियर! आगे तेजी से तरक्की करेगा! फिर यहीं के यहीं दोनों लोग। हुमैरा अपनी नौकरी भी करती रहेगी। आजकल आसान है क्या ढंग की नौकरी मिलना। फिर घर का रख-रखाव, स्टेटस तो तभी बनता है, जब मियां-बीवी दोनों सर्विस में हों। लड़के वाले भी टीचिंग में जो लड़की हो, उसे ही पसंद करते हैं। काफी वक्त होता है घर संभालने के लिए। क्या जरूरी है कि अली अमीर को अच्छी पढ़ी-लिखी लड़की मिल ही जाए। वह टीचिंग में ही हो। लोकल हो।

मुझे लगा कि हुमैरा के लिए बात कर लेनी चाहिए। कहीं ऐसा न हो कि बहन की शादी के दौरान उसका मामला भी कहीं फिट हो जाए। अब आई हूं तो लगे हाथों यह काम भी करती चलूं। कभी-कभार तो बुजुर्गों वाला रोल करने को मिलता है और मैंने बात शुरू करनी चाही।

''अम्मी, सबीहा के बाद अब आप अली भाई की शादी भी कर डालिए तुरंत। ये जाएगी तो अकेली कर जाएगी आपको।''

''अरे बेटा। ये तो लगा ही हुआ है। बेटियों को अपने घर तो जाना ही होता है।''

''अली भाई के लिए लड़की देख रखी है कोई?''

''हम क्या देखेंगे बेटा। आजकल के लड़के। पढ़े-लिखे। हमारी पसंद क्या उनके मन को भाएगी?'' अम्मी कपड़ों से धागे काटने में लगी थीं।

''क्यों नहीं देखेंगे हम, अम्मी आप कहिए तो हम देखें उनके लायक लड़की।''

अम्मी का हाथ रुक गया। मानीखेज़ नजरों से मेरी ओर देखती हुई बोलीं,

"क्यों! क्या अली ने कुछ बताई है अपनी पसंद?"

"अरे नहीं। वो तो इतने सीधे हैं कि बस। क्या बताएंगे। मेरी नजर में है एक बहुत अच्छी लड़की, आप कहो तो...?

वह खुली नजर से मेरी ओर देखती रहीं। मेरे चेहरे पर उनकी जमी हुई आंखें कह रही थीं कि जो बताना है, जल्दी बताओ। मैं थोड़ा घबरा गई।

"वो हुमैरा है न! सी-ब्लॉक में, मस्जिद के पीछे वाले क्वार्टर्स में, पढ़ाती है कॉन्वेन्ट में।" और मैंने उसकी तारीफ में क़सीदे पढ़ने शुरू किए। कुछ तो इंप्रेस हो बुढ़िया।

वह चुप रहीं! अटपटी खामोशी के बाद मैंने ही कहा,

"अगर कहीं बात नहीं चल रही अभी तो वहां मैं बात करूं?"

कुछ सोचते हुए उनके माथे पर बल पड़ने लगे।

"कौन हुमैरा! डिप्टी रजिस्ट्रार खान साहब की बेटी।"

"जी! जी हां! क्या फर्क पड़ता है कि रजिस्ट्रार हों या डिप्टी रजिस्ट्रार, लेकिन लड़की बहुत अच्छी है..."

वे बेचैन नजर आने लगीं। थोड़ी देर के लिए फिर खामोशी अख्तियार कर ली उन्होंने। सबीहा मेरे लिए चाय का प्याला लेकर न जाने कब वहां खड़ी हो गई थी। फिर अम्मी बोलीं, "वे तो सुन्नी हैं बीबी! हम शियों के साथ उनका रिश्ता कैसे होगा?" उन्होंने जिन नजरों से मुझे देखा, मुझे तुरंत अपने अहमकपने का अहसास हो गया। वे मेरी नादानी पर मुस्कुरा रही थीं या कि खीझ रही थीं। सबीहा ने प्याला मुझे पकड़ाया। वह भी जैसे कुछ कहने को बेचैन थी। हँसते हुए बोली, मानो ज्ञान का पाठ पढ़ा रही हो,

"भाभी आप कहो तो किसी हिन्दू से करा दें भैया की शादी, लेकिन खां साहब के घर हम रिश्ता लेकर जाएं, तौबा, तौबा, तौबा," उसने अपने कान की लवे छुईं।

मैं अचकचा गई। अपनी नादानी और अज्ञानता पर लानतें देते हुए खिसिया गई मैं। सबीहा और उसकी अम्मी मुझे ऐसे देख रही थीं मानो मेरी बेअक्ली पर तरस खा रही हों! अम्मी सूट और दुपट्टों के जोड़े मिलाते हुए उन्हें तह करने लगीं। अपना प्याला नीचे रखकर मैंने भी दो जोड़े तह करके उन्हें दे दिए ताकि अपनी खिसियाहट से छुटकारा पाऊं।

मैं भूल गई थी कि हमारा हिन्दुस्तानी समाज जाति-दर-जाति सैकड़ों खानों में ऐसा बंटा है कि इसकी जड़ें-दूर-दूर तक फैल गई हैं। जमीन के नीचे गहरे धंसीं ये जड़ें उन बस्तियों और कुनबों तक जा पहुंची हैं, जहां इन विभाजन रेखाओं का अस्तित्व ही नहीं होना चाहिए था। धर्म और जाति के ये विभाजन के दंश समाज की हर धड़कन में मौजूद हैं।

मुझे रामेश्वर चाचा की बेटी शिखा बेसाख्ता याद आने लगी। पढ़ाई खत्म कर तीन साल से शादी के इंतजार में घर बैठी शिखा की शादी नहीं हो रही है। शिखा नौकरी करेगी नहीं, क्योंकि फिर शादी होना मुश्किल हो जाएगा। बकौल चाचा के, अपने कमाए पैसों की चाट जो लग जाती है। रिश्ते नहीं मिल रहे, क्योंकि आठ-दस लाख से कम में कोई अच्छा लड़का—डाक्टर, इंजीनियर, चार्टर्ड अकाउंटेंट, बैंक में काम करने वाला नहीं मिलता। सीधी सी बात, इतना पैसा उनके पास है नहीं। है तो सिर्फ ऊंचे ब्राह्मण होने का बोझ। नगर-निगम के आफिस में क्लर्क चाचा आफिस जाते हैं तो बाकायदा माथे पर त्रिपुंड धारण करके, लेकिन अफसोस उसके तेज से भी कोई काम नहीं बनता।

पिछले दिनों एक बैंक में कार्यरत लड़के से बातचीत चली। लगभग पक्की भी हो गई। बाद में चाचा बिदक गए कि वह बामनों की सर्वोच्चता की लिस्ट में कहीं नीचे जा पड़ा था। कान्यकुब्जी-गौड़-सारस्वतों की लिस्ट में पता नहीं उसका प्लेसमेंट कहां था, चाचा ही जानें! बहरहाल, शिखा का पत्र आया था। उसने सिर्फ यह सूचना दी थी कि उस लड़के का ब्राह्मणत्व पापा के अनुकूल नहीं था।

मुझे गहरा धक्का लगा। शिखा की जिंदगी निरर्थक हो रही है। इंतजार और इंतजार। अंतहीन इंतजार।

आज मुझे धक्का नहीं लगा, बल्कि मैं खिसिया गई थी। मैं अपने को कोस रही थी कि आइंदा किसी के घर के मामलों में नहीं पड़ना है। कान पकड़ो। तीसरी कसम या जाने कौन सी। हो जाएगी शादी अली अमीर की। हुमैरा को भी मिल जाएगा कोई पठान। अपने काम से मतलब रखो, बस।

जावेद भाई, क्या सूत्र दिए हैं तुमने जीवन के।

इसीलिए यहां इस विश्वविद्यालय में बहुत लोग माइनॉरिटी में हैं। हिन्दू माइनॉरिटी कि शिया माइनॉरिटी कि...

हर बड़ा शिक्षण संस्थान एक मिनी हिन्दुस्तान है। इसीलिए शहनाज़ आपा ने ठीक किया। ख़याल रखा। मुहर्रम के बाद लेडीज़ क्लब की मीटिंग रखी। आखिर महिला दिवस मना रहे हैं और महिलाओं के ही एक छोटे समूह का ख़याल न रखा जाए, कोई सरकारी आयोजन थोड़े ही है भई।

शहनाज़ आपा, यू आर ग्रेट!

हमारे अतुल लेडीज़ क्लब को जनाना क्लब कहते हैं। मैं हमेशा अतुल से इस बात पर झगड़ती हूं। औरतों का मसला हो, ये मर्द जानबूझ कर उसकी शक्ल बिगाड़ेंगे। कुछ नहीं तो नाम को ही तोड़-मरोड़ कर रख देंगे। मैंने अतुल से कहा कि तुम स्टाफ़ क्लब जाते हो, हम तो उसे मर्दाना क्लब नहीं कहते। अतुल का कहना है कि वह तो पूरे स्टाफ़ का क्लब है। उसमें औरत-मर्द सभी हैं। यह अलग बात है कि महिलाएं क्लब में नहीं आतीं। बस जब तीन साल बाद चुनाव होता है, तब महिलाओं को सदस्य बना लिया जाता है और उन्हें पकड़कर लाया जाता है कि वह बताए गए उम्मीदवार को वोट डाल सकें। उनका क्लब सबका है, लेकिन सिर्फ पुरुषों का है। औरतें साधन बहुत आसानी से बनती हैं, लेकिन साध्य नहीं।

मैंने पूछा, ''आप लोग महिलाओं को चुनाव नहीं लड़वाते।'' अतुल के साथ उनके दोस्त बैठे थे। सब हो-हो-हो कर हँसने लगे। अतुल बोले।

''उन्हें घर भागने से फुर्सत मिले, तब ना!''

''भाभीजी! वे तो ऐसे दूर भागती हैं चुनाव से, जैसे सड़क की कीचड़ में पत्थर डाल रहे हों हम। अब हमारी मैडम को देखिए...''

''भाई साहब!'' इससे पहले कि वह अपनी मैडम का रिपोर्ट कार्ड पेश करते, मैंने उन्हें टोक दिया, ''थोड़ा घर को शेयर कीजिए ना! देखिए फिर।''

''भाभीं जी! अब आप भी तो थोड़ा बहुत बाहर आती-जाती हैं। इतना काम करती हैं।'' वो भाई साहब किंचित हतप्रभ होकर बोले।

''नो! नो!! नो मस्का!'' और मैं अतुल को देखकर मुस्कराई कि तुम्हारी पोल पट्टी खोलूं कि नहीं!

''जनाना क्लब।'' अतुल के इस नामकरण से मुझे अपने लखनऊ का जनाना पार्क याद आने लगता है। पलटी खाता हुआ समय पीछे भाग छूटता है। कितनी यादें ताजा हो जाती हैं।

लखनऊ का ऐतिहासिक झंडे वाला पार्क। अमीनाबाद और उससे लगे फतेहगंज के बीच झंडे वाला पार्क। एक लंबा इतिहास समेटे हुए है अपने में। 1857 की क्रांति में लखनऊ जल उठा था। वहां से शुरू हुआ जलती मशालों और सुलगती सांसों का सफर तो पूरे सौ साल बाद ही थमा! आजादी का प्रतीक बन चुका तीन रंगों वाला हिन्दुस्तानी झंडा, जिसे धारण किया था इस पार्क ने। ब्रिटिश साम्राज्य की खिलाफत में कितनी सभाएं यहां हुईं। कितने जुलूस! अनगिनत लाठियां और लहू की होली की गवाह रही यहां की सरजमी, किनारों पर लगे ऊंचे नीम, बरगद के पेड़, यहां की हवाएं...

इसके पीछे की गली से पहुंचा जा सकता था एक हरे-भरे, ऊंचे पेड़ों और घनी झाड़ियों से आच्छादित जनाना पार्क में। सुना है कि मुगल काल में नवाबों की बेगमों के लिए सैरगाह थी यह। फिर जब अवध उजड़ा, वहां की शान उजड़ी तो न रहे नवाब और न रही बेगमात। बारादरी के सामने एक चौराहे से दूसरे मोड़ तक पूरी बिल्डिंग, सुना है नवाबीन की बेगमों की रिहायश हुआ करती थी। धीरे-धीरे इन लंबी खिड़की की कतारों, टूटते शहतीरों और गिरती छतों के साथ बाहर से दड़बेनुमा दिखते घरों के इतिहास को मिट्टी बनते पीढ़ियों ने देखा है।

लेकिन जनाना पार्क अपनी भव्यता और हरेपन को बरकरार रखे हुए था। वह उस समय की पर्दानशीं खवातीनों की सैरगाह थी। शायद पुरातन को सहेजने के साथ-साथ प्रकृति के प्रति उत्तरदायित्व ने ही उस पार्क की रमणीकता और हरियाली को बनाए रखा था। यहां सीमित आकाश के नीचे रहने वाली औरतों को खुला असीमित आकाश मयस्सर था। यहां वे हरी घास पर क्षण भर सुस्ता सकती थीं, चहक सकती थीं।

इसी जनाना पार्क में हम लोगों ने महंगाई और बेरोजगारी के खिलाफ एक बार औरतों की बहुत बड़ी सभा की थी। तकरीबन अड़तीस-चालीस साल पहले का समय! कितना जोश हुआ करता था सबमें। ऑल इंडिया वीमेन फेडरेशन ने मीटिंग कराई थी! एक साथ इतना बड़ा औरतों का हुजूम। मैं तो बिल्कुल नयी थी ऐसे सामाजिक कामों में। पर्दानशीन, बेपर्दा, जवान, बूढ़ी, मांगभरी, बगैर मांग वाली, उखड़ी-धकड़ी औरतें, हाथ उठा-उठाकर नारे लगाती औरतें। देखकर पूरा शरीर रोमांचित हो उठा। एक महीने की मेहनत का फल था यह।

वहां इकट्ठा औरतों ने जब अपने किस्से बयान किए तो दिमाग झनझनाने लगा। अंदर से एक आवाज दिल को भेदने लगी हो जैसे। पर्दा-दर-पर्दा उसके

पीछे कितनी बेबसी। किस कदर तंगहाली। कैसे जी रहे हैं ये लोग। कितनी औरतें बेसहारा। कितनी पिटी-पिटाई। लुटी-लुटाई। क्या कर सकते हैं हम इनके लिए? कैसे? हमारी नेता सुरजीत दीदी और हाजरा आपा को देख रही थी मैं। उनके साथ कदम बढ़ा रही थी मैं। एक आदर्श, एक स्वप्न बुन रही थी मैं, बहुत लंबी डगर थी आगे के लिए। जनाना पार्क से पहला जीवन-मंत्र ग्रहण किया था मैंने। अनपढ़-अधपढ़ औरतों के बीच पहली बार जैसे संस्कारित हुई थी मैं।

लगभग चालीस साल का सफर। सब कुछ बदल गया है अब। अब कोई सुरजीत कौर या हाजरा आपा नहीं आतीं नयी पौध के साथ। अब कोई नहीं सिखाता जीवन का मंत्र। अब जनाना पार्क में हरियाली नहीं, कंक्रीट का जंगल है। झंडेवाला पार्क में शहीदों के रक्त-बिंदु पर दुकानों की जगमगाहट है और पैसे की खनक है। थके मुसाफिर के लिए अब पार्कों में हरी घास नहीं, रेतीली पगडंडी है। पेड़ों की छाया तो कब की लुट-पिट चुकी है। अब ऊंचे भवनों की दीवार हैं।

अब महिलाएं इकट्ठा होती हैं सिर्फ देवी जागरण के लिए, रामकथा-विष्णु कथा-कृष्ण कथा, सिर्फ कथाओं के लिए। कोई भी कथा हो, उस पर धर्म पताका लगी रहना काफी है। आप अपनी कथा सुना दीजिए और कह दीजिए यह धर्मसभा की कथा है। धर्म हमेशा से औरतों के ही आंचल में चाबी के गुच्छे की तरह लटका रहा है।

गरीबी, बेकारी जैसे मुद्दों पर बात करना अब आउट ऑफ फैशन है। यह हाईटेक का जमाना है। ग्लोबल मार्केट का जमाना है। इसलिए गरीबी और महंगाई की बातें, प्लीज समय खराब मत करो, अच्छी जिंदगी नहीं दे सकते, अच्छी बातें तो दे सकते हो न!

हमारे लेडीज़ क्लब में भी जिस दिन मिलाद शरीफ़ का कार्यक्रम होता है, सबसे ज्यादा हाजिरी रहती है।

शहनाज़ आपा

शहनाज़ आपा ने कुछ कहा हो, उसे टालने का तो कोई सवाल ही नहीं है। वे सबसे सीनियर हैं हमारे क्लब में। अब तो करीब-दस साल हो जाएंगे उन्हें रिटायर हुए, लेकिन उम्र जैसे उनके पास आते-आते ठिठक गई है। जीवंतता से भरपूर। रख-रखाव किसी नौजवान लड़की से कम नहीं। हमेशा करीने से कटे-छंटे, सलीक़े से रंगे, कंधों तक आते बाल। गंभीर, सुरुचिपूर्ण 'मेकअप', पहनावे में भी आधुनिकता के साथ वरिष्ठता की शालीनता। कौन कहेगा सत्तर साल की होने आ रही हैं। उनकी सीनियॉरिटी का पता तो तब चलता है, जब किसी अवसर पर शिक्षक समुदाय के बीच वे पहुंच जाएं। पूरा सम्मान मिलता है उन्हें। आमतौर पर वे शहनाज़ आपा ही हैं सबकी। कई लोग सीधे उनसे पढ़े हैं, तिस पर उनका सबसे साथ आत्मीय और अपनापे का व्यवहार।

इसीलिए उनकी बात हमारे लिए आदेश ही होती है। मैं कॉलेज से जल्दी घर आ गई। चाय पीते हुए घड़ी देखी। साढ़े चार! घबराहट होने लगी, क्या करूं? किचिन में बर्तनों का ढेर। लगातार सरक रहा वक्त, जैसे मुंह चिढ़ा रहा हो। मेरी कामवाली, मलिका-ए-नूरजहां अभी तक नहीं पहुंची। अगर चली जाऊं तो

मुश्किल। घर में कोई और है नहीं। वह ताला देखकर लौट जाएगी। इसका मतलब यह हुआ कि शाम को घर आओ तो पहले बर्तन रगड़ो और फिर किचिन में सिर मारो। रोटी-पानी करो। हो गया फिर रात में लिखना-पढ़ना। आखिर इन्सान हूं। थकती भी हूं।

चलूं! तैयार हो जाऊं, मुंह धोते हुए मैंने सोचा। हो सकता है कि इस बीच वह आ जाए। महिलाओं के किसी आयोजन में जाओ तो तैयार भी ठीक से होना पड़ता है। प्रत्यक्ष टोकाटाकी नहीं तो पीठ-पीछे होगी। हमारी शारदा जैन! ऐसी नाटकबाजी में माहिर।

''हाय! कितनी सुंदर साड़ी! कहां से ली? ओऽऽऽ, जैन साहब की गिफ्ट! मैं भी लूंगी एक ऐसी।''

और जैसे ही वह सुंदर साड़ी वाली मुदित मन आगे बढ़ी, उनका कमेंट लहराएगा।

''हुंह! बिल्कुल चादर जैसी! चारखाने वाली साड़ी कोई पहनता है अब?'' सुनने वाला हैरान!

क्लब की सदस्याएं बहुत ऐहतमाम के साथ तैयार होकर आती हैं। खासतौर पर वे, जो नौकरी नहीं करतीं! कामकाजी महिलाओं के सामने कहीं दबा-छिपा कमतरी का अहसास होता ही होगा। बहुत अच्छी पोशाक, शृंगार या जेवरों के प्रदर्शन से शायद पूरा किया जाता है उस गैप को। अच्छे से अच्छा ओढ़ने-पहनने के बावजूद हम नौकरी-पेशा महिलाएं अपने प्रति लापरवाही और जल्दबाजी में रहने की आदत के साथ-साथ बातचीत के अंदाज से दूर से ही पहचान में आ जाती हैं। लाख ध्यान न दो, फिर भी कभी-कभी लगता है कि ओढ़ना-पहनना खासी अहमियत रखता है।

शहनाज़ लंबे समय से क्लब की लिटरेरी और कल्चरल सेक्रेटरी रही हैं। यूं पूछा जाए तो हमारा क्लब सिर्फ कल्चर को ही समर्पित है। लिटरेचर तो शहनाज़ आपा की लगाई पौध है, जो अब धीरे-धीरे बढ़ रही है। खुद कहानियां लिखने वाली और शायरी करने वाली आपा साहित्य से कैसे दूर रह सकती हैं। उनका कहना है कि इन नितांत घर-गृहस्थी करने वाली महिलाओं में अनेक छिपी रुस्तम हैं। उनकी बात सच साबित हुई, जब क्लब की वार्षिक पत्रिका निकलने लगी और कहानी, नज़्म, लेख उसमें छपने लगे। एकदम घरेलू, मोटी, थुलथुल, ज़बीं फ़ातिमा की जब हिन्दी में कहानी छपी तो मैंने आश्चर्य में भरकर उन्हें बधाई

दी। ज़बीं सकुचाते हुए बोलीं, "मैंने तो बी.ए. तक हिन्दी पढ़ी है न! बस शादी के बाद यहां सब खत्म हो गया, पढ़ना लिखना।" तबसे हर साल शामे-नशिस्त में ज़बीं फ़ातिमा की कहानी हम लोग सुनने लगे हैं।

शादी क्यों तलवार का वार बन जाती है। कहीं धड़ रह जाता है तो कहीं सिर्फ सिर। मुकम्मल इन्सान नहीं रह पाती हैं औरतें।

यूनिवर्सिटी में लंबे अर्से तक ड्रामा क्लब की इंचार्ज रही हैं शहनाज़ आपा। यूथ फेस्टिवल में हर साल पुरस्कार जीत कर आते उनके लड़के-लड़कियां। बीच में गकायक कैंपस में ऊंचे पाजामे और लंबे कुर्ते वालों की तादाद बढ़ने लगी। खासतौर पर सन् 80 और 82 के बीच चलने वाले लंबे दंगों के बाद ऐसा अमूमन होने लगा। सिर पर छोटी तबलीगी टोपी और दाढ़ियां। कुछ दाढ़ियां चेहरे पर थीं तो कुछ पेट के भीतर। छात्र-छात्राओं के बीच तबलीगी जमात दिखाई देने लगी। यूनियन की राजनीति में उनका दखल ऊंचाइयां छूने लगा। शुक्रवार को हॉस्टलों में लड़कों के कमरों पर छापों जैसा माहौल। जोहर की नमाज़! क्या मजाल कोई कमरे में रह जाए। ऐसे दौरे-दौरां में फ़तवों की गाज सबसे पहले लड़कियों पर गिरनी ही थी।

फ़रमान जारी हुआ। ड्रामा क्लब में लड़कियां नहीं ली जाएंगी। स्टेज पर, किसी कार्यक्रम में लड़के-लड़कियां साथ नहीं हिस्सा लेंगे।

अधिकांश शिक्षक समुदाय चुप था। कायर था। मौनं स्वीकृति लक्षणम्। ड्रामा क्लब के अध्यक्ष प्रो. जमाल पिचकने लगे। हवा के रुख के विपरीत जाना आसान नहीं। कौन टकराएगा इस आंधी से? खामख्वाह!

दुबली-पतली शहनाज़ आपा। उन्होंने तो अंगद की तरह पैर रोप दिए। कुलपति से बात की, यूनिवर्सिटी की राष्ट्रीय छवि, तबलीगी जमात का बढ़ता शिकंजा, सरकार के समक्ष जवाबदेही, उन्हें समझ आने लगा माहौल! अगले साल होने वाले आम चुनाव की छाया भी मंडरा रही थी।

"ये सब तो होना ही है सर! आपकी मजबूती आगे के लिए रास्ता साफ करेगी, वर्ना..." शहनाज़ आपा सफल रहीं समझाने में।

और फिर प्रेस कांफ्रेंस! शहनाज़ आपा मुट्ठी उठा कर ललकार रही थीं। उनका साथ दे रही थीं शीरीं-मुमताज। इतिहास की वरिष्ठ प्रोफेसर।

"ये यूनिवर्सिटी है, मदरसा नहीं। यहां शिक्षक समुदाय है, जमात नहीं। यहां ज्ञान बांटा जाता है, जहालत नहीं।" आसान नहीं थी उनकी लड़ाई। "बेहया,

चरित्रहीन, लड़कियों को बिगाड़ रही है। खुद शादी नहीं की, फस्ट्रेटेड वुमन, पूरी कौम को बदनाम कर रही है, गंदी औरत।'' कैसे-कैसे खिताब मिले, लेकिन जंग शहनाज़ आपा ने जीती। दरअसल कुछ दिन पहले यूनिवर्सिटी के गर्ल्स कॉलेज के ऊपर बनने वाली डॉक्यूमेंटरी फिल्म का यही हश्र हो चुका था। यूनियन के नेता वहां पहुंच गए थे और उन्होंने मुंबई से आई टीम के लोगों के साथ मारपीट तक कर डाली। उनके कैमरे तोड़ दिए थे। जाहिर है वह कार्यक्रम नहीं हुआ। इसी से फ़तवेबाजों के हौसले बुलंद थे।

सचमुच शहनाज़ आपा बहादुर निकलीं, लेकिन उनकी लड़ाई खत्म नहीं हुई थी। उन्हें अफसोस था यूनिवर्सिटी में होने वाला राष्ट्रीय यूथ फेस्टीवल नहीं हो सका। आयोजक भी डर गए थे और अंततः कार्यक्रम दिल्ली विश्वविद्यालय ने लपक लिया।

न सही राष्ट्रीय, लेकिन शहनाज़ आपा ने अपने यहां उत्तर क्षेत्र का युवा महोत्सव कराकर ही दम लिया।

''फ़तवेबाज़ों के सामने अगर आप एक बार झुके तो हमेशा के लिए गए। मौत है यह मौत! और हमें मरना नहीं है, '' यह उनका गुरु मंत्र था, जिसे उन्होंने लोगों के कानों में फूंकने की कोशिश की।

''आज लड़कियां स्टेज पर नहीं गाएंगी। ड्रामा क्लब में नहीं आएंगी। लड़कियां स्कूटर नहीं चलाएंगी। लड़कियां कपड़े हमारी मर्जी के पहनेंगी।'' कोई अंत है इन फ़तवों का? इससे बेहतर होगा कि लड़कियां पढ़ने नहीं आएंगी और पढ़ने क्यों, दुनिया में ही नहीं आएंगी।'' शहनाज़ आपा के गुस्से को रोकना मुश्किल था।

मंत्र कामयाब हुआ। आपा कामयाब हुईं। यूनिवर्सिटी राष्ट्रीय शर्म से बची। दबे-छिपे लोगों का हौसला बढ़ा। कमजोर काया की शहनाज़ आपा। उन्हें किसी ने ऊंची आवाज में बोलते नहीं सुना था। जोर से बोल ही नहीं सकती थीं वह, लेकिन फौलादी हिम्मत! चट्टानी संकल्प। झरने जैसी साफ सोच और व्यवहार।

उनका यही रूप तो बैठा है मेरे भीतर। मुझ जैसे बहुत लोगों के भीतर!

महिला दिवस पर अपने क्लब में उपस्थित रहना मेरे लिए बहुत जरूरी होता है। मैं स्थायी वक्ता हूं इस मौके पर। गिने-चुने दो-तीन ही तो गैर-मुस्लिम सदस्य हैं क्लब में। शहनाज़ आपा किसी भी कीमत पर हमें बनाए रखना चाहती

हैं। हम भी एक माइनॉरिटी हैं वहां। उन्होंने एक बार बहुत मानीखेज अंदाज में कहा था—

"भई, हम चाहते हैं कि हर तरह के मेंबर हों हमारे क्लब में। वर्ना बहुत बेवकूफियां होने लगेंगी यहां।" और हँसने लगीं।

लीला गुप्ता क्लब की सबसे पुराने सदस्यों में थीं। मेडिकल कालेज की प्रोफेसर शाहिदा जमाल ने इस क्लब को जन्म दिया और उन्होंने ही इसे पाला-पोसा, यह कहा जाए तो यह अतिशयोक्ति नहीं होगी। शाहिदा ठहरीं लखनऊ के पुराने ताल्लुक़दार घराने से संबंध रखने वाली। बाप-दादा खानदानी रईस। हमेशा से अंग्रेजी हुकूमत के साथ रहे। रहन-सहन में खासे आधुनिक। खुले दिमाग और मुक्त वातावरण में पली बढ़ी शाहिदा ने लखनऊ मेडिकल कालेज से डॉक्टरी पढ़ी। बाद में डा. जमालुद्दीन से शादी हो गई। वे यहां मेडिकल कालेज में थे। शाहिदा भी शादी के बाद यहां आ गईं और मेडिकल कालेज में नौकरी पा गईं।

जहां तक कालेज और उसकी नौकरी की बात, वहां तक तो सब ठीक था, लेकिन डा. जमालुद्दीन की दुनिया में उसके आगे कुछ नहीं। जिंदगी जैसे बियाबान जंगल। उन दिनों यहां नौजवान लेखकों-कलाकारों का ग्रुप हुआ करता था, जिन्हें लोग कम्युनिस्ट कहते थे। कुछ लोगों की नजर में वे पथभ्रष्ट लोग थे। वे आसमानी सत्ता पर भरोसा करने की बजाय अपने ऊपर ज्यादा भरोसा करते थे। वे शेरो-शायरी करते थे। अफसाने लिखते और पढ़ते थे। गीत-संगीत की दुनिया से आमो-दरफ्त थी। थियेटर, सिनेमा, अखबार, इनके सपने थे। तौबा, तौबा, वे लोग इश्क भी करते थे। शराब पीते थे, लेकिन पाखंड नहीं करते थे। जो कुछ है, सब खुला खजाना। शहनाज़ आपा की दोस्ती इस बागी जमात से थी। उनकी शेरो-शायरी में हिस्सेदारी थी। शाहिदा चाहती थी इस ग्रुप के साथ शिरकत करना। उसे भी लिखने-पढ़ने का शौक था, लेकिन कैसे? जमालुद्दीन ठहरे बिल्कुल दूसरे छोर के आदमी। कहने को डॉक्टर। बहुत अच्छे सर्जन। दूसरी ओर सख्त मजहबी। कट्टर रोज़ा-नमाज़ी। उनका बस चलता तो वे शाहिदा को बुर्का पहना देते। खुद भी लंबी दाढ़ी और माथे पर निशान धारण किए सर्जन कम, मौलवी ज्यादा नजर आते। पता नहीं मेडिकल कालेज में क्लास कैसे लेते थे। अब अगर सब कुछ अल्लाह को ही करना है तो डॉक्टर जमालुद्दीन जैसे ढेरों डॉक्टरों की क्या भूमिका बचेगी, मरीज और उनकी जिंदगी के संबंध में, यह सवाल किसी ने नहीं पूछा था।

शाहिदा को जब कुछ और समझ में नहीं आया तो यह लेडीज़ क्लब का विचार पैदा हुआ और वो लग गई उसे शक्ल देने में। अब शाम का समय उनका इसी शगल में बीतने लगा।

शमीम साहब थे उस समय वाइस चांसलर। उनकी बीवी यासमीन भी लखनऊ की। दोनों सहेलियों के सिर जुड़े। कुछ नया करने का आइडिया जोर-शोर से चला और अंततः यूनिवर्सिटी लेडीज़ क्लब बना। शाहिदा पहली सेक्रेटरी बनी और वाइस चांसलर की पत्नी स्थायी अध्यक्ष। वे दोनों मुतमईन थे कि यह अध्यक्षीय व्यवस्था हमेशा चलेगी, क्योंकि कोई महिला वाइस चांसलर तो नियुक्त होने से रही। बीवियां ही अध्यक्ष बनती रहेंगी। यासमीन की मदद से एक बड़ा काम हुआ। गेस्टहाउस का हॉल उनके लिए स्थायी रूप से अलॉट हो गया। शमीम साहब लिखित में यह प्रावधान कर गए। हर महीने का दूसरा शुक्रवार लेडीज़ क्लब के नाम, यह गेस्टहाउस वाले समझ गए और शुक्र है अब तक समझ रहे हैं।

लीला गुप्ता की स्थिति भी लुटी-पिटी महिला से कम नहीं थी। पढ़ी-लिखी। इलाहाबाद विश्वविद्यालय की हिन्दी की टॉपर। डॉ. गुप्ता मेडिकल कालेज के प्रतिष्ठित डॉक्टर, लेकिन क्या करिए। बेहद कंजूस। जैसे कभी पैसा देखा ही न हो। एक-एक पाई दांत से पकड़ने वाले। लीला गुप्ता पैसे-पैसे को तरस जाती। सुई से लेकर हवाई जहाज तक खुद खरीदेंगे। दस रुपये भी बीवी के हाथ में रखे तो एक-एक पैसे का हिसाब चाहिए। क़दम-क़दम पर लीला रुसवा होती। एक बार डॉ. गुप्ता ने लीला को खरीददारी के लिए पैसे दिए। निर्देशानुसार उन्हें गांधी आश्रम की सालाना सेल से पांच-सौ रुपये तक की साड़ी खरीदने की अनुमति थी। बदकिस्मत लीला की साड़ी की क़ीमत पांच सौ साठ हो गई। कमबख़्त दुकानदार रुपये कम करने पर किसी तरह से राजी नहीं हुआ। साथ की सहेलियों ने जोर दिया और लीला ने खरीद ही ली वह साड़ी।

हुआ वही, जिसका अंदेशा था। घर में कोहराम। डांट-फटकार। रोना-धोना। डॉ. गुप्ता ने लीला को रुपये की अहमियत विस्तार से बताई। यह भी कहा कि खुद कमाती होती तो पता चलता। आंसुओं के बीच लीला को फिर आदेश का पालन करना पड़ा और दूसरे ही दिन उन्होंने पूरा किस्सा बयान करते हुए वह साड़ी शाहिदा को बेच दी और पांच सौ साठ रुपये डॉक्टर के हाथों में धर दिए।

शाहिदा भी ऐसे ही घुटती-पिसती अगर वह डाक्टर न होती। उसका हुनर। उसकी नौकरी। उसका अपना व्यक्तित्व। उसके दिलो-दिमाग के सामने एक हरा-भरा बड़ा मैदान था। उसके क़दमों में मजबूती थी। उसके पास अपने हीरा हाथ थे, लीला के पास अपने हाथ-पैर नहीं थे। उसकी सोच, उसका मन डॉक्टर गुप्ता के बैग में बंद रहता था। उसे खुली हवा की दरकार थी-सांस लेने के लिए।

और वह खिड़की खोली शाहिदा ने, दोनों पड़ोसी जो ठहरे। पड़ोसी से ज्यादा किसी के घर का भेद कौन जान सकता है। छौंक लगने की खुशबू से हम पड़ोसी के रसोईघर का पूरा हाल बता दें, यह हमारी विलक्षणता है।

एक दिन लीला के घर को भांपते-भांपते शाहिदा ने लीला को सलाह दी कि वो पी-एच.डी. कर ले। वक्त जरूरत काम आएगी डिग्री। अब डा. जमालुद्दीन और शाहिदा ठहरे मेडिकल कालेज के प्रभावशाली लोगों में। डॉ. गुप्ता ने इस मामले में टांग नहीं अड़ाई। पी-एच.डी. करना घाटे का सौदा नहीं होगा। इन लोगों की मदद से लीला को नौकरी मिल सकती है, ये भाव जरूर कहीं किसी कोने में छिपा होगा।

लीला ने सचमुच दिन-रात एक करके तीन साल में पी-एच.डी. पूरी कर ली, लेकिन फिर वही ढाक के तीन पात! घर बैठो-जलो-कुढ़ो अभियान। तभी क्लब बना तो उसकी गतिविधियों में वह डॉ. शाहिदा का दाहिना हाथ साबित हुईं।

लीला क्लब की सिर्फ खजांची नहीं थी, मीटिंग के बाद होने वाले खानपान की इंचार्ज भी थी। उनका परस्पर अपनापा कुछ ऐसा कि जहां शाहिदा जमाल हों, वहां लीलाजी की उपस्थिति स्वाभाविक लगती। होली के अवसर पर होने वाली क्लब की मीटिंग के लिए गुझिया बनाकर लाने की जिम्मेदारी लीला गुप्ता पर। दीवाली के मौके पर स्पेशल चाय का मीनू और अपनी तरह से मोमबत्तियां लगाने के लिए कौन? निश्चित रूप से लीला गुप्ता। लीला के पास निरा फालतू समय। बिना बच्चों वाला घर। अकेले मियां-बीवी! इसीलिए शाहिदा के घर के आलतू-फालतू काम भी लीला अपने ऊपर ले लेती। अक्सर डॉ. जमाल और शाहिदा के मेहमान लीला के मेहमान हो जाते। पता चला कि लीला उनके किचिन में घुसी पड़ी हैं और अपनी पाक-कला का प्रदर्शन कर रही हैं। लीला और शाहिदा के परिवारों की अंतरंगता से लोग रश्क करते।

तभी बिल्ली के भाग से छींका टूटा। यूनिवर्सिटी के हिन्दी विभाग में जगह खाली हुई। लेक्चरर की जगह विज्ञापित हुई। लीला गुप्ता ने तो आवेदन कर दिया, लेकिन उसके आगे की दौड़भाग का जिम्मा लिया शाहिदा जमाल ने। जमीन-आसमान एक कर दिया। साम-दाम-दंड-भेद। आजकल नौकरी मिलना आसान है क्या? वह भी आउट साइडर को?

''सीधे रास्ते कोई काम नहीं होता मैडम, मालूम करो कौन एक्सपर्ट है। कौन विजिटर नॉमनी है,'' शाहिदा गुरुमंत्र देती उसे और अंत में बात खत्म होती,

''छोड़ो! तुमसे कुछ नहीं होगा। मुझी को करना होगा।'' और रजिस्ट्रार आफिस से लेकर हिन्दी के विभागाध्यक्ष तक। डीन आफिस के क्लर्क से लेकर कुलपति तक, कोई रास्ता नहीं बचा, जहां उसके कदम न पड़े हों।

और सचमुच! जिस दिन लीला गुप्ता की नियुक्ति हुई, वो रोते हुए शाहिदा की गोद में गिर पड़ी। शाहिदा ने उसे गले से लगा लिया और सिर्फ इतना कहा—

''अब अपनी ख़ुद्दारी तलाशो। खुद अपनी नजरों में अपना कद बढ़ाओ। यू आर नो मोर अ स्लेव। गूंगी-बहरी गुलाम नहीं हो।''

इसीलिए क्लब के कामों में अगर लीला गुप्ता छाया की तरह शाहिदा के साथ लगी रहती तो इसमें किसी को क्या आश्चर्य होता। शाहिदा के साथ पहाड़ तोड़ने वाली दूसरी शहनाज़ बीवी तो थी हीं। क्लब चल निकला। बाहर की नौकरी हो या घर की, दिल का हाल सुनने-सुनाने वाला दूसरा कंधा तो चाहिए सभी को। कभी तो अपना सही नाम पुकारने-सुनने का मौका मिले। शाहिदा और शहनाज़ ने मिलकर चार-पांच महीने में ही सदस्यों की संख्या पचास तक पहुंचा दी। कुलपति की पत्नी का अध्यक्ष होना सबसे बड़ा आकर्षण था। जब बात चली कि यूनिवर्सिटी में पढ़ाने वाली महिलाओं के अलावा अन्य शिक्षकों की बीवियां भी मेंबर बन सकती हैं तो खासी बड़ी संख्या में सदस्य बने। लगता था कि बरास्ता बीवियों के, कुछ लोग कुलपति तक पहुंचने का सूत्र तलाश रहे हैं। अपने शिक्षक खाविंदों से शह पाकर कुछ पर्दानशीं बीवियां भी खुशी-खुशी मेंबर बन रही थीं, शाहिदा और शहनाज़ की जमात में शामिल हो रही थीं। यह क्लब की बड़ी सफलता थी।

लीला गुप्ता को खुशी थी कि नौकरी क्या मिली, उसके तो दिन बदल गए। अब डाक्टर गुप्ता शांत थे। गाहे-बगाहे होने वाले झगड़े नहीं थे। हर वक्त की टोका-टाकी नहीं थी। सिर पर तना हुआ डंडा नहीं था। अब लीला गुप्ता का

अपना बैंक अकाउंट था। अपनी चेकबुक थी। अब उसे दस रुपये के पीछे कभी अपमानित नहीं होना था। अब वो अपने लिए मनचाहा खरीद सकती थी।

जैसे उनके दिन बहुरे-वैसे ही सबके दिन बहुरें। एक बड़ा काम उन्होंने ये किया कि शहर के सिविल लाइन इलाके में मकान बनवाना शुरू कर दिया। अब दो तनख़्वाहें घर में आ रही थीं और सबसे बड़ी बात, मकान बनने के दौरान वो खुद वहां देखभाल करने जाने लगीं। चीजें बदलती हैं तो किस तेजी से बदलती हैं, कभी-कभी लीला सोचती।

रश्मि खन्ना का शुमार क्लब की सबसे सक्रिय और चुलबुली सदस्यों में है। हरेक को छेड़ना। कुछ न कुछ कमेंट करना। लगता जैसे चुप रहना उसके लिए नामुमकिन है।

रश्मि के पति बी.एल. खन्ना फिजिक्स में प्रोफेसर। बेहद धीर-गंभीर। हर समय जैसे सोच में डूबे हों। अधिकांश समय उनका अपनी रिसर्च लैब में गुजरता है। साल में छः महीने विदेशों में सेमिनार या एकेडमिक टूर में रहते। रश्मि और प्रो. खन्ना कितने एक-दूसरे से भिन्न हैं, सब लोग यह जरूर सोचते हैं। सचमुच रश्मि का मस्तमौला स्वभाव पूरे माहौल को जीवंत बनाता है।

रश्मि लगती भी प्यारी है। उसका बच्चों जैसा मासूम चेहरा उसकी अच्छी भली उम्र का पता ही नहीं चलने देता है। रश्मि को भी इसका अहसास है। जब ढंग से तैयार होकर निकलती है तो लगता है जैसे यूनिवर्सिटी की कोई सीनियर छात्रा जा रही है। बहुत इतराते हुए अक्सर वह एक राज की बात बताती है। खन्ना साहब के साथ एक बार वह किसी सेमिनार में गई थी। सोचा कौन साड़ी-फाड़ी लादे, सलवार-कुर्ता ही चलेगा। "वहां लोग ये समझे कि प्रो. खन्ना अपनी बेटी के साथ आए हैं।" और फिर उसकी खी, खी, खी। अपनी मित्र मंडली में इस जैसे उसके अनेक किस्से हैं। सुनने वालों की समझ में नहीं आता कि किस्सों पर हँसा जाए या रोया जाए। दो बच्चे हैं। जवान हो रहे हैं। बहरहाल उसकी ठिठोली का जवाब नहीं।

ऐसी खुशमिजाज रश्मि एक दिन क्लब की सेक्रेटरी वसीमा पर फैल पड़ी और ऐलान कर दिया कि वह क्लब छोड़ रही है और कि अब कभी यहां नहीं आएगी।

दरअसल बिना बात का बतंगड़ बन गया। हुआ ये कि अप्रैल का महीना था। मीटिंग की तारीख तय थी। रश्मि को भी देर से ध्यान आया कि मीटिंग वाले

दिन रामनवमी पड़ रही है। वसीमा को तो इसका बिल्कुल इल्म नहीं था। दो दिन पहले रश्मि ने फोन करके इत्तिला दी कि अबकी बार एक खास वजह से मीटिंग दो-एक दिन आगे-पीछे सरका दी जाए। वसीमा ने सुना। उसकी समझ में नहीं आया कि क्यों रश्मि तारीख बदलने के लिए कह रही है। अब ऐन मौके पर बदलाव? ये तो टेढ़ी खीर थी। सारे सदस्यों को सूचना पहुंचाना कोई आसान काम नहीं। कौन उनके पास कोई चपरासी बैठा है, जिसे दौड़ा दें। इसके अलावा एक बात और। उस दिन क्लब की उपाध्यक्ष दावत देना चाहती थीं। उनका बेटा सपरिवार हज करने गया था और सकुशल लौटा था। अमेरिका से वह इसी के लिए आया था और जल्दी ही वापस लौटना था। इसीलिए दावत भी नहीं टल सकती थी। सारे आर्डर बुक हो चुके थे। एडवांस दिए जा चुके थे। तारीख बदलने में खासा संकट था।

अब वसीमा का बात करने का लठमार अंदाज। दो टूक जवाब दे दिया।

''अब कुछ नहीं हो सकता रश्मि। तारीख नहीं बदली जा सकती।''

''भई, कमाल कर रही हैं आप। उस दिन त्यौहार है। व्रत होता है, आपको पहले से सोचना चाहिए था।''

''क्यों? फास्ट तो अक्सर आप फ्राइडे को भी रखती हैं। तब तो आप हमेशा आती हैं।'' वसीमा जैसे इस दोषारोपण से चिहुंक गईं। नहले पर दहला था उसका जवाब।

रश्मि ने गुस्से से फोन पटक दिया।

दूसरे दिन मीटिंग से पहले उसने फिर वसीमा को फोन किया,

''मिसेज वसीमा अली, मैंने क्लब की मेंबरशिप छोड़ दी है। प्लीज, मेरा अगले साल के लिए रिन्युअल न करें आप।'' बहुत शांति के साथ उसने इत्तिला दी। वह चाहती थी कि यह बात आज मीटिंग में सबको पता चल जाए।

थोड़ी देर सोचने के बाद उसने फिर फोन उठाया। सोचा कि कुछ और लोगों को भी खबर दे देनी चाहिए।

मेरे पास भी उस दिन मीटिंग से पहले फोन आया था। विस्तार से उसने पूरा किस्सा सुनाया। मुझे सलाह दी।

''तुम भी छोड़ो यार! किस चक्कर में पड़ी हो। हमारी किसी को परवाह नहीं है।''

मैं क्या कहती! चुपचाप सुनती रही। "हां-देखूंगी। ठीक है।" कहकर अपना पल्ला छुड़ाया।

चार महीने बाद। सावन के महीने की मीटिंग। गाने-बजाने का इंतजाम था। मैं हॉल में घुसी तो देखा, रश्मि फिर मौजूद। उसी तरह चहकती-फुदकती। वसीमा की बगल में बैठी हँस-हँसकर कोई किस्सा सुना रही थी। अचरज की बात थी। कुछ महीने पहले तक रश्मि 'क्लब बंद करो' अभियान छेड़े हुए थी।

मुझसे रहा नहीं गया। मैंने पूछा! उसने हँसते हुए बगल में बैठी शहनाज़ आपा की ओर इशारा किया! शहनाज़ आपा ने उसकी पीठ पर हाथ रखा और वह भी मुस्कुराने लगीं।

रश्मि ने ही राज़ उजागर किया। मीटिंग से पहले, इतवार को शहनाज़ आपा उसके घर आई थीं। आते ही उन्होंने ऐलान कर दिया।

"रश्मि, चाय मत पिलाना मुझे। खाना खाकर जाऊंगी मैं। आज तुम्हारे यहां कढ़ी-चावल खाने हैं। मेरा कुक छुट्टी पर चला गया है।"

सब जानते हैं कि शहनाज़ आपा कट्टर शाकाहारी हैं। उस दिन शाम होने पर ही घर लौटीं वह। रश्मि से क्लब की सदस्यता के पांच सौ रुपये लिए और साथ में वादा भी लिया कि वह अगली बैठक में जरूर क्लब आएगी और सावन के गीत गाएगी।

"बोलो! फिर क्या करती मैं।" रश्मि कह रही थी।

शाहिदा जमाल में शहनाज़ आपा जैसा जादू नहीं था शायद। लीला गुप्ता को वह नहीं रोक सकी। लीला का नया मकान उसे खींच ले गया सबके बीच से।

शाहिदा को यह अफसोस नहीं था कि लीला कैंपस छोड़कर क्यों अपने मकान में चली गई। वो तो जाना ही था। जाना भी चाहिए। इतने शौक़ से नया आशियाना बनाया तो जाना ही होगा। कौन इतना नुकसान उठाएगा। तनख़्वाह से सरकारी मकान का किराया कटता है। साथ ही मकान भत्ता भी नहीं मिलता। वहां नए घर में चौकीदार को अलग तनख़्वाह दो। किसे यह गणित समझ नहीं आएगा?

दिसंबर, 1992 के सर्द दिनों में जब शहर दंगे की लपटों में झुलस रहा था, उस भीषण समय में लीला गुप्ता और डा. गुप्ता कैंपस छोड़कर अपने नए मकान में चले गए। डॉ. जमाल और शाहिदा ने बहुत इसरार किया कि गुप्ता परिवार उनके मकान में आ जाए। हफ्ता-दस दिन बाद जब आग ठंडी पड़ने लगे,

तब शिफ्ट करें। यूनिवर्सिटी ने इतने बड़े-बड़े मकान दिए हैं। बड़े-बड़े बंगलेनुमा। कमरे ज्यादा और रहने वाले कम। शुरू के दो दिन तो गुप्ता दंपती पड़ोस में शिफ्ट भी हो गए थे। फिर कुछ सोचकर वापस अपने मकान में आ गए।

जिस दिन पहली बार दो घंटे के लिए कर्फ्यू खुला, उन लोगों ने कैंपस से चले जाना बेहतर समझा। हर वक्त मन में भय समाया रहता। शहर से खबरें आ रही थीं। मुस्लिम मुहल्लों के ऊपर संगठित रूप से हमले हो रहे थे। लगातार घायल यहां मेडिकल कालेज पहुंचाए जा रहे थे। ऐसा लग रहा था जैसे शहर में राम मंदिर संकल्प समिति का ही आधिपत्य हो गया हो। पूरा कैंपस डरा-सहमा था। बाहर लोग मिल-जुल रहे थे। फोन से आपस में तार जुड़े हुए थे। घरों में भी जमावड़े भी हो रहे थे। हर वक्त बहसें। लंबी बहसें। सूचनाओं का आदान-प्रदान माहौल को और भारी कर रहा था। हवाओं में खामोशी लगातार बढ़ रही थी। सभी डरे, सहमे हुए थे। यह बात अलग है कि सबके डर के कारण अलग-अलग थे।

लीला गुप्ता ने पड़ोस में खबर सुनाई कि कल दो घंटे के लिए कर्फ्यू खुलेगा। इसी समय वे निकल जाएंगे। चले जाएंगे अपने नए मकान में। शाहिदा चौंक गईं।

''इतनी जल्दी! क्यों!!'' फिर आवाज संभालकर हँसने की कोशिश की।

''ऐसे ही खाली-पीली चली जाओगी नए मकान में। न चाय, न नाश्ता, न दावत।''

''दावत-आवत तो फिर होगी। अब जाना ही ठीक होगा।'' लीला बोली। शाहिदा गंभीर हो गई।

''पागल हुई हो क्या? ऐसे वक्त जाना, शहर में सामान लेकर निकलना, क्या अक्लमंदी है?''

''नहीं, डॉक्टर साहब। चले ही जाएं। माहौल खराब है; पता नहीं कब क्या हो जाए। यहां कैंपस में भी निरे बाहर से लोग आकर भर गए हैं।''

''लेकिन कैसे, अभी तो पैकिंग वगैरह करोगी न।''

वो सब तो करीब-करीब हो चुकी है।

शाहिदा सन्न रह गई। कोई बोल नहीं फूटा। उसी समय मगरिब की नमाज़ का वक्त हो चला था। अजान हो रही थी। उन्होंने अपनी जानमाज़ उठाई और नमाज़ पढ़ने बैठ गई।

ट्रक में सामान लदवाकर दूसरे दिन डा. गुप्ता और लीला चले गए। शाहिदा मेडिकल कालेज में अपनी ड्यूटी पर थी, लेकिन उनके जाने के बाद बहुत रोईं शाहिदा। बस यही कहती रहीं, "लीला ने हम लोगों पर भरोसा नहीं किया। लीला ने रुसवा किया हमें।"

शहनाज़ आपा का दर्द दूसरा है। उन्हें शिकायत है कि लीला गुप्ता ने कैंपस क्या छोड़ा, वह तो हमें भूल गईं और क्लब को भी भूल गईं। एक दिन उन्होंने पकड़ ही लिया लीला को। पूछा तो बोली, "आपा, बहुत दूर पड़ जाता है यहां तक आना। शाम को रिक्शा भी नहीं मिलता लौटने को।"

अब पूछो, क्या पढ़ाने नहीं आतीं तुम। रोज डिपार्टमेंट तक आती हो। महीने में एक दिन गेस्टहाउस तक आना अब इतनी मुसीबत का काम हो गया?

बहरहाल! लीला के पास न तो शाहिदा के लिए जवाब है और न शहनाज़ आपा के लिए। सारा कसूर माहौल का है। शहर की फिज़ां का है।

"सब वक़्त-वक़्त की बात है भई! हम सब वक्त के गुलाम हैं न!"

लीला का ज़िक्र आता है तो शहनाज़ आपा अपना प्रिय वाक्य गाहे-बगाहे दुहराती रहती हैं।

लेडीज़ क्लब में विमलेश बहन

घंटी बजी। दरवाजा खोला। देखा नूरजहां थी। मेरी जान में जान आई। शुक्र है, पधारी तो!

लटकती-झटकती नूरजहां, अपने से कहीं बड़ा सूट झिंगोले सा बदन पर डाले खड़ी मेरा मुंह ताकने लगी।

"कहीं जानौ है क्या?" हमेशा की तरह उसने खीसें निपोरीं।

"जाना है मुझे। तुम जल्दी अंदर चलो। फिर आज तुमने इतनी देर की। कभी तो ठीक समय पर आ जाया करो महारानी।" मेरी खीझ एक साथ जैसे बरसना चाहती थी।

"का टैम है रौ। तुम तो रोजीना जल्दी में रहती हो।" वह पूरे इत्मीनान में थी और बिल्कुल जल्दी नहीं कर रही थी। मेरी बेचैनी को सिरे से नजरअंदाज करती हुई वह आराम से रसोईघर में घुसी और बर्तन समेटने लगी।

मुझे मालूम है कि वह काम अपने ही अंदाज में करेगी। यूं बात भी उचित है। अब हर घर में यही 'जल्दी, जल्दी' का राग सुनती है। वह मशीन तो नहीं बन सकती। उसने अपना तकिया कलाम उछाला—

''मैं मशीन नाय हती...''

हम कामकाजियों के लिए हमारी कामवालियां देवता का अनुपम उपहार हैं। नूरजहां मेरी उस्ताद भी है। वह ब्रिज बोलती है, शुद्ध ब्रिज। मेरी ब्रिज भाषा की जुबान ऋणी है नूरजहां की। उसकी बोली बड़ों-बड़ों की बोलती बंद कर देती है। एक बोल उधार देना नहीं जानती वह।

अभी कुछ दिन पहले एक दिन मैंने पूछ लिया ''क्यों, तुम्हारी शकीला सीख गई कुरान शरीफ़ पढ़ना?''

नूरजहां की बड़ी लड़की शकीला अब बड़ी हो गई है न! अपनी रिश्ते की भाभी के पास जाने लगी है कुरान शरीफ़ पढ़ने के लिए। यूं कभी उसने स्कूल का मुंह नहीं देखा। अगर पूछो तो कहेगी—मैंने भेजी हती इसे इस्कूल। इसका पढ़ने में मन नांय। भाजि-भाजि आवै इस्कूल ते।'' अब पूछो, तुम बखत पर फीस न दो। कापी किताब न दो। ड्रेस न लाकर दो। लड़की स्कूल में पिटेगी रोज-रोज तो भागेगी नहीं।

किसी सोच में डूबती-उतराती नूरजहां का जवाब था—

''आंटीजी, तीन महीना से सकीला टूसन पर जा रही है। महीने पर उसकी भाभी बीस रुपय्या धरा लेवे, लेकिन का सीख रही है, मोय ना पतौ। वो का बोलै, मेरी समझ में नाय आवै।''

''कलामे-पाक तो अरबी में होता है नूरजहां, तुम्हें कैसे समझ आएगा, तुम भी तो नहीं जानतीं पढ़ना।''

नूरजहां झेंप गई, जैसे चोरी पकड़ी गई हो।

''नाय आंटी, मैं ना जानूं पढ़ना।'' फिर थोड़ी देर सोचते हुए बोली, ''आंटी कलामे पाक, हमारी समझ में चौं ना आवै। हमारी बोली में काहे ना होवै।''

मैं हँसी। नूरजहां का बस चले तो सभी का तर्जुमा करा दे ब्रज में। तुम्हारी बात का जवाब तो नूरजहां ऊपर वाले ही दे सकते हैं। पगली, ये तो देववाणी है। देवताओं की भाषा, उसके सभी बंदे इतनी आसानी से समझ लेंगे तो बीच के लोगों का क्या होगा?

तुम्हारी तरह बेचारे तुलसीदास भी यही सोचते थे। वो भी पीटे गए देववाणी का तर्जुमा जनवाणी में करने के लिए। बहरहाल, इस समय तो वह मेरा उद्धार कर रही है। मैं उसे बिल्कुल टोकना नहीं चाहती कि वह बिना कपड़ा फिराए यूं

ही क्यों बर्तन धो रही है। इतनी बार कह चुकी हूं कि बर्तनों पर साबुन ही लगा रह जाता है। ठीक से हाथ लगा कर धोए, लेकिन इस समय तो जैसे चाहे, करे। मैं बाद में दुबारा धो लूंगी।

फिर फोन, फिर न रुकने वाली घंटी।

''कौन! रमेश!''

''ओह, सॉरी रमेश! भई, माफ करना, अभी यहीं है वह। अभी बात करती हूं, हां आज भेजती हूं तुम्हारे यहां।'' रमेश का फोन! कैसे भूल गई मैं। बेचारा दो बार फोन कर चुका है। अच्छा हुआ, नूरजहां अभी यहीं है।

आज सवेरे भी रमेश आया था कामवाली की तलाश में। उसे एक-दो महीने के लिए कोई कामवाली चाहिए। मैंने कहा था मैं भेज दूंगी नूरजहां को।

रमेश बैंक में काम करता है। अतुल का विद्यार्थी रहा है। तीन साल से हमारे घर के पास ही आ गया है। आगे वाली गली में मकान बनवा लिया है उसने।

आजकल परेशान है रमेश। परेशानी का सबब उसकी बीवी है। बीवी की बीमारी है। उसका आपरेशन हुआ है गॉल ब्लैडर का। छोटा सा परिवार। मियां बीवी और आठ साल का बेटा।

बीवी पड़ गई बिस्तर पर। अब बीवी का होना, घर में उसका रहना समझ में आ रहा है। ताज्जुब यह कि उसकी बीवी घर का सारा काम खुद करती है। झाड़ू-पोंछा, बर्तन से लेकर कपड़ों की धुलाई, प्रेस, खाना पकाना, बच्चे के ढेरों काम।

मैंने एक दिन कहा भी था, ''खूब पैसा बचा रहे हो भाई।'' वह खिसिया गया, फिर बोला, ''मैडम क्या करूं। सुधा को किसी का काम पसंद ही नहीं आता।'' और खामोश हो गया। अब कामवाली की तलाश! मैंने वादा किया कि कोई न कोई इंतजाम करूंगी। नूरजहां को आज उनके घर जरूर भेजना है। बेचारा रमेश। क्या-क्या करे? बच्चा संभाले कि ऑफिस या घर? ये तो हम औरतों का ही बूता है कि जितना भार लादो सिर पर, निभाते चले जाएंगे।

''अरे नूरजहां, तुम गईं नहीं रमेश बाबू के घर। पहली गली का मकान बताया था मैंने।''

नूरजहां चुप रही ।

''क्यों मकान नहीं मिला क्या? नया मकान है न! बिजली के खंभे के ठीक सामने वाला?''

''हूं!!''

कैसी हुंकारी भर रही है। मैंने उसे आश्वस्त किया था कि हमारी नूरजहां सब काम संभाल लेगी। न होगा तो अपनी लड़की से कह देगी। ये है कि मुंह से बोल ही नहीं फूट रहा है।

''हां, तो बताओ? अभी जाओगी कि सवेरे? ऐसा करो, यहां से काम करके उधर ही हो लेना या मैं चलूं तुम्हारे साथ! ठीक है?''

''हम्बे!''

''तो! अभी जाओगी कि सवेरे?''

''हम्बे ।'' वह निर्विकार भाव से सिर झुकाए बरतन उठा-उठा कर धोती रही जैसे कि मैं ऐसे ही कोई किस्सा-कहानी कह रही हूं।

''क्या बात है! पैसे-वैसे की चिंता मत करना। दो-एक महीने का काम है। जितना कहोगी, उतने पैसे देंगे।''

''हम्बे!''

मेरा माथा गर्म होने लगा। ये क्या औरत है! हां हां! करे चली जा रही है, लेकिन जवाब नहीं दे रही है।

''क्या बात है? जाओगी कि नहीं?'' मैंने अल्टीमेटम दिया।

वह काम खत्म कर चुकी थी। बर्तनों की टोकरी उठाकर चलने को हुई। मेरी तरफ एक बार भरपूर नजरों से देखा, मानो मेरी नादानी को तौल रही हो।

''आंटीजी, मैं ना जा रही वहां।''

कितनी गुस्ताख औरत है! तीन दिन से टहला रही है और अब यह ऐलानिया इंकार?

''दिमाग खराब हो गया है तुम्हारा? क्यों ना जा रही हो! टाइम नहीं है या पैसे कम लग रहे हैं उनके?''

''तमन्ने ये ना बताई कि कौन जात हैं वो।''

''जात! तुम्हें जात से क्या मतलब? अच्छे-भले लोग हैं। बैंक में नौकरी करते हैं। अफसर हैं वो बैंक में। साहब ने पढ़ाया है उन्हें। हमारे घर आना-जाना है उनका।'' मेरी समझ में नहीं आया कि इसको हो क्या गया है!

"नाय आंटी! मैं ना कर सकत्ती। मैं गई हती। वो दारोगन के पड़ोस वाला मकान ही तो है। दारोगन कह रही मो ते कि इनके यहां काम करोगी? जे तो चमार हतैं..."

कमाल की है ये नूरजहां! एक तो उल्टी-सीधी बकवास और फिर यह गुस्ताखी, "तुमन्ने ना बताई हमें।" मुझे ही दोषी ठहराने लगी!

मैं तो जैसे आसमान से नीचे आ गिरी। दिमाग खराब हो गया है इसका और इसकी दारोगन का।

"नूरजहां, इतनी बेवकूफी की बातें नहीं करते।"

मेरी समझ में नहीं आया कि उसे डांटूं या पीटूं, कैसे समझाऊं। आए दिन उधार लेती रहेगी, पैसे मांगती रहेगी। दो महीने में बारह-पंद्रह सौ कमा लेती अतिरिक्त, सो जात का फंदा आड़े आ गया।

हमारी तो हड्डियों में, तंतुओं में ऐसी जात की फांस अटी है कि इधर से निकालो तो दूसरी ओर जा फंसती है। कोई अछूता नहीं बचता इससे। छूत की बीमारी है, सब बीमार!!

नूरजहां अब भी निर्विकार थी। उसे न मेरी ओर देखने की, न मेरी बात समझने की जरूरत थी, काम खत्म कर वह चलती बनी खामोशी से।

यह पहला मौका नहीं है, जब नूरजहां ने मुझे झटका दिया है। ऐसे झटकों की तो आदत जैसी हो चली है। नूरजहां भी ब्राह्मणों की जमात में शामिल हो गई है।

रमा और शालिनी की शक्लें मेरे जेहन में ताजा हो गईं। रमा आई थी अपनी बेटी शालिनी को इम्तिहान दिलाने। रमा मेरी कज़िन है। शालिनी को प्री-मेडिकल टेस्ट में बैठना था।

पहले दिन ही नूरजहां को देखकर दोनों सकपका गईं। नूरजहां जब बर्तन साफ करके, रसोई धो-पोंछकर चली तो रमा से नहीं रहा गया—

"क्यों री, और कोई काम वाली नहीं मिली थी तुम्हें?"

"हां जीजी! क्या करूं?"

"कभी चाचीजी नहीं आईं लगता है तेरे पास!"

"क्यों!"

"वो तो बिल्कुल बरदाश्त ना करेंगी इस जहानआरा को।"

''जहानआरा नहीं, नूरजहां, जीजी।'' मुझे हँसी आ गई, ''नहीं जीजी! ना अम्मां और ना बाऊजी, किसी ने भी ऐतराज नहीं किया। वो तो दो बार आ चुके हैं यहां। महीना-महीना भर रहकर गए हैं।''

रमा जीजी ने मुंह बिचका लिया। हां, मैंने उनसे कहा कि मैं लंच टाइम तक नहीं आ पाती। अगर उन्हें गर्म खाना चाहिए तो नूरजहां आकर रोटी सेक देगी। आजकल खाना पकाने वाली नहीं है हमारे पास। इसलिए यही व्यवस्था रहती है इन दिनों।

रमा जीजी तपाक से बोलीं।

''नहीं रे! तू चिंता मत कर। मैं सब कर लूंगी। मैं हूं न?''

मुझे जीजी पर तरस आया। बेचारी। पंद्रह दिन के लिए आई थीं यहां। चैन से रहती। घर में रहो तो चूल्हा-चौका। सवेरे-शाम रोटियां ठेको। बाहर निकलकर आए। वहां भी वही ढाक के तीन पात! रसोई की चक्की पीछा ही नहीं छोड़ती।

लेकिन अब! अब तो रमा जीजी का अवतार नूरजहां थी। उसी जबान में और उसी जहनियत में...

क्या जवाब दूंगी रमेश को। कैसे कहूंगी। मैं शायद जनम-जिंदगी इसी उधेड़बुन में काट देती। मैं निकल ही रही थी कि रमेश दरवाजे पर था। अब!! क्या झूठ बोलूं!! क्या कहूं कि हमारे समाज का यह विष ऊपर से साफ हो रहा है तो नीचे तलछट में जमा हो रहा है? कैसे साफ होगा? उसे देख मैं तो हकलाने की स्थिति में आ गई। क्या बात बनाऊं! कैसे बनाऊं!

''वो रमेश, वो...''

''मैडम! मैं कहने आया हूं कि अब आप किसी से काम की मत कहना!''

''क्यों? अरे वो नूरजहां तो शायद पहुंचे सवेरे तुम्हारे यहां।'' स्थिति भांपते हुए मैंने पैंतरा बदला, कुशल खिलाड़ी की तरह।

''नहीं मैडम! वो अभी थोड़ी देर पहले मेरी अम्मा आ गई हैं गांव से। मेरी एक बहन भी है साथ में, भतीजी है न उनकी। दोनों जने हैं। अब दिक्कत नहीं।

उसके चेहरे पर सहजता थी। सचमुच उसने मुझे संकट से उबार लिया था।

''चलो! मैं मना कर दूंगी अब उसे।''

अभी थोड़ी देर पहले के संवाद सुन लेता रमेश तो?

मुझे घर के दरवाजे बंद करके ताला लगाते देखकर बोला, "कहीं जा रही हैं क्या? मैं छोड़ देता हूं स्कूटर पर।" मैंने कुछ सोचा! विमलेश का ध्यान आया! ठीक है।

"तुम मुझे देवीताल पर छोड़ दो, मंदिर के पास। वहां से फिर चली जाऊंगी मैं।"

विमलेश बहन को साथ लेकर क्लब की मीटिंग में जाना एक अनकहा नियम है मेरे लिए। एक तरह से यह जिम्मेदारी मुझे सौंप दी गई है। जब तक विमलेश बहन क्लब की सदस्य रहेंगी, तब तक मेरा उनका साथ रहेगा।

हमारे यहां अगर किसी एक सदस्य के प्रति सबके मन में उच्च सम्मान की भावना है तो सचमुच वह विमलेश बहन है। उनका हमारे यहां आना जैसे क्लब को गौरवान्वित करता है। इसीलिए अगर कभी वह नहीं आ पाती, तो मेरी जवाबदेही बनती है।

विमलेश का यूनिवर्सिटी से दूर-दूर तक कोई वास्ता नहीं है। उसके पति ठहरे वकील। ठेठ पुराने शहर के बाशिंदे हैं वे लोग। विमलेश बहन को सदस्य बनाने के लिए खुद क्लब की अध्यक्ष और सेक्रेटरी उनके पास गई थीं। भरपूर सम्मान दिया सबने। एक खास सदस्य के रूप में क्लब में शामिल किया गया उन्हें।

उन दिनों विमलेश बहन शहर में सर्वाधिक चर्चा का विषय थीं। पता नहीं विमलेश बहन ने जो बहादुरी का कारनामा अंजाम दिया, वह उनके दिल की आवाज थी, उनका स्वाभाविक विवेक था? या अचानक अंधे के हाथ बटेर थी या अचानक भावनाओं का उछाल था, लेकिन ऐसे सवाल उठाना किसी की नीयत पर, किसी की हिम्मत पर शक करना है। ये सवाल उठाना इन्सानियत और साहस के जज़्बे पर शक करना है। ऐसे सवाल उस परंपरा को तहस-नहस करने की कोशिश है, जहां लोग एक-दूसरे से प्रेरणा लेते हैं और एक विवेकसम्मत धारा आगे बढ़ती है। इन्सानियत की कद्रें आगे बढ़ती हैं।

दरअसल जब विमलेश बहन की बहादुरी और जज़्बे के आगे एक बड़ा समुदाय श्रद्धा से सिर झुका रहा था, अपने घर-परिवार और बच्चों की सलामती के लिए उन्हें अनगिनत शुकराने और भेंट चढ़ा रहा था, उस वक्त ऐसे ही शक-ओ-शुबहे पैदा किए जा रहे थे। काले-अंधेरे सवालों के घेरों में विमलेश बहन

को घेरने के प्रयास किए जा रहे थे। अखबार और मीडिया के लोग हमेशा की तरह काले-उजले की धूप-छांह जैसा खेल रहे थे। लेडीज़ क्लब तक उस पूरे वाकये की आंच पहुंचना स्वाभाविक सी बात थी। उस आंच में वहां सबको एक चमकता चेहरा नजर आया था।

लेडीज़ क्लब ने एक बड़े समारोह में पति, बेटे और बेटी के साथ उन्हें निमंत्रित किया। शहर के गण्यमान्य नागरिकों की मौजूदगी में उन्हें सम्मानित किया। सदस्यों ने उनके प्रति कृतज्ञता का इज़हार किया था। विमलेश बहन से ही उन्होंने एक बार फिर उस भयावह और शर्मनाक किस्से को सुनना चाहा था।

विमलेश बहन ने इस बीच खासा व्यावहारिक ज्ञान सीख लिया। रोज उनके पास अखबार वाले आ रहे थे। सभी अलग-अलग टी.वी. चैनल के लोग थे। उन्होंने कुछ लोगों की मदद से उस दिन की घटना को बहुत खास अंदाज में लिख कर एक खासी प्रभावी रिपोर्ट तैयार कर उसे एक फोल्डर के रूप में छपवा लिया। ऊपर से उनका फोटो भी लगा था। अपने बच्चों और पति के नामों का उन्होंने खासतौर से जिक्र किया था। यह सच भी है। बिना पति और बच्चों की मदद के कोई नया कदम उठाना क्या औरत के लिए आसान है? वह भी हिन्दुस्तान के मध्यवर्गीय परिवार की औरत के लिए! नैतिक समर्थन तो जरूरी है, खासतौर से जब वह खालिस घरेलू हो। बाहर बहुत दूर तक पैर न पसारे हुए हो।

उस छपे पर्चे ने बाद तक बहुत मदद की विमलेश बहन की। उन्हें छपे पर्चे की इबारत तो रट गई थी, उस दिन का घटनाक्रम भी ज्यों का त्यों आंखों में चित्रित था।

विमलेश को यह बताने की जरूरत नहीं थी कि उस दिन की घटना वातावरण में लगातार भर रहे धुएं के बीच एक विस्फोट था। जब आग लगती है तो कहीं चिंगारी उड़ती है, कहीं लकड़ियां चटकती हैं तो कहीं धमाकों के साथ विस्फोट होते हैं। जगीन से आसमान तक छा रहा कालापन कुछेक महीनों से सुलग रहा था। चुनावी सियासत गर्मा रही थी। मंदिर के शिखर और घंटे तथा मस्जिद की मीनारें और अजान अलग-अलग पालों में सजे हुए थे। हू-तू-तू के खेल के साथ हार-जीत की बोली लग रही थी। ये कबड्डी दो महीने पहले दंगे की शक्ल ले चुकी थी और दस दिन तक शहर को कर्फ्यू के चंगुल में बांध चुकी

थी। कहने को तीन गरीब भी बलि चढ़ चुके थे। जब हालात सामान्य हो गए, बाजारों की रौनक लौट आई तो लोगों ने चैन की सांस ली। चलो, अबकी तीन-सिर्फ तीन में ही मामला निबट गया! वर्ना इस शहर की सड़कें, गलियां और कूचे खून के प्यासे हो जाते हैं, आसानी से प्यास नहीं बुझती इनकी।

शहर के अफसरान अब निश्चिंत थे। अपनी पीठ थपथपा रहे थे। शुरू में ही सख्ती कर ली और कंट्रोल कर लिया। जलती लकड़ियों पर पानी उंडेला जा चुका था। आग बुझा दी गई थी।

लेकिन चूक हो गई! इतनी जल्दी आग नहीं बुझती। दंगा कोई बीड़ी का टोंटा थोड़े है कि जरा-सा रगड़ दिया और बुझ गई। काली पड़ गई लकड़ियां सुलग रही थीं। भीतर ही भीतर कारोबार हो रहे थे। खिड़की, झरोखों से नजर रखी जा रही थी।

ये कुछ तो सब जानते थे। यह सब जो दिखता नहीं, लेकिन नंगे बदन पर हवा को महसूस करने जैसा होता है। इसलिए जब उनसे कुछ बोलने को कहा गया तो उन्होंने वही बताया, जो उस दिन घटा था। प्रत्यक्षदर्शियों ने देखा था। कई बार किस्सा बयान करते-करते विमलेश बहन सचमुच बिना रोक-टोक धारा प्रवाह बोल रही थी।

वह शुक्रवार का दिन था। पता नहीं क्या होता है हमारे मुहल्ले में कि लोग शुक्रवार को बड़ा याद रखते हैं, जैसे कुछ खास घटने वाला हो। नहीं-नहीं, जब ऐसा गड़बड़ माहौल होता है तो हर शुक्रवार बहुत खास हो जाता है। चिंता और आशंकाओं से भर जाता है। मैं उन दिनों की बात कर रही हूं जैसा पिछले कुछ महीनों में था। ''लोग जाने क्यों मान लेते हैं कि जरूर आज कुछ गड़बड़ होगी...'' विमलेश कह रही थी।

मेरे पास मिसेज़ अहसन बैठी थीं। बगल में बैठी परवीन से फौरन फुसफुसा कर कहने लगीं, ''मैंने तो अपने दोनों बेटों से कह दिया है कि जुमे को जोहर की नमाज घर पर ही अता करो, यहां तो बहाना चाहिए लोगों को।'' परवीन ने उनका हाथ दबाकर चुप रहने का इशारा किया। हर बात हरेक के सामने कहने की थोड़ी होती है।

अब अलीगढ़ वाले तो हवा को सूंघने में माहिर हैं। वो बारात कानपुर से आई थी शाहजमाल मुहल्ले में। वह पूरा इलाका जैसे शहर में पैबंद है। हमदर्द

नगर, जमालपुर, शाहजमाल, महबूब नगर, ये पास-पास सटे इलाके पिछले बारह-पंद्रह साल में, शहर की छाती पर उग आए हैं। ऐसे ही फ़सादात के मौकों पर आसपास से भागकर आए लोगों ने यह इलाका आबाद किया। फिर कुछ चतुर-सयाने, खाते-पीते लोग भी आ बसे इधर, इस उम्मीद में कि आज जगह कब्जा लो। कल-परसों रहने लायक हो जाएगी। आज की मुफ्त जमीन कल सोना नहीं तो चांदी जैसी चमक तो देगी। हालांकि सबसे बदनुमा चेहरा है वह इलाका इस शहर का। सारे शहर की कीच जैसे इन मुहल्लों के मुंह पर मल दी गई हो। तंग सड़कें। छोटी-छोटी दुकानें। पानी नलों में चाहे न आए, सड़कों की कीचड़ में जरूर रहता है। कुत्ते और सुअर और नंग-धड़ंग, बड़े-बड़े पेट निकले मरियल बच्चे एक ही कतार में नजर आते हैं। लगता है शहर उन्हें अपना बाशिंदा नहीं मानता, न माने। ये कौन शहर को अपना रहे हैं। दिन काटना अलग है और जिंदगी बिताना अलग। यहां जिंदगी की तलाश मुश्किल है।

इसी शाहजमाल मुहल्ले में शादी होनी थी और बारात आई थी।

वह शादी कई महीने से तय थी। बाराती अब मुतमईन थे कि हालात बिल्कुल नार्मल हैं। शाहजमाल तक जाने के लिए पूरा शहर नापना पड़ता है। बारात एक दिन पहले आ गई। हँसी-खुशी ब्याह हो गया था। दूल्हा-दुल्हन को लेकर हँसी-ठिठोली हो रही थी। यूं दस-ग्यारह बजे तक रुखसत होनी थी, लेकिन क्या कीजे! ये नयी उम्र के लड़के-लड़कियां। वक्त पर तैयार हो जाएं तो बड़ी बात। तीन-चार पढ़े-लिखे नौजवान लड़कों के दिमाग में कौंधा कि अब आए हैं तो यूनिवर्सिटी तो घूम ही लें। दुनिया में मशहूर है। दूर-दूर से लोग पढ़ने आते हैं। पढ़ नहीं रहे हैं तो देखने में क्या हर्ज है। इस बीच तय हुआ कि बिरयानी खाकर जाएंगे, बस अब तो खाकर ही जाना है। ईंट के बने चूल्हों पर फिर लकड़ियां भड़क उठीं। देग चढ़ गए। घर की औरतें जुट गईं। गोश्त लाने के लिए दौड़ गए भाई लोग। करते-कराते दो बज चुके थे। तभी कोई आंधी तूफान सी खबर लेकर आया, "शहर में झगड़ा हो गया है। दो लोग चाकू खा गए हैं।"

पुराने शहर के बाज़ार में सुना कि झगड़ा हो गया। फड़ बिछाकर बैठे ऊन की दुकान पर दुकानदार और ग्राहक के बीच झगड़ा हुआ था। ग्राहक ने बहस करते-करते दुकानदार के कंधे में चाकू घोंप दिया। नतीजे में उसके साथ दूसरे

फड़वालों ने ग्राहक को पीट-पीट कर अधमरा कर दिया। दोनों अस्पताल में हैं, सुनकर घरातियों के हाथ-पैर फूल गए। अपनी घबराहट छिपाते हुए उन्होंने बारातियों को तुरंत रुख़सत करने का फैसला किया। अभी तो शुरुआत है। तुरंत अलीगढ़ से निकल जाएंगे। एक बार शहर पार कर एटा रोड पर आ गए तो फिर सब ठीक होगा।

चलियो रे, अय्यो रे, मचने लगी। लड़के-मर्द बैठाए जाने लगे बस में। गरारा-दुपट्टा संभालते लड़कियां बैठने लगीं। गुलाबी दुपट्टे वाली, जो दूल्हे की बहिन थी, ने टीका हाथ में दबा लिया। बस में बैठकर लग जाएगा। हरे दुपट्टे वाली के गरारे का लचका चलते में कहीं कील से अटक कर उधड़ गया था और नीचे लटक रहा था। उसने सुई-डोरा हाथ में ले लिया कि बस में बैठकर ही टांक लेगी। सामान छोड़ो, आता रहेगा फिर, किसी ने कहा, "अल्लाह ख़ैर करे। दुल्हन को बीच में बिठाओ रे, नजर न पड़े।" हड़बड़ी में ही इमाम जामिन बांधा दुल्हन की अम्मी ने। "चलो भी अब, अल्लाह बच्चों को, सबको सलामत रखे।"

बस तेज चली थी। ड्राइवर सीधी राह जानने वाला था। हमदर्द नगर, जमालपुर पार हुआ। मुहल्ला पठानान निकला, क्या दिक्कत। अपना ही इलाका हुआ। अब जीटी रोड पर खुले में बस थी। रास्ते में सनातन धर्म महाविद्यालय। एक तो वैसे ही भीड़ वाली सड़क। फिर झगड़े की खबर सुनकर स्कूल-कॉलेज बंदी की खबर आ गई। लड़कों की भीड़ बाढ़ के पानी की तरह बह निकली। बस का रुकना लाजिमी था। कोई बस की टक्कर से मर-मुरा गया तो और मुसीबत।

वह सिर्फ जीटी रोड नहीं थी। वहां सिर्फ सनातन धर्म कॉलेज के नौजवान ही नहीं थे। वह कबड्डी का दूसरा पाला था। सांस खींचते हुए पहली पाली के लोग लाइन पार कर खड़े थे और सांस रोके हुए थे। बस भी रुकी हुई थी। कमबख्त। ये आजकल का फैशन। चाहे पढ़ना-लिखना ना आए। निपट निरक्षर भट्टाचार्य हों, लेकिन गाड़ी पर शादी का ऐलान चस्पा था। आगे-पीछे दाएं-बाएं, सजावट की तरह। जीटी रोड के किनारों पर बसे सुरेन्द्र नगर, गांधी नगर, लक्ष्मी नगर और विष्णुपुरी के नौजवान भी वहां तमाशबीन थे। कहां झगड़ा हुआ, किसने मारा, किसको मारा, बहस चल रही थी। चाकू से, कितना बड़ा चाकू, कौन मरा, कौन जिया, पूरा जायजा सड़कों पर हो रहा था। सभी लोग सभी घटनाओं के चश्मदीद गवाह थे। सभी प्रामाणिक थे। सभी सम्माननीय थे।

और...रुकी हुई, रेंगने का प्रयास कर रही बस पर एक गुम्मा आकर लगा था। बगल में बैठी दुपट्टा संभालती लड़की 'हाय अल्ला' कहकर लेट गई सीट पर।

ऐसे मौकों पर पहला पत्थर, पहला झगड़ा, पहली चोट, आगे की घटना का स्वरूप तय कर देती है।

"अरे भाग! ड्राइवर साहब जल्दी भगाओ गाड़ी, निकालो फटाफट।"

लेकिन इससे पहले ही लड़कों की भीड़ गाड़ी को घेर चुकी थी। दरवाजे का कुंडा टूट चुका था और सामने बैठे दूल्हा के बड़े भाई ने रोकने की कोशिश की तो वह गोली खाकर नीचे गिर चुका था, बस में चीख-पुकार, हाय—तौबा, रोना-धोना चालू हो चुका था। दुल्हन को किसी ने हाथ पकड़कर पीछे की ओर सीट के पीछे दुबका लिया और मर्द मुकाबला करने के इरादे से सामने आ रहे थे। बड़े मियां अपनी सीट पर गोली खाकर बेहोश थे और उनके माथे से खून बह रहा था।

विमलेश अपने लड़के के स्कूटर पर बैठी घर वापस आ रही थी। जैसे ही फ़साद की खबर मिली, उसने तुरंत लड़के को उठाया। महीने का आखिरी है। कम से कम आटा, दाल, चावल, चीनी तो ले आए। प्याज, आलू भी भरना होगा। पता नहीं कब तक सिलसिला चले, इंतजाम जरूरी है। शहर के लोग अभ्यस्त हैं ऐसे झगड़ों के। जरूरी इंतज़ामात करना क्राइसिस मैंनेजमेंट जैसा ही होता है। थैलों से लदी-फदी विमलेश जब घर के पास पहुंची तो भीड़ थी। भीड़ तो रहती ही है उधर, लेकिन यह भीड़ तो कुछ अजीब तरह से गंधा रही थी। यह भीड़ हिल नहीं रही थी। ऐसे मौकों पर भीड़ के पंख लग जाते हैं। लोग गिरते-पड़ते हैं, लेकिन भीड़ हवा की मानिंद बहती-उड़ती है। यह तो जमी हुई भीड़ थी। तमाशबीनों की पर्तें गहरी थीं। रास्ता जाम था।

"कोई मर गया है क्या? विशु देख तो सही?"

विशु पहले ही उतर चुका था और स्कूटर किनारे खींचकर ले जा रहा था। विमलेश ने थैले विशु को पकड़ाए। बिल्ली सुलभ उत्सुकता उसे भीड़ के भीतर खींच लाई।

रुकी हुई बस! नए-कपड़ों की रंगत बारातियों पर ठप्पा लगा रही थी। चीख-पुकार! डरे-सहमे बारातियों के इर्द-गिर्द चीटियों सी भीड़ चिमट रही थी। हरे

दुपट्टे वाली और गुलाबी दुपट्टे वाली दोनों जमीन पर लिथड़ रही थीं। चूड़ी वाली एक-एक कलाई पर चार-चार हाथ थे और वे उन्हें खींच रहे थे। कॉलेज का फाटक सौ कदम की दूरी पर था।

"रहम-रहम! छोड़ दो! भाई साहब! छोड़ दो! रहम करो भाई साहब।"

भीड़ स्तब्ध थी। भीड़ हँस रही थी। भीड़ उछल रही थी। भीड़ दाद दे रही थी। भीड़ डरी हुई थी। भीड़ सिर झुकाए हुए थी। भीड़ मुंह फेरकर आगे बढ़ रही थी। सड़क पर फिर द्रौपदी की कथा दुहराई जा रही थी और नपुंसक भीड़, ठीक पांडवों जैसी थी।

विमलेश का सिर चकरा गया। ये हो क्या रहा है। धूल में लथपथ, जमीन पर पड़ी लड़कियां। अस्त-व्यस्त। दहशतजदा। आंसू और धूल से सना चेहरा। पूरा जोर लगा कर वे अपना पैर रोप रही थीं जमीन पर। या खुदा, कोई तो मदद करे, अल्लाह रहम कर।

उसे तो कुछ समझ ही नहीं आया। सिर्फ हँसते-खिलखिलाते, हाथों को खींचते, झटका देते वे लड़के दीख रहे थे और रोती-चीखती, जमीन पर लोटती वो लड़कियां दीख रही थीं। उम्र भी क्या होगी। मुश्किल से सोलह-सत्रह साल-उसकी निन्नी से भी छोटी लड़कियां और...और...रणचंडी-सी वह झपट पड़ी उन लोगों पर। उसने दो हत्थड़ मारे उन हाथों पर, जो कलाई की टूटी चूड़ियों पर जमे थे और चीखी थी।

"हरामजादो, क्या कर रहे हो, छोड़ो इन्हें।" वे अचकचाए। आंख सिकोड़ कर देखा।

"आंटी आप हट जाओ। घर जाओ अपने।"

वह, रज्जो पंडित था, रंगदारी लेने वाले गिरोह का। बाकी उसके चेले चपाटे। गुंडागर्दी के धरम वाले।

"आंटी के बच्चे। ले जा पहले अपनी आंटी को फिर हाथ लगाना इन्हें। बुला अपनी मां को। बुला अपनी बहन को। चल, कहां ले जाएगा।" मुंह से झाग निकल रहा था उसके।

मां धंस चुकी थी धुएं और आग की लपटों में। बेटे ने थैले वहीं एक दुकान पर पटके। अब वह भी पीछे था। घृणा से उपजी दरिंदगी ने ऐसा भयावह असर डाला था कि सबके दिलो-दिमाग फ्रीज़ हो गए थे। विमलेश के सामने वे दो सिर्फ

लड़कियां नहीं थीं, पूरी औरत जात थी। उसकी अपनी जात थी। वो उन लड़कियों के पास खड़ी थी, जिनके लिए वो आसमानी फरिश्ते के रूप में उतरकर आई थी।

पीछे-पीछे विशु, उसे देख उसके परिचित, दोस्त, मुहल्ले वाले भी आगे बढ़े। आखिर ये उनका अपना मुहल्ला था। उनके अपने लोग थे। पड़ोस का भी तो कोई धर्म होता है।

जमे हुए पानी में पत्थर मारा था विमलेश ने और लहरें पैदा होने लगी थीं। बात वही है, पहला पत्थर कौन उछालता है। वही पहला पत्थर किसी को संगसार करता है तो नाइन्साफी और हैवानियत के दरवाजे पर दस्तक भी देता है और मामला पलटने लगा। लोग जैसे नींद से जाग उठे हों। जमी बर्फ यकायक पिघल उठी। फिर कायरता तो चोर की तरह होती है और चोर के पैर कितने। भीड़ तो धूल का ढेर थी, बिखरने लगी।

जिबह किए जाने वाले जानवर की तरह लड़कियां पड़ी थीं। विमलेश के साथ अब और लोग जुट आए। बड़े मियां उठाकर सहेजे गए। पूरी बारात की बस को अपने घर ले गई विमलेश। आखिर नीचे इतना बड़ा आंगन किस काम आता। फोन करके कचहरी से सहाय साहब बुलाए गए। किस्सा सुनने पर वे वकीलों का पूरा अमला लेकर चले आए। फिर तो पुलिस-डी.एम., एस.एस.पी., चारों ओर फोन खड़के। पूरा शहर प्रशासन हाजिर। मीडिया-पत्रकार, अखबार, कैमरे। बस को अगले दिन पूरी सुरक्षा के साथ आगे भेजा गया।

दूसरे दिन पूरे अखबार में विमलेश और बस और उसमें सवार बाराती, यही कहानी थी।

अब यह बात इतनी जरूरी नहीं कि कैसे लोकल से विमलेश नेशनल अखबारों में सुर्खी बनी, कितने इनाम-सम्मान मिले। इससे भी ज्यादा अहम बात ये कि एक महीने बाद कानपुर से एक पूरा डेलीगेशन आया। कई मुस्लिम संगठनों के लोग थे। विमलेश बहन का शुक्रिया अदा करने आए थे। उनमें मौजूद तीन महिलाओं की आंखों में आंसू थे।

''बहन। आपने इज्जत रखी हमारी। परदेस में कौन था हमारा। ऐसे में तो अपना साया भी साथ छोड़ देता है।''

''ये तो हम सबकी इज्जत का मामला था बहन, अपनी आंखों के सामने कैसे कोई औरत ये सब बरदाश्त करेगी।'' विमलेश बहन भी बताते हुए भावुक हो रही थी।

वैसे कभी एकांत में वह अक्सर अपने से सवाल करती होगी कि 'सचमुच, कहां से आ गई अचानक इतनी हिम्मत। वह तो इतनी बहादुर कभी नहीं थी।' ''होता है, ऐसा होता है! अपनी ताकत का अहसास ऐसे ही कठिन क्षणों में होता है।'' किसी ने कहा था। अब विमलेश ताजिंदगी कानपुर के उस परिवार की आपा है, अम्मी है, खुदा की रहमत है।

फूंक मार-मार कर बनाई गई आंधी का गुबार जल्दी ही बैठने लगा था। ऐसी चाकूबाजी की घटनाएं आज आम हो रही हैं। दूसरे की बात सुनने का, समझने का न तो किसी के पास समय है और न ही धैर्य। तेज भागती जिंदगी में दिमाग जैसे हाला-डोला बना चकरघिन्नी खाता रहता है। इंकार का, तकरार का फैसला तुरत-फुरत चाकू से या गोली से हो जाता है।

बहरहाल तीन दिन शहर में सख्ती रही। कर्फ्यू जैसे हालात रहे। फिर गुबार जल्दी ही बैठने लगा। हालात सामान्य हुए तो डा. शाहिदा का फोन आया। लेडीज़ क्लब के लोग विमलेश सहाय से मिलना चाहते हैं। उन्हें अपने क्लब में शामिल करना चाहते हैं, क्या मैं उसका पता मालूम कर सकती हूं।

जिस दिन हम लोग उसके घर पहुंचे, वहां उत्सव का माहौल था। लगता था घर खासतौर पर सजाया-संवारा गया है। किसी खास मेहमान का इंतजार था। बहरहाल मैं, डॉ. शाहिदा, वसीमा और शहनाज़ आपा वहां पहुंचे तो एक पत्रकार महोदय बैठे थे। विमलेश ने हमें देखा तो फौरन उठ आई और हमें बहुत प्रेम से अंदर ले गई।

''दीदी! ये पत्रकार हैं। कौन से अखबार से हैं जी आप, मैं भूल गई।'' और उसने खुर्राट से लगने वाले पत्रकार से सवाल दाग दिया। शायद बातचीत में गहमागहमी थी।

विमलेश कुछ परेशान लग रही थी। हमें देखकर उसे राहत महसूस हुई। वह शायद इंटरव्यू का सिलसिला खत्म करना चाहती थी। वह पकी सूरत वाला पत्रकार तपातपाया था अपने व्यवसाय में।

''भाई साहब! मैंने सब कुछ इस पर्चे में लिख दिया है। आप इसे पढ़ लें।'' उसके हाथ में लिखे हुए पर्चे की फोटोकापियां थीं। दरअसल अपने पति की मदद से विमलेश ने पूरी घटना को विस्तार से लिख डाला था। जो उसके पास आता, उसे एक कॉपी थमा देती। नितांत घरेलू विमलेश पता नहीं कब, किससे क्या कह बैठे, उसके समझदार वकील पति ने यह रास्ता निकाला था।

हमें भी उसने कागज की प्रतियां पकड़ा दीं। फिर उस पत्रकार की ओर मुखातिब होकर बोली—

''भाई साहब! आपको जो लिखना हो, इस पर्चे में देख लें। मेरे पास अब ज्यादा समय नहीं है। वकील साहब भी आते होंगे।'' विमलेश के साथ हमें देखकर पत्रकार महोदय को अपनी डायरी बंदकर विदा लेनी पड़ी।

''बताइए दीदी! मुझसे पूछ रहे थे कि वे दंगाई उन लड़कियों को क्यों खींच रहे थे। मैंने कहा, जवान लड़कियां थीं। गहना-गुरिया पहने थीं। बारात में आई थीं। वे बदमाश उन्हें खींच कर कालेज के भीतर ले जा रहे थे। कहने लगा कि आपने अपने बयान में लिखा है कि वे उनकी इज्जत लूटना चाहते थे। आपको कैसे मालूम कि वे उनकी इज्जत लूटते। मैंने कहा कि अच्छा तो क्या वे उन लड़कियों को खींचकर कालेज कैंटीन में चाय पिलाने ले जा रहे थे? बेहूदा आदमी। इसीलिए वकील साहब ने कहा कि किसी से बात मत करो। सिर्फ अपना कागज दे दो।''

विमलेश अब भी उत्तेजित थी! उसकी उत्तेजना का एक कारण यह भी था कि लखनऊ से मुख्यमंत्री का संदेश लेकर कोई अधिकारी आने वाला था। सारी तैयारी उसी की थी। इसी उत्साह में आस-पड़ोस के लोग भी जुट आए थे। मुख्यमंत्री का संदेश! कोई सम्मान! कोई पुरस्कार।

लौटते वक्त शाहिदा कह रही थी—

''कभी-कभी बेहद मामूली लगने वाले लोग कित्तनी हिम्मत दिखाते हैं। उन्हें शायद खुद अहसास नहीं होता कि अपनी रौ में वो कितना ग़ैर मामूली काम कर दिखाते हैं, जो सभी के लिए एक मिसाल बन जाती है।''

विमलेश के इस सम्मान में न सिर्फ कुलपति की पत्नी, बल्कि स्वयं कुलपति महोदय मौजूद थे। शहर मुफ्ती की अध्यक्षता में दो दिन पहले ही शहर के संगठनों ने विमलेश का सम्मान किया था। उन्होंने इस समारोह में भी अपना संदेश भेजा। विमलेश का चेहरा चमक रहा था। इतनी बड़ी यूनिवर्सिटी! यूनिवर्सिटी वाले उसका सम्मान कर रहे हैं! उसका तो सपना था कि विशु और निन्नी यहां पढ़ें। उनको यहां तालीम हासिल करने का मौक़ा मिले। इसीलिए समारोह में उसके बेटा-बेटी दोनों मौजूद थे। विमलेश सचमुच गदगद् थी। ''ऐसी बहादुर विमलेशजी को अपने क्लब की सदस्यता देकर उसका सम्मान करना,

क्लब की सदस्यों का खुद का सम्मान है।'' ये उद्गार क्लब की सेक्रेटरी और अध्यक्ष के नहीं, बल्कि सभी के दिल के थे।

घर जाते समय शहनाज़ आपा ने मेरा हाथ दबाया और धीरे से बोलीं–

''देखा राधा! अब बना है यह सही मायने में लेडीज़ क्लब। वर्ना तो यह मुस्लिम लेडीज़ क्लब बन कर रह जाता।''

''फिर आपको इसका नाम बदलना पड़ता, अंग्रेजी नाम नहीं चलता।''

''क्या होता?''

''अंजुमने मुस्लिम ख़वातीन।''

''उर्दू अच्छी बोल लेती हो।''

''जी हां!'' मैंने सलाम किया उन्हें।

सलमा बेगम

मेरी उम्मीद के विपरीत विमलेश तैयार मिली। नीचे उतर आंगन में कुर्सी डाले वह मेरा इंतजार कर रही थी। पुराने समय का बना उसका घर! नीचे के हिस्से में हैं बड़े-बड़े हॉल, जो किसी बिजनेस हाउस के गोदाम हैं। ऊपर उनका अपने रहने के लिए मकान। नीचे गोदाम के अलावा बाकी पूरा हिस्सा कच्चा। नए स्टाइल के लॉन के बजाय ढेर सारे ऊंचे-ऊंचे दरख़्त। फल वाले पेड़ों में चार पेड़ तो आम के ही हैं। दो-तीन अमरूद के। कटहल है, बेल है और जाने क्या-क्या है। एक ओर केले के गाछ खड़े हैं। पैरों के नीचे मिट्टी की छुअन। सिर पर कदंब की छांव, खासा रोमांटिक है। आजकल आम के पेड़ बौराए हुए हैं। उसका कच्चा आंगन महक रहा है। कितनी मादकता है इस गंध में। अब तो शहर के भीतर ये आम-अमरूद के पेड़ देखना दुर्लभ हो रहा है। एक मकान के प्लॉट पर कम से कम छह-आठ मकान कैसे बन सकते हैं, यह हमारे बिल्डर भाइयों से पूछ लो।

"विमलेश यू आर लकी यार!"

"क्यों जीजी।"

"अरे, इतनी खुली जगह। इतने पेड़-हरियाली, अब कहां मिलता है ये सब!"

"वो मित्तल है न जीजी, मित्तल असोसियेट वाला। पीछे पड़ा है इस मकान के। एक करोड़ दे रहा है और दो फ्लैट मुफ़्त।"

"फिर?"

"फिर क्या! वकील साहब तो एक बार झांसे में आ गए। बोले, बेच दो, बढ़िया सौदा है। मैं अड़ गई। मैं नहीं हूं इतनी शहराती। मैं तो अब भी गांव-जवार की बेटी हूं। मैंने कहा—जिस घर में आंगन न हो। कच्ची जमीन में वन देवता का वास न हो, वो घर है कि नरक! मैं ना बेच रही ये जगह। मैं ना रह सकूं जीजी पथरीले जंगल में।"

"बड़ा जब्त किया विमलेश बहन तुमने।"

और फिर रास्ते भर विमलेश मुझे अपने गांव के बारे में बताती रही। कैसा रचा बसा है उसके भीतर उसका बचपन, उसका गांव। इसीलिए बची हुई है अब भी वह शहर के बेगानेपन से।

ये बेगानापन ही मुझे सलमा भाभी के करीब ले आता है। यहां विशिष्ट बौद्धिक समाज के बीच रहकर भी सलमा का मन कहीं खेत-खलिहान में भटकता है। मुलम्मारहित रहन-सहन में बार-बार खोल चढ़ाने की कोशिश सलमा की विफल हो जाती है।

कल एक रिपोर्ट दिखा रहे थे टी.वी. चैनल वाले। चमोली के पहाड़। पहाड़ों की छाती पर बसे जंगल। जंगल में घास काटती, चारा बटोरती हरुली और दीपुली। पास बिठा रखा दीपुली का चार साल का बेटा। जंगल में घास है, चारा है, बांज, बुरुंश और चीड़ है और देवदार है तो बाघ का भय भी है और सचमुच का बाघ भी है और दबे पांव चुपके से बाघ आया और बच्चे को उठा कर ले जाने लगा। दोनों औरतों ने पीछे घूम कर देखा। सामने खड़ा, गुर्राता, चुनौती देता, उन दोनों को नजरों से तौलता और शिकार को देखता, ललचाता बाघ! दूसरी ओर हरुली और दीपुली।

"ओ बाबा, बाघ" दीपुली चीखी थी और उसके हाथ की दरांती गिरी तो नीचे लुढ़कती चली गई। हरुली के हाथों ने कसकर पकड़ रखी थी अपनी दरांती।

हरुली के पास तौलने-जांचने का समय नहीं था। उसे जो करना था, तुरंत करना था और दूसरे ही पल उसकी दरांती बाघ की गर्दन पर थी और उसका दूसरा हाथ बाघ के मुंह में...

दीपुली बयान कर रही थी।

हाथ, पैर, चेहरे पर घाव और पट्टियों में लिपटी, चमोली के सरकारी अस्पताल में बिस्तर पर लेटी हरुली से संवाददाता पूछ रहा था—

''आप क्यों भिड़ गईं बाघ से। आपको जान का खतरा नहीं लगा था?''

''बच्चे की जान का सवाल था भाई शाब!''

''लेकिन बच्चे की मां, ये तो नहीं बढ़ी आगे?''

हरुली ने पास बैठी दीपुली और बच्चे को प्यार से देखा।

''मैंने तो कुछ नहीं सोचा भाई शाब। मेरी दीठ के सामने तो सिरफ ये बच्चा था। बच्चा किसी का भी हो, है तो बच्चा। बचाएंगे नहीं उसे।'' आंसुओं से लबालब दीपुली उसके सिर पर हाथ फेर रही थी, कृतज्ञता से भरी हुई थीं उसकी आंखें और उसका दिल भी।

टी.वी. का दृश्य मेरे जेहन में फ्रीज़ हो रहा था। मुझे लग रहा था कि विमलेश भी अभी कंक्रीट के जंगल में नहीं पहुंची है। अभी मिट्टी की सोंधी गीली गंध उसके भीतर मौजूद है। अभी आसपास भय, आशंका और भूत-भविष्य के जाले नहीं उपजे हैं। इसीलिए तो सीधे-सीधे भीड़ में बाघों के सामने चली गई थी वह, अपनी औरत को बचाने के लिए। उसके हाथ में तो कोई दरांती भी नहीं थी, लेकिन बाघ को भागना पड़ा था।

मैंने विमलेश की ओर देखा। मस्त पंछी की तरह मुस्कराती, खड़ी थी मेरे आगे बढ़ने के इंतज़ार में।

उसके घर से निकले। पहले तो रिक्शा ही नहीं मिला। पड़ाव-दुबे से आगे मिला तो मैं सोचने लगी, क्या किया जाए। रिक्शा थामे ये बड़े मियां तो खुद मरीज़ नजर आ रहे हैं। कब पहुंचेंगे। थोड़ा रुककर इंतजार कर लेते हैं, लेकिन विमलेश कूदकर बैठ गई।

''आ जाओ जीजी! पहुंच ही जाएंगे देर-सबेर।''

रिक्शे में बैठे-बैठे लगा कि इससे तो अच्छा था कि पैदल ही चल देते तो जल्दी पहुंचते। हर पैडल पर बड़े मियां की सांस फूल रही थी।

''जीजी, मैंने तो कहा कि ये रिक्शा चला तब भी जाएगा। ये शहर के रिक्शेवाले तो आसानी से राजी भी नहीं होते यूनिवर्सिटी की तरफ जाने के लिए।''

''ऐसा! क्यों भई!''

''बस! यही हाल उधर के रिक्शेवालों का है। वहीं यूनिवर्सिटी के चारों ओर चक्कर काटते रहेंगे, हॉस्टल से डिपार्टमेंट, रजिस्ट्रार आफिस, आगे शमशाद मार्केट, बस। शहर की ओर नहीं जाएंगे।''

''अच्छा! मुझे तो नहीं लगा कभी ऐसा।''

''जीजी, आपका मुहल्ला सिविल लाइन के पास है न! फिर वहीं पास में कान्वेंट स्कूल है, मुख्य एरिया है। हमसे पूछो। दो रिक्शे करती हूं मैं आपके यहां आने के लिए। पहले अमीरनिशां क्रासिंग तक या मार्केट तक। फिर वहां से लक्ष्मी रोड तक। देखो जीजी, इत्तफ़ाक से आज आपका ड्राइवर नहीं और मेरी भी गाड़ी खराब है। कोई बात नहीं। चलता है जीजी, सब चलता है।''

मुझे हँसी आ गई।

''अपनी आदतें खराब नहीं करनी चाहिए भई। कौन जनम-जिंदगी हम हमेशा से मोटर पर ही चलते रहे हैं।'' मैंने तसल्ली दी उसे।

गेस्टहाउस के गेट पर ही उतर गए हम लोग। वर्ना फिर गेट के रैंप पर चढ़ना पड़ता रिक्शे को। बड़े मियां ने कंधे पर पड़े अंगोछे से अपना चेहरा पोंछा और खड़े हो गए। मानो सांस थामने की कोशिश कर रहे हों।

विमलेश पैसे दे चुकी थी। फिर उसने दस रुपये का नोट और उसकी हथेली में रख दिया—

''बड़े मियां, तुम्हारी सांस तो उखड़ रही है। इलाज कराओ, वर्ना कैसे चलेगी गाड़ी।''

बड़े मियां ने खीसें निपोर दीं। जैसे कोई खास बात न हो।

''ऊपर वाला आपको सलामत रखे। आपका बाल-बच्चा सलामत रहे।'' दस रुपये अतिरिक्त देखकर वो यों हमें देखने लगा जैसे उसे समझ नहीं आ रहा हो कि यह हो क्या रहा है। आवाज़ भी नहीं निकल रही थी।

''बिहारी है, जीजी।'' विमलेश बोली, ''साफ पता चला जाता है बोली से।''

''होने दो यार! हमें क्या फ़रक पड़ता है।''

"नहीं जीजी। ये मेरा मतलब नहीं है। इधर यूनिवर्सिटी के इलाके में आधे से ज्यादा बिहारी हैं रिक्शे वाले और हमारी तरफ, सब आसपास गांव-देहात के, इसीलिए तो आजकल हमारी तरफ अकाल है रिक्शे वालों का। सब गांव भाग गए हैं। फसल कटाई का मौसम है ना।" विमलेश सचमुच ज्ञान का भंडार है, मुझे लगा।

"अब चलो भी अंदर। साढ़े पांच होने जा रहे हैं।"

"अरे जीजी, देख लेना। साढ़े पांच से पहले मीटिंग ना शुरू होने की। आप टीचर लोग हो, इसीलिए दौड़ते हो घड़ी देखकर।" और हँसने लगी।

गेट के अंदर हमें देखकर दोनों चौकीदार खड़े हो गए थे।

"सलाम बेगम साब।"

"सलाम मियां। ठीक तो हो?"

"दुआ है आपकी, बेगम साब।"

हम आगे बढ़े तो विमलेश फुसफुसाई मेरे कान में, "जीजी, मेरे मुंह से तो सलाम निकलता ही नहीं।"

"क्या जरूरी है विमलेश बहन! नमस्ते निकलता है मुंह से तो नमस्ते करो, किसने रोका है।" मैं हँस दी।

तभी पीछे से खदबदाती आवाज आई "आदाब भाभी, आदाब विमलेश बहन।"

मुड़कर देखा। सलमा रिक्शे से उतर रही थी।

सलमा आगे बढ़कर आई। मैं देखती ही रह गई। पूरा गेटअप बदला हुआ था। मैंने आंखें मिचमिचाईं। सलमा ही है न।

"अरे भाभी। क्या पहचाना नहीं।" और हँसते हुए गले लग गई मेरे।

सलमा विशुद्ध हिन्दुस्तानी संस्कृति की है यानी बिना रिश्तों के संबंध नहीं बनते उसके यहां।

हमारी जान-पहचान और मुलाकात के पहले दिन से ही मैं सलमा की भाभी हो गई हूं। मेरी बदकिस्मती यह है कि मैं ठहरी ठेठ मिडिल क्लास शहरी। रिश्तों से दूर भागने वाली। दिल कितना ही नजदीक हो, रिश्तों की औपचारिकता होंठों पर बनी रहती है। यूं दिल से मैं सचमुच उन्हें बहुत करीब पाती हूं।

"मिसेज महबूब! पूरा ही हुलिया बदल गया है आपका तो।"

पूरी बांह का कुर्ता-शलवार। मोटा दुपट्टा गले में लिपटा। पूरा सिर स्कार्फ से ढका-बंधा। नयी सलमा थी सामने। मैं तो जिस सलमा को जानती रही हूं, उसे हमेशा साड़ी में देखा। और तो और, उन्हें कभी रात-बिरात नाइटी या गाउन में भी नहीं देखा। कभी बात चली तो मुंह बिचका देती।

''भाभी, हमसे ना पहना जाए ये गाउन-फाउन। ऐसा लगे कि कुछ पहना ही नहीं।''

सलमा के पति प्रो. महबूब बेग इंजीनियरिंग कालेज में हैं। बेहद मामूली घर-परिवार के महबूब साहब अपने बलबूते पर पढ़े और बढ़े हैं। महबूब परिवार की शहरी जिंदगी में आज भी भरपूर गांव बसता है। सलमा बात-बात में ये बताना नहीं भूलती कि वे ठहरीं निपट गंवार। शायद हम लोग जो बड़ी डिग्री धारण किए हैं, नौकरी करते हैं, वक्त जरूरत अंग्रेजी बोल लेते हैं, उनके सामने वह पहले ही अपनी स्थिति साफ कर देती है। खुला खेल फर्रूखाबादी, अब जिसे दिल करे आगे आए और दोस्ती करे।

मैंने एक दिन उन्हें समझाने की कोशिश भी की। जिन्हें हम लोग बहुत शहराती समझते हैं यानी 'हाई-फाई', बाप-दादा तक जाकर देखें तो सब गांव-जवार के खेतों की ही उपज हैं। ये अलग बात है कि अब वे सब साबित कर दें कि वे सीधे लंदन-अमरीका पलट ही हैं तो क्या किया जा सकता है?

सलमा बहुत हँसी इस पर। ताली बजाकर लोट-पोट होती रही।

''मिसेज महबूब! हम उन लोगों की बहुत इज्जत करते हैं, जो अपने बलबूते दुनिया में आगे बढ़ते हैं। अपनी मेहनत से अपनी किस्मत बनाते हैं। पोजीशंस पाते हैं।''

''सच! ठीक कह रही हैं भाभी आप।'' और सलमा सोच में डूब गई। कहीं मन में गहराया आश्वस्ति का भाव ऊपर तैर आया उनकी आंखों और मुस्कान में। अक्सर पीठ पीछे 'बलियाटिक' की उपाधि, जो गाहे-बगाहे उन तक पहुंच जाती, उसे पोंछ दिया था उन्होंने अपने मन की पर्तों से।

सलमा हमारे पड़ोस में क्या आईं, मेरे लिए तो वरदान साबित हुईं। ऐसा पड़ोसी ईश्वर सबको दे। अतुल विश्वविद्यालय के काम से एक बार दो महीने के लिए चले गए अमरीका। मेरा कालेज का शेड्यूल दोपहर बाद का था। अब क्या हो! वर्ना तो हम दोनों अपना टाइम टेबिल आपस में मिलाकर ऐसा संतुलित करते कि घर भी चलता रहे और बाहर के काम भी दौड़ते रहें, लेकिन अब परेशानी हो

गई। तब बच्चे भी छोटे थे। स्कूल से आएं तो घर बंद मिले। अनवरी बुआ खाना बनाने आए तो घर बंद मिले। कैसे काम चलेगा?

सलमा बेगम आसमानी फरिश्ता बन गईं। अब हमारे घर की चाभी उनके घर। अनवरी बुआ वहीं से चाभी लेकर आती। घर खोलती। खाना बनाकर मेज पर रख जाती और फिर चाबी वापस वहीं। बच्चे आते, वहीं से चाबी लेकर घर खोलते। पीछे-पीछे उनकी सलमा आंटी। बच्चों को खाना खिला रही हैं, बतिया रही हैं, उनके बस्ते उठाकर संभाल रही हैं। एक दिन मैं कालेज से लौटी तो देखा कि विभा की स्कर्ट, जो नीचे से उधड़ गई थी, उसे टांक रही हैं। मेरी तो चिन्ता ही दूर हो गई।

''अरे मिसेज महबूब। आप क्यों बच्चों के साथ परेशान होती हैं। आप सोईं नहीं दिन में।''

''भाभी, हमारी तो आदत ए नहीं है दिन में सोने की। अपने घर नहीं बैठे, यहां बैठ गए। प्रोफेसर साहब कहे कि राधा मैडम के बच्चे अकेले हैं, आप वहीं बैठ जाया कीजिए।''

''आप कितना करती हैं हमारे लिए मिसेज महबूब, मेरी समझ में नहीं आता, मैं कैसे इसका बदला चुकाऊं।''

''अब आप ऐसी बात मत कहिए। अब कहीं तो इन्सान का दिल मिलता है न।'' और वह गद्गद हो उठीं।

ऐसे ही किन्हीं नितांत अपनत्वभरे लमहों में जीवन के पिछले पृष्ठ खोल कर रख दिए थे सलमा ने मेरे सामने। बलिया के धुर भीतरी गांव के ठहरे महबूब साहब। पढ़ने में जहीन थे। घर में थोड़ी खेती-बाड़ी, लेकिन उसके बल पर आगे पढ़ना नामुमकिन था। ठाकुर प्रसाद सिंह उस इलाके के रईस। पुराने जमींदार ठहरे। दसवीं क्लास में बच्चा महबूब जिले में पहले स्थान पर आया तो यह पूरे गांव के लिए जश्न मनाने जैसा था। ठाकुर साहब खुद चलकर मुहम्मद बेग के घर आए, उसके बेटे को आशीर्वाद देने। पूरा गांव उनके पीछे खड़ा था।

''बेग! तुम्हारे लड़के ने तो पूरे गांव का नाम रोशन किया है। इसे पढ़ाओ आगे।''

''कैसे ठाकुर साहब, बनारस जाने को कह रहा है। हमारी इतनी औकात कहां, ठाकुर साब।''

और ठाकुर साहब ने बच्चा महबूब के सिर पर हाथ रखा तो अंत तक निभाया। बच्चा महबूब ने पैर पकड़ लिए उनके।

महबूब साहब जन्म-जन्मांतर के लिए ऋणी हो गए ठाकुर साब के! आज भी ठाकुर साहब के घर-खानदान में कोई कारज हो, महबूब और उनके परिवार की उपस्थिति अनिवार्य है। ठाकुर साहब और उनके दोनों बेटे पाग बांधे खास बारातियों में बैठे थे, जब उनका निकाह हो रहा था सलमा बेगम से।

एक बार बनारस का रुख किया महबूब ने तो फिर इंजीनियरिंग की पूरी पढ़ाई करके ही निकले वह विश्वविद्यालय से। टॉप किया था उन्होंने, सो तुरंत रुड़की विश्वविद्यालय में लग गए। सेलेक्शन उनका कानपुर आई.आई.टी. में भी हो गया था। सलमा बेगम उनके वाम भाग में पहले ही आ चुकी थीं, जब उनका इंजीनियरिंग का तीसरा साल था। उनके खानदान की ही बेटी थी सलमा। शादी तो तभी तय हो चुकी थी जब वह दसवीं में थे।

बड़ी जगह की बड़ी बात! जवान होते महबूब ने पंख फड़फड़ाए थे। बड़ी दुनिया के निराले ठाठ देखने शुरू किए थे। खुले आकाश में उड़ने की कोशिश की थी, लेकिन ये अब संभव नहीं था। जिंदगी के सफर का संग साथ पहले से तय था। इससे पहले कि पंछी अपने पंख तौलता, आकाश में गोते लगाता, उड़ता, पंख बांधने की तैयारी हो चुकी थी। महबूब के चचा ने अपनी बेटी सलमा को लेकर भाई के घर डेरा डाल दिया था।

यह किस्सा सलमा मजे ले-लेकर सुनातीं।

सलमा और महबूब साहब हमारे सबसे निकट के पड़ोसी रहे थे, जब हम यूनिवर्सिटी कैंपस में रहते थे। हमारा क्वार्टर नंबर बारह था और उनका था तेरह।

''भाभी, मैं साड़ी-फाड़ी लपेटे, सिर ढंके बैठी थी बड़े चच्चा के घर। अब्बू भी वहीं थे। ये बनारस से आए। इन्हें तार देकर बुलाया गया था कि जल्दी आओ, अम्मी बीमार हैं।

''किसकी अम्मी?''

''इनकी। हमारी बड़ी चच्ची। अरे झूठ बोलकर बुलवाए थे ना ये।''

''क्यों! ब्याह तो इनका आपसे हो गया था न। अच्छा, आपकी क्या उम्र थी?''

''भाभी, हम रहे होंगे यही कोई सोलह-सत्रह बरिस के। हम ठहरे निपट गंवार। कभी इस्कूल का मुंह नहीं देखा। जो कुछ पढ़ा घर-ए में पढ़ा। अब्बू खुद पढ़ाए हमें। हां, कुरान-शरीफ़ पढ़ना तो पहले ही सीख गए थे हम।''

मैं मन ही मन महबूब साहब पर तरस खाने लगी, लेकिन हमारे समाज की मर्यादा रही है वागूदत्ता का सम्मान और निर्वाह। आज के ज़माने की पूछो तो सबको धता बता देंगे। कोई किसी वायदे से नहीं बंधता। सब बदल गया है। बहरहाल हम तो सलमा बीवी का बयान सुन रहे थे।

सलमा बीबी ये बताना नहीं भूलतीं कि शुरू के दिनों में महबूब साहब उनसे कितने नाराज़ रहते थे। इंजीनियरिंग करके गांव लौटे तो ठाकुर दादा के पैर छुए। अब्बा और चच्चा मौजूद। एक बार फिर उनके चौबारे पर गांव की भीड़। मालूम हुआ कि कानपुर नौकरी करेंगे। इंजीनियर बन गए हैं। कानपुर में अब पढ़ाएंगे।

''भाभी, हम सब हैरान! समझै में ना आया। बच्चों को पढ़ाना ही था तो इंजीनियरी काहे पढ़ी। हम तो सुने रहे कि इंजीनियर लोग के बड़े मजे। बड़ी-बड़ी तनखा और मोटी ऊपर की मलाई। ठाकुर दादा पूछ लिए कि बेटा महबूब, अब बहू की रुखसती कब करा रहे हो, तो बस! चुप्प! बाद में अब्बा पूछे तो चुप्पी साध लिए। सिर नीचे। फिर दुबारा पूछे। पूरा गांव-जवार इकट्ठा बैठक-ए में। धीरे से बोले कि जब आप बुजुर्ग लोग चाहेंगे-रुखसती हो जाएगी। सो तुरंत ठाकुर दादा बोले चच्चा से कि बेग, बहू की रुखसती कराओ। महबूब बहू के साथ जाएंगे कानपुर।''

सलमा की आंखों में वे बरस हमेशा के लिए छपे हुए हैं। ये उन लोगों में हैं, जिनका जीना और मरना सब कुछ अपने आदमी पर है। जिंदगी या तो जन्नत है या फिर नरक है, सब कुछ शौहर की मर्जी पर। सलमा मूर्ख नहीं थी। तीन साल में वह खासा-लिखना पढ़ना सीख गई थी। गांव के स्कूल की मास्टरनी घर पर आकर पढ़ा देती।

लेकिन घर आकर महबूब बिखर गए। अब्बा ने यही तो पूछा था कि कब जाओगे कानपुर। कैसे जाओगे।

''ये गले में जो ढोल बांध दिया है, क्या खाक जाऊंगा कानपुर।'' बाद में पता चला कि उनके अमरीका जाने का रास्ता कानपुर से होकर जाता था।

बहरहाल, महबूब साहब ने अगले महीने रुड़की जाकर ज्वाइन कर लिया।

सलमा और महबूब आज भी रुड़की के दिनों को अपना सुनहरा समय मानते हैं। महबूब एक बार अपने कमजोर क्षणों में कह गए।

"कभी-कभी लगता है कि यहां आकर गलती की मैंने। रुड़की में जो मान-सम्मान हमें मिला, वह अब सपना बन गया है।"

दरअसल यहां विश्वविद्यालय में ऑयल टेक्नोलॉजी का नया विभाग खुला। इस विषय के विशेषज्ञ तब गिने-चुने ही थे। अपने विषय में महबूब साहब की ख्याति दूर-दूर तक थी। शायद अलीगढ़ में विश्वविद्यालय की यह सोच रही हो कि अगर जरूरत है तो महबूब बेग पर पहला हक हमारा होना चाहिए और तुरंत उन्हें ऑफर भेजा गया। विभागाध्यक्ष का पद। पांच वेतनवृद्धियां एक साथ। महबूब साहब का मन डोल गया। न सिर्फ तनख्वाह और पद, बल्कि अपने लोगों के बीच रहने का लालच। फिर यह विश्वविद्यालय उनकी चिरौरी कर रहा था। खुशामद कर रहा था, जो चाहे आप लें, हर सुविधा आप के लिए है। ऐसे में मन का झुकना लाज़िमी था।

तभी एक घटना घटी थी। हरिद्वार में एक आतंकवादी पकड़ा गया। पकड़ा ही नहीं गया, बल्कि पुलिस के साथ मुठभेड़ में मारा गया। अखबारों में और मीडिया में दो दिन तक यही घटना छाई रही। बार-बार दुहराई जाती रही। पुलिस की पीठ ठोंकी जा रही थी। पुलिस ने कोई बड़ा हादसा होने से क्षेत्र को बचा लिया था।

अगले हफ्ते पुलिस के इस गुड वर्क में भारी उलट-फेर हो गया। पता चला कि वह मारा गया आतंकवादी पास के गांव का असलम था। छोटा-मोटा कारोबार था उसका। ब्याज पर भी पैसा उठाता था वह। हरिद्वार आया था वह कर्ज़ उगाही के लिए और पुलिस के हत्थे चढ़ गया। उसका बूढ़ा बाप टी.वी. कैमरे के सामने बयान दे रहा था। उसकी मां रो-रोकर हलकान हो रही थी।

महबूब साहब के ऊहापोह में डूबते-उतराते मन को किनारा मिल गया। उसी रात उन्होंने तय कर लिया कि अलीगढ़ जाना है। अपने लोगों के बीच सुरक्षा तो है।

रुड़की से बिदाई खासी भारी थी। सबके मन भीगे हुए थे। बच्चे तो पहले ही पैर पटक-पटक कर न जाने का ऐलान कर चुके थे। चलते समय सभी गले मिले। प्रो. वार्ष्णेय ने गले लगाते हुए कहा, "महबूब, लगता है हमीं लोगों में कुछ कमी रह गई। तुम्हें रोक न पाए हम लोग।"

"नहीं वार्ष्णेय साहब। बस, ये चार्म है कि वहां नया डिपार्टमेंट है। पूरा दारोमदार अपने ऊपर है। नया चैलेंज है। देखिए, मन न लगा तो लौट आऊंगा।"

लेकिन जो उन्होंने नहीं कहा, वह था कि अलीगढ़ का विश्वविद्यालय दुनिया में विख्यात है। मुस्लिम एकता और कल्चर का केंद्र है। बच्चे भी कुछ संस्कार लेंगे वहां, अपने लोगों के बीच में कुछ रंग-ढंग सीखेंगे। तमीज-तहज़ीब से वाकिफ होंगे। आखिर शादी-ब्याह भी तो होंगे बच्चों के। माहौल जरूरी होता है न?

महबूब साहब ने और उनके बेटा-बेटी ने जो भी संस्कार ग्रहण किया हो, सलमा तो ज्यों की त्यों रही। यूं खुद चाहे सलमा अपने बारे में कुछ भी कहे। सलमा की उन्मुक्त हँसी। बहुत आनंद में होगी तो ताली बजाकर हो-हो-हो करता अट्टहास यहां की नफ़ासत और नज़ाकत की धज्जी बिखेर देता है।

''भाभी, अब हम हइबै करें बलिया के। कौन हम छिपाते हैं। कहे देओ।'' एक दिन डूबती आवाज़ में शिकायत की सलमा ने।

''भाभी। रुड़की में कब्भी ऐसा किसी ने नहीं कहा। वहां क्या लोग कम पढ़े-लिखे थे। यहां सब हरामी-साले, बाहर से अंग्रेजी की गिटिर-पिटिर। भीतर-खाने सब चोर और लुच्चे।''

फिर धीमे से एक राज की बात बताई सलमा ने।

''मालूम है! हसन अली का साला, बैंक से मौत्तिल हो गया है। अरे, हेरा-फेरी के चक्कर में और क्या।''

सलमा का ठेठ गंवई मन अपने पे उतर आया था।

अब हुआ करें उनके पड़ोसी सैयद शेख। हुआ करें जमींदार, ताल्लुकदार, नवाब। आखिर सलमा ने किसी का कर्ज नहीं खाया है। उन्होंने तो कान पकड़ लिए, अब कभी मुहल्ले-पड़ोस को तो नहीं बुलाना अपने घर।

यह भी एक अजीब किस्सा था। अलीगढ़ आए दो साल हुए थे उनको। सलमा का दिल किया कि रमज़ान शरीफ़ में आस-पड़ोस की बीवियों को एक दिन बुलाए अपने घर। इस बहाने आमोदरफ़्त बढ़ेगी। जान-पहचान बनेगी। इसीलिए रोज़ा-इफ्तार का कार्यक्रम रखा। अब रोज़े के दिन। इफ्तार का मामला। किसी ने मना भी नहीं किया। यहां तो उन दिनों उत्सव का माहौल होता है। रोज़ा-इफ्तार के साथ बड़े-बड़े मसले जुड़ जाते हैं। राजनीति होती है। सामाजिक संबंध मज़बूत होते हैं। हैसियत का प्रदर्शन होता है।

सलमा ने चाव से तैयारी की। तरह-तरह का सामान बनाया। फलों की चाट, दही-बड़े, छोले, कबाब, पकौड़ियां, खीर। सबेरे से पकाने में लगी थीं। दोनों लड़कियां छोटी थीं, फिर भी जो मदद हो सकती थी, कर रही थीं। अब हुआ ये

कि सलमा से एक चूक हो गई। खाने के लिए काग़ज़ की प्लेटें और दोने निकाल लिए उन्होंने।

हम लोग उन दिनों बाहर गए थे। मैं होती तो तुरंत उन्हें आगाह करती। यहां की आधुनिक सोसायटी में कागज की प्लेटें, दोने नहीं चलते। माल चाहे घटिया हो, लेकिन शानदार तरीके से सामने प्रस्तुत किया जाना चाहिए। यही आजकल की रीत है। बेहतरीन क्राकरी हो, कट ग्लास, बोन चायना। सलमा ने दूसरी बात सोची। अपने हाथ का काम है। निरा बर्तनों का ढेर लग जाएगा। वह और उनकी बच्चियां हिना और सीबा कब तक बर्तन साफ करते रहेंगे।

बस, यही व्यावहारिकता कयामत हो गई।

सैयद हसन अली की बीवी तो वहीं बरस पड़ीं।

"मिसेज महबूब, आप तो रहीं देहाती ही। अरे, कम से कम प्लेटें निकाल ली होतीं। ऐसे सबका हिस्सा लगा दिया आपने।"

"अरे भाभी, हम समझे कि..." उन्होंने बिगड़ रहे माहौल को हँसी में उड़ाना चाहा।

"क्या समझे-समझे। अरे हमारे यहां से प्लेटें और डोंगे मंगवा लिए होते। महबूब प्रोफेसर हैं। हेड हैं। उनकी तो इज्जत रखिए।"

सलमा बयान करती हैं—

"भाभी हमें तौ लगा कि सबके बीच में नंगा कर दीं हमको। जूते मारे हों चौराहे पर खड़ा करके। सारी बीवियां खजूर मुंह में रखीं, शरबत पीकर अंदर चली गईं नमाज पढ़ने। हमारी समझै में नहीं आया कि क्या करें। दिल चाहा कि सब सामान बहा दें नाली में। दिमाग जैसे उड़ने लगा। हिना और सीबा आ गईं। पूछने लगीं कि क्या हुआ। आंटी क्या कह रही हैं। हमने कहा कि कुछ नहीं, उनकी तबीयत खराब हो रही है बेटा। भाभी हम कान पकड़ लिया। आगे कभी किसी को नहीं बुलाना है। हम जैसे हैं, ठीक हैं। किसी का दिया नहीं खाते।"

अब बीवी तो क्या, खुद सैयद हसन अली कम मुंहफट हैं? कब क्या कह दें। किसकी इज्जत उतार दें, कुछ पता नहीं।

सैयद साहब को अपनी हड्डी का बहुत गुमान है। साक्षात खुदा भी आ जाए सामने तो उन्हें न गिने वह। हमारे ही घर पर तो जमी थी चौकड़ी। शायद पैथोलॉजी वाले असजद मलिक थे और शर्माजी थे पॉलीटेकनिक वाले। चर्चा

इधर-उधर से होती हुई शादी-ब्याह, रिश्ते-नातों पर आ टिकी। शर्माजी अपनी तीन लड़कियों के लिए वर ढूंढ़ने की बात करते रहते हैं। अच्छे लड़के आजकल जात-बिरादरी में कहां मिलते हैं। पहले रिश्ता ढूंढ़ो, फिर लंबे-चौड़े दहेज का इंतजाम करो। कुछ तो परेशानी, कुछ बात बनाने की गरज से और कुछ मक्खनबाजी के चक्कर में बोले—

"सैयद साहब। आपके यहां अच्छा है भाई। लड़की की शादी के लिए दूर नहीं जाना पड़ता। अगल-बगल अपने ही ख़ानदान में मामला फिट हो जाता है।"

हसन साहब को समझ नहीं आया कि शर्माजी का मतलब क्या है? ये तारीफ है या आलोचना और सबके बीच में, क्या कहें। मुस्कराकर चुप लगा गए। फिर बात पलटने की गरज से असजद मलिक की ओर मुखातिब होकर बोले—

"क्यों, असजद। आपकी बेटी के रिश्ते की बात, कहां तक पहुंची।"

"हां, प्रो. शेख के बेटे से चली तो थी बात। उनकी बेटी हमारी रज़िया के साथ है न मेडिकल में।"

"परसों मिले थे वह इंजीनियरिंग कॉलेज के फंक्शन में। कह रहे थे बेटा अमरीका जा रहा है। लड़का तो अच्छा है।"

"असजद मुस्कराए। फिर धीरे से जैसे बात सरकाई हो, बोले,

"सैयद साहब, मामला हड्डी का है।"

"क्यों!" सैयद साहब के कान खड़े हो हुए। कुछ नया सुनने के लिए, कुछ गॉसिप, स्कैंडल, "पता लगा लो भाई।"

"वही तो किया। भदोही के पास लघनियां गांव के हैं शेख मस्तान। उस दिन स्टाफ क्लब में काज़ी ज़मीरउद्दीन से बात चली। उन्होंने मेज ठोंकते हुए चैलेंज किया। बोले लघनिया गांव पूरा जुलाहों का गांव है। जुलाहा है साला शेख। झूठ बोलता है। यहां आकर पढ़-लिख क्या गए, सबके सब शेख, सैयद और पठान बन जाते हैं।"

सब जोर-जोर से हंसने लगे।

"इसीलिए तो मैं कहूं, साला इतना कंजूस। शेखों वाली न दरियादिली है और न ही अकड़। चेयरमैन की कुर्सी पर ऐसा सिमटा-सिकुड़ा बैठा मिलेगा कि बस।"

"भाई साहब! कभी सोचा भी न होगा कि चरखे के चक्कर से उठते-उठते इतनी बड़ी यूनिवर्सिटी तक आ पहुंचेगा।"

''भाई जान! अब हमसे मत कहना कि हम ही ब्राह्मणवादी हैं कि जात बिरादरी पर जान दे देते हैं। वो किस्सा सुना है, हाय अल्ला ब्राह्मणों में भी कितने ब्राह्मण वाला।

''तुम्हीं सुनाओ पंडितजी, तुम्हारे मुंह से ही अच्छा लगेगा।''

वह किस्सा सुनाने की गलती शर्माजी एक बार कर चुके थे। वह तीसरी कसम खा चुके हैं। अब नहीं करेंगे वह गलती। ऐसा लतीफा भी क्या जो हँसाने की बजाय, टीस दे जाए। दहला जाए। शर्माजी ने एक बार वह किस्सा किसी हल्के-फुल्के मूड में मजाक के तौर पर सुनाया था। ऐसी ही एक शाम थी। बैठक जमी थी। प्रसंग इस पर था कि हर एक जाति अनगिनत शाखाओं में बंटी है और यही हिन्दुस्तान की संस्कृति है। सैयद साहब न जाने किस मूड में उस दिन बोले,

''यार शर्मा, तुम्हारे यहां तो यह आठ कनौजिये, नौ चूल्हे का किस्सा खूब चलता है।''

इस पर शर्माजी बैठ गए किस्सा सुनाने। शर्माजी को लगा था कि भयावह स्मृतियों को विस्मृति के गर्त में डुबोने का शायद यही तरीका हो सकता है। यह तरीका जिसने भी ईजाद किया, हिम्मत का काम है। सबसे तकलीफदेह क्षणों को ठहाके में उड़ा देना। शर्माजी लतीफा सुनाने के अति उत्साह में प्रसंग की अनदेखी कर गए थे, किस्सा कोताह ऐसे बयान किया था–

''ऐसा है कि ट्रेन जा रही थी। अचानक पता चला कि दंगा हो गया, हैं सैयद साहब। अब समझ लीजिए कि जैसा यहां अपने शहर में हुआ था, अरे! गोमती एक्सप्रेस वाला, शहर के बीच से गुजरती ट्रे़न को रोक लिया था दंगाइयों ने।''

यहां तक पहुंचने के बाद अचानक शर्माजी को होश आया कि क्या शुरू कर बैठे। अपने को लानतें दीं मन ही मन, अब यहां तक आ गए तो किस्सा जारी रखना ही था। अपना चेहरा और आवाज को यथावत बनाये रखते हुए एक क्षण को सोचा और सिर झटक कर आगे बढ़ गए–

''अब माहौल तो पहले से गड़बड़ चल रहा था। डिब्बे में एक, समझ लीजिए कि रेहाना और फरजाना बैठी हुई थीं। साथ में शर्माजी थे। गड़बड़ी भांप शर्माजी ने उन दोनों को खूब सिखा दिया था कि तुम हो बीना और लीना। कोई जात पूछे तो कह देना कि ब्राह्मण हैं, बीना शर्मा और लीना शर्मा। आगे

पूछे कि कौन ब्राह्मण तो कहना गौड़ ब्राह्मण, समझीं। तो जनाब बीना और लीना खूब समझ गईं। अब हुआ वही, जिसका अंदेशा था। केसरिया पटका सिर पर बांधे घुस आया आठ-दस लोगों का झुंड भीतर। रात के अंधेरे में आते तो लुटेरे होते, दिन में आए, धर्म ध्वजा के वाहक बनकर, लगे सबकी शिनाख्त करने। नाम बताओ-पता बताओ। वहां बैठे किसी भड़ुवे से ये न पूछा गया कि तुम कौन हो, यह पूछने वाले, किसकी चाकरी में हो, बस! जैसे लुटेरों के आगे लोग जेब से इकन्नी-दुअन्नी तक निकाल कर रख देते हैं, ऐसे ही जवाब रखने लगे। हां, तो अब बारी आई बीना और लीना की। बड़ी बहादुरी से जवाब दिया। नाम बताया। जात बताई। कौन ब्राह्मण? बताया गौड़, वे आगे चल दिए। जाने क्यों, फिर एक पलटकर पीछे आया। बोला, गोत्र कौन सा है? दोनों एक-दूसरे का मुंह ताकने लगीं, ''हाय अल्लाह, इससे आगे भी कुछ और होता है!'' और शर्माजी ने इतने जोर का ठहाका लगाया कि जैसे सबको कुहनी मारी हो, हँसने के लिए। कमरा हँसी से गूंज उठा था। हँसी के माध्यम से शर्माजी ने वातावरण हल्का करना चाहा था।

लेकिन गलती तो कर चुके थे शर्माजी। दोनों कान पकड़े थे उन्होंने और मन ही मन खुद को लानत दी, 'जबान पर लगाम दो शर्मा, ज्यादा बोलता है न! न समय देखता, न प्रसंग...।'

वहां उपस्थित सबके लिए यह प्रसंग बेहद अरुचिकर था। गोमती ट्रेन कांड की याद अभी लोगों की स्मृति में मुरझाई नहीं थी। शहर के बीच से गुज़रती ट्रेन, पटरी पर लकड़ी के लट्ठे डाल कर रोक ली गई थी। लोगों ने खतरा भांपकर खटाखट खिड़कियां बंद कर दी थीं। दरवाजे लॉक कर दिए थे। पीछे का अभागा डिब्बा असावधान रह गया था। उसी में घुस आए थे धर्म ध्वजा के स्वयंभू रखवाले। नाम पूछ-पूछकर मारे गए थे लोग। जब गाड़ी एक घंटे बाद आगे चली तो तेरह लाशें थीं ट्रेन में। एक लाश किन्हीं श्रीवास्तव साहब की थी। अपनी खूबसूरत दाढ़ी और लखनऊवा लहज़े के कारण गलतफहमी में वे भी जान से हाथ धो बैठे थे।

शर्माजी का यह लतीफा सबको हँसा गया या दहला गया, रुला गया था, पता नहीं। ज्यादा बोलने की आदत बड़े फजीते कराती है कभी-कभी।

इस समय शर्माजी लतीफा सुनाने के मूड में बिल्कुल नहीं दिखे।

''सैयद साहब, किस्से तो होते रहते हैं। इस वक्त तो असजद मियां का मसला सामने है। मैं तो कह रहा था कि अपने यहां तो गोत्र चलता है, फिर

उपगोत्र। फिर किस जगह के हो, आसानी से छुट्टी नहीं मिलती। आप हो कि अपनी ही हड्डी लिए बैठे हो।''

''यार, शर्मा, तुम ठहरे कम्युनिस्ट। तुम मत मानो, लेकिन शादी-ब्याह में घर-खानदान, सब देखना पड़ता है। अब अनजाने में कुछ हो जाए तो मजबूरी है, लेकिन जानते-बूझते तो मक्खी नहीं निगली जाती।''

''आजकल सैयद साहब, कौन ध्यान दे रहा है। अरे बनिया-बामन सब एक हो गए हैं। लड़का अच्छा हो, घर वाले लालची न हों और सबसे बड़ी बात, लड़का-लड़की एक दूसरे को पसंद हों।''

शर्माजी अभी कुछ और जरूरी सूचनाएं यहां ब्रॉडकास्ट कर देते तो बोलती बंद हो जाती सैयद साहब की। अब शर्माजी क्या बताते कि आपकी बिटिया शहरजाद आजकल प्रो. अफज़ाल कुरैशी के बेटे के स्कूटर पर बैठकर सेंटर प्वाइंट जाती है। मिल्कबार में अक्सर देखे जाते हैं साथ-साथ। उनकी बेटी राका बता रही थी एक दिन। यूं देखा जाए तो कोई खास बात नहीं। दोनों साइंस फैकल्टी में हैं। दोनो फिजिक्स में एम.एस-सी. कर रहे हैं। दोनों के घर पास-पास हैं। दोनों के पिता प्रोफेसर हैं। दोनों प्रोफेसर पिता भी फिजिक्स ही पढ़ाते हैं। फर्क ये है कि प्रो. कुरैशी सीनियर हैं, हेड हैं विभाग के और सैयद साहब हेड नहीं हैं। अभी कुछ साल लगेंगे उन्हें हेड बनने में।

यूं सचमुच कोई बात नहीं, लेकिन जिस तरह प्रो. कुरैशी की सरेआम मीटिंग में बेइज्जती करने का प्रयास किया था सैयद साहब ने, वह क्या प्रो. कुरैशी भूल पाएंगे! बात पुरानी हो चुकी है, लेकिन प्रो. कुरैशी के दिल में धंसी है फांस की तरह। यूं वहां एक फांस ही क्या कम थी, जो कुलसुम ने बोई थी। दिल की पूरी जमीन बंजर बना दी। फिर कभी प्यार का कोई पौधा नहीं उग पाया था उस बंजर धरती की छाती पर।

रंग और जाति और खानदान, ऐसे ईश्वरीय हथियार हैं, जिनसे सभ्य समाज में हमेशा मेहनत पिटी है। योग्यता पिटी है। बौद्धिकता शर्मसार हुई है। आत्म-विश्वास और काबिलियत का मानमर्दन करने की कोशिश होती रही है इन हथियारों से। प्रो. कुरैशी के साथ ऐसा ही हुआ था।

अफज़ाल कुरैशी को अमरीका जाने का निमंत्रण मिला था। उन्हें एक सेमीनार में पेपर पढ़ने के लिए आमंत्रित किया गया था। यह बात उन्होंने जाने से पहले किसी को भी न बताई थी। क्या फायदा, लोग दस तरह की बात करेंगे।

उन्होंने यह भी नहीं बताया था कि उन्हें एक सत्र की अध्यक्षता करनी है। खुश होने वाले लोग गिने-चुने, लेकिन चिढ़ने वाले ज्यादा होंगे।

प्रो. कुरैशी सभ्य, पढ़े-लिखे कहे जाने वाले समाज के पहले पायदान पर पैदा हुए। एक-एक कदम आगे बढ़ाने के लिए एक-एक मील चले होंगे, तब मंजिल तक पहुंचे। कुलीन समाज और शुरफ़ा कहे जाने वालों को मुंह चिढ़ाते हुए वे इस कदर आगे आ गए थे कि अब टांग खींचना भी संभव नहीं रहा था, सिवा इसके कि जो कुछ है, उसे ज्यों का त्यों स्वीकार कर लिया जाए, लेकिन गाहे-बगाहे खून में उबाल तो आने वाला ही हुआ। इसमें वे क्या कर सकते थे। इसके बावजूद प्रोफेसर साहब का स्वभाव ऐसा कि उनसे भिड़ा ही नहीं जा सकता। हो सकता है कि जमाने की चाल और लोगों के दिलों का हाल कि उन्होंने चुप्पीभरा स्वभाव अख्तियार कर लिया हो। वे बहुत कम बोलते। खासतौर पर जब वे पहली बार दो साल की छुट्टी पर अमरीका जाने के बाद लौटकर आए थे, तब लोगों ने कहा--

''लगता है अमरीका से मोती चुगकर आए हैं। मुंह बंद रखते हैं ताकि गिर न पड़े मोती मुंह से।''

प्रोफेसर को मालूम था कि यार-दोस्तों ने ऐंटी करना वहां भी नहीं छोड़ा था। पहले हरचंद कोशिश हुई कि वह जा ही न सकें। फिर जब चले गए तो वहां उनके विभाग के इंचार्ज को उल्टे-सीधे खत डाले, आरोपों की फेहरिस्त के साथ। भाई लोगों का खयाल था कि शिकायतें साबित न हों, शक का माहौल तो बना ही देंगी और उस दिन पहली बार प्रो. कुरैशी अपने प्रोजेक्ट इंचार्ज रिचर्डसन के कमरे में रोए थे। सिर्फ रोए ही नहीं थे, अपने घर-परिवार, खानदान की चादर तार-तार कर उधेड़ी थी। कहा था कि हिन्दुस्तान की यह खासियत है, यहां जाति-बिरादरी और पेशे से काबिलियत आंकी जाती है। पेशा ऐसा धंधा है, जिसे हर बच्चा मां के पेट से अपने माथे पर लेकर आता है और वह मौत के साथ ही जाता है। यह हिन्दुस्तान की धरती की खास, अपनी उपज है। आदमी धर्म बदल ले, लेकिन जाति नहीं बदल सकता।

इसीलिए कुलसुम ने नौजवान अफज़ाल कुरैशी से शादी करने से इंकार कर दिया था। मुहब्बत करना अलग बात है, शादी-ब्याह के मसले दूसरी चीजों से तय होते हैं। कुलसुम और अफज़ाल दोनों के रिसर्च गाइड एक ही थे। दोनों की लैब एक ही थी। एक जैसा ही काम था, सबसे बड़ी बात, अफज़ाल ने लगातार

कुलसुम की मदद न की होती तो क्या तीन साल में यूं ही कुलसुम के चार पेपर छप जाते? और तो और अफज़ाल के अपने पेपर में भी उसका नाम जड़ा हुआ था। अब मुहब्बत करेंगे अफज़ाल तो यह तो होगा ही। लोग मुहब्बत में जाने क्या-क्या लुटा देते हैं। यह तो सिर्फ रिसर्च पेपर्स का मामला था। अगर वह कहती तो वह अपनी पूरी रिसर्च ही उसके नाम कर देता।

बहरहाल, इसके एवज में कुलसुम को अमरीका की एक फैलोशिप मिल गई, वह उड़ने को तैयार थी।

अब! समय कम था! अफज़ाल को तुरंत तय करना था और जब विवाह का प्रस्ताव कुलसुम के सामने आया तो उसका जेहन बिल्कुल साफ था। उसके जवाब में कोई दुविधा न थी।

''अफज़ाल! हमारी पाक मुहब्बत है। आई स्वैयर, आई लव यू! लेकिन, शादी! कैसे हमारी शादी हो सकती है, यू नो! हमारा खानदान चौहानों का खानदान है। हम राजपूत मुस्लिम हैं, मेरे अब्बा खुदकशी कर लेंगे, मैंने तो कभी इस तरह सोचा ही नहीं।'' वह समझाने की कोशिश कर रही थी।

उसने अफज़ाल की ओर नज़र डाली, अफज़ाल का चेहरा निचुड़ चुका था। सोचने, समझने की हदों से बाहर उसका दिमाग कहीं दूर छिटक चुका था, उसके ऐंठे हुए सफेद चेहरे को देखकर डर गई थी कुलसुम।

''यू नो अफज़ाल। वी आर गुड फ्रेंड्स। वी विल रिमेन ऐज़ फ्रेंड्स, प्रॉमिस, काम डाउन, काम डाउन।''

अफज़ाल के मुंह से क्या निकला था, क्या नहीं, उसे याद नहीं। कुलसुम के सभ्य समाज की भाषा में वह गालियां ही थीं-फॉश गालियां। बदबूदार। कसाई बाड़े से निकली गालियां, कोई और वक्त होता तो लोग कहते, सभ्य-कुलीन लोग कहते, खुद कुलसुम कहती कि उसने अपनी जात दिखा दी थी। अपना खानदान उजागर कर दिया था। हां किया था अफज़ाल ने। जब बात खानदान पर ही जाकर अटकी तो पूरा खानदान परोस दिया था उसने। यही सब चाहते थे। अबकी कुलसुम नहीं तो उसके दूसरे भाई-बंदे थे। कुलसुम राजपूतनी थी तो ये लोग सैयद थे, शेख़ थे, खानदानी लोग थे। इसलिए प्रो. अफज़ाल कुरैशी चुप रहना सीख गए हैं। अपने में सिमटकर रहना सीख गए हैं। गुस्सा भी नहीं आता उन्हें। सचमुच, उन्हें ये लोग निरीह नजर आते हैं। बौने हैं, सो ऐसे ही उछलते हैं।

इसीलिए तो जब पहली बार वे अमेरिका से लौटे और विभागाध्यक्ष बने तो उन्होंने विभाग की पहली मीटिंग बुलाई। विभाग के मसलों पर बात होनी थी।

किसी जूनियर लेक्चरर ने उनकी लंबी विदेश यात्रा की बात छेड़ दी। उनके नए रिसर्च प्रोजेक्ट की बात छेड़ दी। उनके विदेश प्रवास के अनुभवों की बात छेड़ दी। नया लेक्चरर। अस्थायी। मक्खनबाजी में इतना तो कहेगा ही कि "सर, आप स्टेट्स से लौटे हैं, कुछ अपने प्रोजेक्ट वर्क के बारे में बताइए न सर।" आधा घंटे बोलते रहे प्रो. कुरैशी। अपने काम के बारे में बताते रहे। उन्हें जो सम्मान मिले, उनके बारे में बताते रहे और सुनने वालों को जलाते रहे।

अचानक सैयद हसन अली की आवाज गूंजी–

"प्रो. कुरैशी। सुना है वहां खाने-पीने का सामान खासा सस्ता है!" वे अचकचा गए।

"वेल! हां, कुछेक चीज़ों को छोड़कर, शायद।"

"वहां गोश्त क्या भाव मिलता है?"

पहले तो उन्हें समझ नहीं आया। फिर कुछेक चेहरों पर खाल के नीचे छिपी हँसी दिखाई दी। सैयद अली हसन गंभीर चेहरा लिए पीछे बैठे थे। हँसी की रेख उनकी मूछों में भी छिपी हुई झांक रही थी। अचानक कुछ क्लिक किया दिमाग के अन्दर।

"सैयद साहब, दरअसल मुझे रसोई-पानी करने की आदत नहीं। इसीलिए मैंने कभी रसोईघर से ताल्लुक नहीं रखा।" और फिर वे वहां उपलब्ध सुविधाओं पर बात करने लगे।

तब से सैयद साहब और गोश्त के भाव का किस्सा मशहूर हो गया, न सिर्फ विभाग में, बल्कि फैकल्टी में और फिर शायद यूनिवर्सिटी में भी। हँसी-मजाक, वह भी किसी बड़े आदमी का, संक्रामक बीमारी की तरह फैलता है।

प्रो. अफज़ाल कुरैशी कछुए की तरह रहना जानते हैं। उन्हें मालूम है कि कब गर्दन बाहर निकाली जाए और कब खोल के भीतर ढंक दी जाए।

तारीफ़ करनी पड़ेगी, सलमा बेगम ने न तो कछुए की मानिंद अपने चारों ओर सख्त खोल बनाया और न घोंघे की तरह उसके भीतर रहना चाहा। मस्त- मौला सलमा बहुत जल्दी अपने को वातावरण में ढालना जानती है। अगर चारों ओर हरियाली हो, हरी-हरी घास फैली हो तो उन्हें हरा लिबास ओढ़ना आता है। अगर

चारों ओर लाल-पीला-नारंगी है तो फिर रंगबिरंगी, फूलों वाली चुनरी तो फबेगी ही। उसे ही ओढ़ लेने में क्या ऐतराज हो सकता है। कुछ बड़ा हासिल हो रहा हो तो ऐसे में छोटे-मोटे बदलावों से क्या परहेज करना।

यूं सलमा की ज़िंदगी लगातार बदलावों से भरी रही है। अब देखो। गांव में रहते हुए उनके घर कभी कुरबानी नहीं हुई। न बकरीद पर और न ही किसी और मौके पर। सलमा के मायके में तो फिर भी चलन था, लेकिन महबूब साहब के घर के लोग तो गोश्त भी नहीं खाते थे। शुद्ध शाकाहारी ठहरे। सलमा की आदत भी वैसी ही हो गई। ऐसे में उनके यहां बकरीद पर कभी घर में कुरबानी नहीं होती थी। फिर इतने साल रुड़की में रहना हुआ तो वहां भी कोई सवाल नहीं उठता था।

एक साल की बात है, जब महबूब साहब के पिता की मन्नत पूरी हुई थी। बेटा एक बड़ी जगह नौकरी पा गया है। उन्होंने कुरबानी का प्रस्ताव रखा। महबूब साहब को मालूम हुआ तो उन्होंने मना कर दिया। पूरा कुर्बानी का पैसा मस्जिद में दे आए और फ़कीरों को खाना बंटवा दिया।

लेकिन यहां का तो माहौल ही दूसरा है। महबूब साहब हुए अंग्रेजी बोलने वाले। विभागाध्यक्ष। सीनियर आदमी। उनसे कोई कुछ क्यों कहने लगा। हां, घर के भीतर की दूसरी बात। पास-पड़ोस की महिलाएं कभी मिल बैठतीं, बतियातीं,

"मिसेज़ महबूब, आप कहां की हैं? किस जगह को बिलांग करती हैं।"

"जी, हम तो ठहरे बलिया जिल्ला के।"

यही तो सुनना होता था उन्हें।

"हाय! मुझे आपकी बोली बहुत मीठी लगती है।"

सलमा झेंप जाती। उनके कानों में बलियाटिक शब्द न जा पाता। वे तो आवभगत में जुटी होतीं।

यूं उन्हें ज्यादा इधर-उधर जाने की फुर्सत भी नहीं होती। पुरानी आदत । घर का सारा काम खुद ही करतीं। यहां भद्र-कुलीन औरतों को यह बात बेहद हास्यास्पद लगती। फुसफुसाहट जारी रहती,

"कमाल है! झाड़-पोंछा भी करेंगी, खाना भी खुद बनाएंगी..."

"बर्तन भी खुद ही साफ करेंगी।"

"अरे देहात की हैं। बलिया जिल्ला की।"

"कुछ नहीं, कंजूसी है कंजूसी..." ये वार्तालाप चलते रहते।

लेकिन अब बच्चियां धीरे-धीरे बड़ी हो रही थीं। उन की पढ़ाई, मेडिकल और इंजीनियरिंग। बड़ी बेटी मेडिकल में, छोटी इंजीनियरिंग में। गांव-जवार में बहुत हल्ला है कि "केवल दो औलादें, वह भी बेटियां और गजब! डाक्टर और इंजीनियर, क्या हो गया है महबूब को, लड़के की चाहत नहीं।"

खुद सलमा बताती मजे ले-लेकर।

"भाभी! इनके घर खानदान वाले तो बहुत बिगड़े। कहने लगे कि ई महबूबवा का दिमाग फेर गया है। इंगरेज होई गया है। दोनों लरिकिन का जामे से बाहर निकाले दे रहा है। पर्दा-उर्दा न कराओ, लेकिन खानदान की मरजादा तो रखौ—ठहाका लगाकर हँसती सलमा।"

हां, सलमा ने अब कभी-कभी अपने घर में मीट-मछली का कार्यक्रम शुरू कर दिया था। अतुल तो ठहरे शौकीन। बेचारे मेरी वजह से साग-पातधारी हो गए। अब जब कभी सलमा भाभी बिरयानी वगैरह बनाती तो अतुल के लिए भिजवा देतीं। कोरमा भी अच्छा बनाने लगी थीं वह, अतुल बताते।

एक दिन फुसफुसा कर बोली सलमा—

"भाभी, लड़कियां बड़ी हो रही हैं। शादी-ब्याह होगा, लोग कहेंगे कि पइसा दाबते हैं—कंजूस हैं, सो हम कहे कि भाई, कभी-कभार नान-भेज भी चलाओ। कहीं आओ-जाओ, कोई ई तो नहीं कहेगा कि नान-भेज खाना नहीं जानते, क्या खानदान है?"

"अय हय भाभी। खानपान से खानदान का क्या मतलब।" मैंने तड़पकर रहा।

"अरे लोग तो अइसे ही सोचते हैं। क्या करेंगे आप।" और वह कुछ सोचने लगीं। शायद भविष्य की आहटों को पढ़ना चाह रही थीं।

लीला गुप्ता जब ऐन दंगों के दिनों में कैंपस छोड़कर गईं तो सिर्फ शाहिदा का दिल ही नहीं रोया। उन हालातों पर तो जमीन रोई थी। आसमान रोया था। शर्माजी ने सबको हँसाना चाहा था, लेकिन खोखली हँसी का रिसता जख्म रोया था। पूरे कैंपस में पिघलता भय, जो बर्फीली सिल्लियों सा जम गया था, रोया था। इसीलिए जब लीला गुप्ता का परिवार वहां से निकला तो अमीन साहब और फजल साहब का परिवार भी निकल लिया था। बहुत दूर तक भविष्य देख रही थीं उनकी आंखें। हालांकि सन् दो हजार दो का तसव्वुर नहीं कर पाई थी, लेकिन कुछ झलक शायद दिखाई दे रही थी।

"भई फजल साहब, आपको क्या जरूरत आन पड़ी कैंपस छोड़ने की?"

"भाईसाब। देखिए, अब क्या होगा? डॉ. गुप्ता गए यानी नॉन मुस्लिमों का यहां से जाना शुरू होगा, एडमिनिस्ट्रेशन चौकन्ना होगा, फिर पी.ए.सी. तैनात होगी और पी.ए.सी.! क्या करे-क्या न करे, भाई साहब!"

सब लोट-पोट होने की हद तक हँसने लगे, लेकिन फजल नहीं माने। दिल्ली चले गए अपने भाई के पास। अमीन शायद लखनऊ चले गए थे।

दिसंबर उन्नीस सौ बानवे के बाद तो कैंपस में बहुत कुछ बदल गया। मैं कभी इस पर बात करती तो अतुल कहते,

"लिखो! लिखो इस पर। सिर्फ़ सोचने या बोलने से क्या होगा?"

सचमुच पहली बार देखा कि अब महबूब साहब पाबंदी से रोज़दार हो गए थे। अब साल में तबलीगी जमात का इफ्तार उनके यहां भी रमज़ान शरीफ़ में होने लगा था। अब इतनी बड़ी जमात का रोज़ा-इफ्तार, भाभी मुझे भी बुलवा लेतीं मदद के लिए या यूं कहूं मैं खुद चली जाती।

अब बकरीद में उनके घर पर कुरबानी तो जरूर शुरू नहीं हुई थी, लेकिन पैसा जाने लगा मस्जिद में कुरबानी के लिए। इसीलिए बदलाव तो शुरू हो गया था। इसके बावजूद आज सलमा को बदले हुए हुलिया में देखा तो अजीब-सा लगा! पहचान मुश्किल हो रही थी।

"क्या भाभी! आप तो इकदम्मै बदल गए हो।" मैंने ठेठ उनके लहज़े में ठिठोली की। सलमा को पहली बार मैंने पूरी बांह का कुर्ता और सलवार पहने देखा था। अनाड़ीपन से दुपट्टा संभाले और काले स्कार्फ से सिर ढंके।

"भाभी, आपने तो अपना गेटअप ही बदल लिया है। सब खैरियत तो है न!"

"अरे भाभी, हज करके लौटे थे न तो फिर ये बोले कि अब आप साड़ी छोड़िए। सलवार-कमीज पहनिए। इससे सब कुछ ढंका-छिपा रहता है। साड़ी में कभी बिलाउज का गला फैल जाए तो कभी कमर उघड़ जाए।"

"अरे मिसेज महबूब। इस बुढ़ापे में स्कार्फ बांधकर क्या करेंगी आप। आधी से ज्यादा जिंदगी तो बीत गई आपकी।" मैने फिर छेड़ा। मुझे स्कार्फ के पीछे लगी सेफ्टी पिन साफ दिखाई दे रही थी। अभी पारंगत नहीं थीं वो स्कार्फ को ठीक से जमाने में।

वह शरमाकर हँसने लगीं।

"मिसेज महबूब, ऐसा तो नहीं कि अगली बार जब हम लोग मिलें तो पता चले कि आप पूरी तरह पर्दानशीं हो गई हैं। बुर्का ओढ़ लिया है आपने, नेक-परवीन की तरह। वर्ना चेहरा तो आपका अब भी दिख रहा है।"

"छोड़िए भाभी, अब ज्यादा नहीं ना खींचिए। अंदर चलिए। वहीं खिंचाई कर लीजिएगा।"

महबूब बेग ने बुढ़ापे में यह अच्छा तोहफा दिया बीवी को। रिटायरमेंट के बाद निश्चित रूप से चिकने-चुपड़े महबूब लंबी दाढ़ी में नजर आएंगे। मेरी आंखों के सामने उनका आने वाला हुलिया खिंच गया। तंग मोहरी का ऊंचा पैजामा। ढीला-लंबा कुर्ता। माथे पे निशान। सिर पे छोटी क्रोशिया वाली टोपी, अज़ान होते ही घर से निकलकर भागते हुए। सलमा बेगम बुर्का न सही, चादर ओढ़े जरूर दिखेंगी।

उनका यह रूपांतरण उन्हें निश्चित रूप से अपने व्यापक समाज में स्वीकृति दिलाएगा। उन्हें मालूम है जमात के पास बड़ी ताकत है। बहुत सारे लोग हैं। जमात में शामिल हो जाएंगे तो फिर वह बलियाटिक नहीं कहलाएंगे। आए दिन के दंगा-फसाद! हर समय खुटका लगा रहता है। कहीं तो अपने लोगों के बीच सुरक्षा मिले। आखिर रहना भी उनके ही बीच है। दो पालों में बंटे शहर में इसके अलावा और कहां ठौर बची है! गांव थोड़े ही है यह!

गज़ाला : पानी में तैरती तेल की बूंद

मैं और सलमा गेस्टहाउस के पोर्टिको के नीचे खड़े बात कर रहे थे।

तभी ज्यूंऽऽऽऽऽ और तेजी से लाल गाड़ी दन से वहीं आकर रुकी।

"अरे बाप रे।" मैं तो कूदकर किनारे हो गई। बाल-बाल बची, वर्ना गाड़ी पैर पर तो जरूर चढ़ जाती।

"कौन है भई ये राकेट चलाने वाला, ये कोई तरीका है गाड़ी चलाने का।" मैं बड़बड़ाई।

सलमा ने मेरे हाथों में चुटकी ली।

"देख लो भाभी, कौन है?"

गज़ाला उतर रही थी गाड़ी से। लकदक नयी मारुति एस्टीम। दूसरी ओर से रखशन्दा थी। दोनों दो ध्रुव। गज़ाला ऊपर से नीचे तक काले रंग के रेशमी फरफराते बुर्के में लिपटी थी। बुर्का भी तालिबानी स्टाइल का। दो कजरारी-चमकती आंखों को छोड़ दिया जाए तो क्या मजाल जो नुक्ता भर भी बदन दिख रहा हो। हाथों में सफेद दास्ताने। पैरों में मोज़े और सैंडिल, इंपोर्टेड परफ्यूम से महक रही थी वह।

गज़ाला सात पर्दों में छिपी रहे, लेकिन उसकी चर्चा यूनिवर्सिटी में उन दिनों उतनी ही गरम थी। होगी क्यों नहीं। नयी लाल गाड़ी में सख्त परदे वाली खातून, स्टेयरिंग पर रखी जिसकी उंगलियां तक न दिखाई दें, वह यूनिवर्सिटी में तेजी से गाड़ी घुमाती रहे, लोग शू, शू, करके इधर-उधर भागते फिरें, ''बला की खूबसूरत है वह पर्दानशीं, जो गाड़ी दौड़ाती है।'' यह आम सूचना थी। अब जो पर्दे के भीतर है, उसे खूबसूरत होना ही होगा और सचमुच गज़ाला नाजुक कली जैसी है। गोरा रंग, गुलाबी पतले होंठ, कमान जैसी भौंहों के नीचे चमकती काली, उत्साह भरी आंखें।

घर के बाहर तो ठेठ खवातीनों की जमात में ही उसकी नक़ाब उतरती है और उसका दीदार संभव है। कुछ दिन पहले की ही बात है। शाम के वक्त टहलते हुए चार-पांच लोगों का जमावड़ा हो गया और शुरू हो गई गप्पबाजी। तभी मौलाना शौकत अली अपने स्कूटर पर जाते दिखाई दिए। किसी ने कहा—

''बेटी अस्सी की रफ़्तार से गाड़ी दौड़ाती है और मौलाना स्कूटर पर सवार हैं।''

''यह तो अच्छी बात है भई। कहीं तो मौलाना ढीले हुए, इतनी छूट तो दी उन्होंने बेटी को।'' किसी ने कहा।

लेकिन रखशन्दा मैडम कैसे गज़ाला के पल्ले पड़ गईं। लगता है आज पड़ोसी धर्म निभाया है दोनों ने। अरे भाई, एक ही जगह रहते हैं। एक ही समय और एक ही जगह आना है। फिर क्या अक्लमन्दी है कि अलग-अलग गाड़ियों में आओ—इतना पेट्रोल फालतू में फूंको। यूं रखशन्दा खुद गाड़ी ड्राइव करती है। लगता है मौलाना होंगे नहीं घर में, वर्ना आधुनिक और बेपर्दा रखशन्दा के साथ कभी बेटी का जाना गवारा न करते। अब सवाल ये कि कौन किसको लिफ़्ट देता, और बाहर निकलने, गाड़ी चलाने का कोई भी मौका गज़ाला क्यों छोड़ेगी।

रखशन्दा के शौहर दुबई में हैं। बरसों से वहीं हैं। वहां फलता-फूलता व्यापार है। कैसे छोड़कर आ जाएं। रखशन्दा अपने बच्चों के साथ यहां आ गई। उसे बच्चे पढ़ाने हैं। अपने वातावरण में उनकी परवरिश करनी है। उन लोगों ने काम बांट लिए हैं। बच्चों को बड़ा करना, उन्हें लायक बनाना रखशन्दा के जिम्मे। धन की गठरी बांधना, दिन पर दिन गठरियों की संख्या बढ़ाते जाना, उसके शौहर के जिम्मे। आखिर उसी के बलबूते पर इतने ठाठ हैं। साल में एक बार वह जाती है पति के पास। एक महीने के लिए। लोग तो तरह-तरह की

उल्टी-सीधी बातें करते ही रहते हैं। अब यही एक बात कि—देखो अकेले रहती है, लेकिन कितने ठाठ से यानी अकेली औरत को ढंग से पहनना-ओढ़ना मना है। लोग यह पहेली आज तक नहीं सुलझा सके कि आखिर क्या बात है। रखशन्दा का शौहर कभी यहां नहीं आता। सहेलियों और पड़ोसिनों ने कई बार घुमा-फिराकर पूछने की कोशिश भी की, लेकिन कोई फायदा नहीं। रखशन्दा हमेशा अपनी मोहक मुस्कान बिखेरते हुए कहती—

"आपा, दरअसल बिजनेस में तो आप जानती हैं किसी पर भरोसा नहीं किया जा सकता। आखिर किसके पास छोड़कर आएं, फिर मैं तो जाती रहती हूं न।"

कहने वालों ने तो यहां तक कहा कि इसके शौहर ने वहां दूसरी औरत कर ली है, इसीलिए यहां आ गई भागकर।

किसी ने ठिठोली करते हुए कहा—

"यार! कभी उनसे हमें भी मिलवाओ! न हो तो तस्वीर ही दिखा दो।"

वह फिर दांत दिखा देती।

"वह तो हमारे दिल में रहते हैं बाजी। जब जरा गर्दन झुकाई, देख ली तस्वीरे यार।"

रखशन्दा इन बकवासों पर ध्यान नहीं देती। आखिर उसी शौहर के बलबूते पर इतने ऐशो-आराम से रहती है वह। एक बेटा मेडिकल की तैयारी कर रहा है। बड़ा बेटा इंजीनियरिंग में है। बेटी अभी छोटी है, हाईस्कूल में है। रखशन्दा जानती है अकेले बच्चों की जिम्मेदारी उठाना पहाड़ पर चढ़ने जैसा है। अरे पैसा है तो सब कुछ है। प्यार-मुहब्बत भी खाली-पीली नहीं होता। उसका शौहर उसका सम्मान करता है। इतनी बड़ी जिम्मेदारी उसके कंधे पर डाली है। वह चाहे तो उसे सोने के सिक्कों से तौल दे, दुनिया में कहीं उसके लिए घर ले दे, लेकिन नहीं। उसे तो यहीं रहना है। यहीं अपनी जुबान, अपने कल्चर के साथ बच्चों को पालना है, सो वह यहां चली आई।

"हलो रखशन्दा।"

"आदाब! कैसी हैं आप!!" वह हमेशा की तरह खुशमिजाज दिखी।

गाड़ी किनारे लगाकर गज़ाला अंदर आ रही थी।

"सलामवालेकुम आंटी, वह मेरी बेटी की दोस्त है, इसलिए आंटी ही कहती है मुझे।"

''गज़ाला। जान तो बख्श दिया करो बिटिया। तुमने तो आज यहीं हमारा कल्याण कर दिया था।''

हँसने लगी वह।

''क्यों आंटी! क्या हुआ! डर गईं आप?'' उसने चेहरे से नकाब हटा ली थी और अंदर जा रही थी।

''और आंटी! विभा नहीं आयी?''

''बिटिया, उसे मालूम होता कि तुम आ रही हो यहां तो जरूर आती वह भी।''

''आंटी, अम्मी की तबीयत ठीक नहीं थी। अब्बू भी नहीं थे घर पर। मैंने कहा—रखशन्दा आंटी के साथ मैं ही चली जाती हूं, ठीक किया न आंटी मैंने।'' और खिल्ल से हँस दी वह!

मुझे इस बच्ची से हमदर्दी है। तरस भी आता है उस पर!

मौलाना शौकत अली का किस्सा भी दिलचस्प है। बीस साल पहले अच्छे भले यहां बायोकेमेस्ट्री विभाग में थे। अच्छे रिसर्चर। अच्छे अध्यापक। अच्छा कैरियर। फिर एक दिन, अवसर मिला, बुलावा मिला तो सब कुछ छोड़छाड़ कर अमरीका चले गए। उस समय परिवार में एक बेटा था पांच बरस का। गज़ाला तो वहीं पैदा हुई।

क्या जुनून था उस वक्त अमरीका का! मौलाना तब सिर्फ डा. शौकत अली कहलाया करते थे। बेहद बातूनी। बात-बात में लतीफे सुनाने की आदत। क्लास में भी किस्सेबाजी चलती रहती।

अपने यहां तो हर डाक्टर, इंजीनियर, साइंस दां सोचता है कि अगर अमरीका न गया तो जीवन व्यर्थ गया। मंजिले-मकसूद वहीं है। हर कोई हरगोविन्द खुराना बनने का सपना लेकर भागता है सात समंदर पार! फिर शौकत अली ने ही क्या बिगाड़ा था। सस्ते दामों में बारह-चौदह घंटे काम करने वाले वैज्ञानिक मिलते हैं जिस देश को, उसे क्या ऐतराज हो सकता है? हाथ फैलाए वह बुलाता है, अपना फाटक खोल देता है। अमरीका ब्रेन खरीदता है, जो नीलाम होते हैं यहां मंडी में।

सो असंख्य लोगों की कतार में डा. शौकत अली भी खड़े हो रहे थे पिछले कुछ समय से। जाल वह भी डाल रहे थे, लेकिन उनके ऊपर भी जाल थे। अब कौन जाल था और कौन मछली बनकर फंसा, बहरहाल दूसरी बहुत सी मछलियों

को ललचाते, फंसाते पहुंच गए अमरीका। उन्हें तब लगा था कि पा लिया है उन्होंने अपना मक्का।

शुरुआत में प्रोजेक्ट में काम करने के लिए गए। अपने दोस्तों से छिपा गए इस सच्चाई को। लोग हँसते! खिल्ली उड़ाने वाले बख्श देते क्या? बात भी कुछ ऐसी ही थी। अच्छी भली अध्यापकी, वह भी यूनिवर्सिटी की, छोड़कर चले गए प्रोजेक्ट में रिसर्च असिस्टेंट बनकर!

बहरहाल, अब तो पहुंच ही गए थे नयी दुनिया में। हां, काम करने का जज़्बा पुराना था। काम करने पर आएंगे तो फिर न दिन देखेंगे और न रात।

प्रोजेक्ट की डायरेक्टर प्रोफेसर कैरोलिन स्मिथ सहृदय महिला थीं। उनकी लैब में चार अन्य उसी प्रोजेक्ट में काम कर रहे थे। रंग-बिरंगा कल्चर था वहां। अमरीकी आसमान के नीचे बहुरंगी छतरी। एक कोरियन, एक चीनी, एक मैक्सिको का और एक अमरीकी। रही-सही कसर इस भारतीय ने पूरी कर दी थी। शौकत मियां डूब गए अपने काम में।

क्यों न डूबते। सारी सुविधाएं। छोटी-छोटी बातों पर सिर न खपाना पड़ता। अपने यहां तो अगर पी-एच मीटर जैसा बेहद मामूली उपकरण खराब हो जाता तो उसे ठीक कराने में दो दिन लग जाते। कुछ नहीं तो बिजली माता जब चाहे अंतर्धान हो जाएं, अब बैठे रहिए आप। मजबूरन आप कैंटीन में बैठ जाएंगे, कुछ नहीं तो गप-शप करने स्टाफ क्लब चले गए। अब बातचीत में लग गए तो उस दिन का काम तो चौपट।

"ये होता है काम करने और कराने का वातावरण।" शौकत ये बात कभी खुद से कहते तो कभी दूसरों को संदेश भेजकर कहते। मानो कहते हों कि आओ, काम करने वालो, सब चले आओ।

बहरहाल, उनका काम, उनकी मेहनत रंग लाई। काफी जद्दोजहद के बाद यहां यूनिवर्सिटी में फैकल्टी मेंबर बना दिए गए। फिर से अध्यापकी के दिन लौट आए। पढ़ाओ, काम करो। काम करो, पढ़ाओ। उनके बच्चों के लिए भी ढेर सारे अवसर। इतना ही नहीं, शौकत आगे नए आने वाले लोगों के लिए बड़ा सहारा साबित हुए। किसी को अमरीका जाना है। कोई जरूरत नहीं अपना बायोडाटा लेकर घूमने की। इंटरनेट के जाल में भटकने की। इधर-उधर जोड़-तोड़ की। शौकत भाई हैं न वहां। वे खुद इधर-उधर संपर्क करेंगे। संभावना तलाशेंगे और खबर करेंगे, फिलहाल फलां यूनिवर्सिर्टी में, फलां विभाग में, फलां इंस्टीट्यूट में

तुम्हारा टांका फिट हो सकता है। यहां से जाने वाले लोगों की सरपरस्ती भी शौकत भाई की। "शौकत भाई हैं न वहां।" यही तो अपने इस शहर की, नहीं, अपनी इस यूनिवर्सिटी की खासियत है। यही यहां की संस्कृति है। यही संस्कृति सबको एक डोर में बांधती है। शौकत भाई भी इसी यूनिवर्सिटी संस्कृति के एक अलंबरदार बने। उनके अनेक जूनियर, चाहे वह मुनीर हों या फज़ल हों या आमिर हों या अनुराग हों, अमरीका के शोध संस्थानों में फिट हो गए। कोई न्यूयार्क में है तो कोई बोस्टन में। आमिर और अनुराग केलीफोर्निया में हैं। सब एक रिश्ते से बंधे हैं। अब भी एक संयुक्त परिवार के खूंटे हैं।

अचानक क्या कुछ घटा, ठीक-ठीक नहीं कहा जा सकता। अब यहां बैठकर कोई उनके घर के भीतर तक का हाल कैसे मालूम कर सकता है। फिर दिमाग के भीतर की उथल-पुथल को जानना तो और मुश्किल है। हां, छन-छन कर खबरें आती रहतीं। कोई अपने ग्रुप का आता। यूनिवर्सिटी में आकर मिलता। यहां का हालचाल लेता और वहां के सुनाता। पता चला कि शौकत मियां कुछ पटरी से उखड़ रहे हैं। बहुत कुछ बदल चुके हैं और बदल रहे हैं।

शौकत ऐसे रोज़े-नमाज वाले तो कभी नहीं थे। खासे प्रगतिशीलों में गिनती होती थी उनकी। बेहद सक्रिय। बेहद सामाजिक। कोई सार्वजनिक काम हो, चंदा देने में सबसे आगे। सुदूर गढ़वाल के पहाड़ी इलाके में एक बार भूकंप से चट्टानें फिसलीं और तबाही का मंजर छा गया। यहां यूनिवर्सिटी से राहत सामग्री इकट्ठा कर शौकत ही ट्रक लेकर गए थे और वह ऐतिहासिक इलेक्शन! वह किस्सा तो आज भी लोग याद करते हैं। याद ही नहीं करते, बल्कि सुनाया करते हैं। क्या-क्या हथकंडे हुआ करते थे इलेक्शन जीतने के लिए।

यूनिवर्सिटी में स्टूडेंट यूनियन के इलेक्शन का माहौल था। जमाते इस्लामी का उम्मीदवार अध्यक्ष पद का दावेदार था, हालांकि उसकी स्थिति खास मजबूत नहीं थी। अब चुनाव का मुद्दा। राजनीति तो राजनीति है। छात्र-राजनीति हो, दिल्ली के लाल किले की हो या सूबे की हो। हथकंडे एक जैसे ही होते हैं।

अचानक एक दिन अखबार में छपी खबर से पता चला कि शहर की घनी आबादी वाले काज़ीपाड़े में किसी धर्मग्रंथ का एक पन्ना जला हुआ मिला है। यह इलाका मिलीजुली आबादी का है। काज़ीपाड़ा के चौराहे के पास छतरी वाली मस्जिद के बाहर, सुना गया कि ऐसा हुआ। अब धर्मग्रंथ किस समुदाय का था, इसे बिना कहे सब जान गए थे। अखबार की खबरों का यही तो चमत्कार है।

खबर एक तरफ़ से छिपाई जाती है तो दस तरफ से उघाड़ी जाती है। किसी गरीब अभागन के शरीर की तरह।

कमाल की बात है। काज़ीपाड़े की इस गली में कौन बाहरी आदमी आएगा, जो यह सब कर जाएगा। मुस्लिम फोरम के अध्यक्ष शब्बीर अहमद की कोठी के पास ही है छतरी वाली मस्जिद। पूरी आबादी मुस्लिम समुदाय की। फिर किसने देखा! कैसा कागज! कैसा पन्ना! कहां से आया! इन सवालों का न तो जवाब था और न ही पूछने का मौका। एक ने कह दिया, दूसरे ने लपक लिया। तीसरा फौरन हावी हो गया और शुरू हो गई भाषणबाज़ी, फ़तवे, कसमें।

वहां यूनियन का इलेक्शन सिर पर। मिल गया हारते हुए उम्मीदवार को कुछ मसाला और शुरू हो गई नारेबाजी, पत्थरबाजी, जुलूस और धरने।

परेशानी का माहौल बनने लगा। सुगबुगाहट शुरू हुई। अफ़वाहों के बुलबुले सतह पर आने लगे। यूनिवर्सिटी कभी भी बंद हो सकती थी। शौकत भाई नौजवान अध्यापकों में खासे लोकप्रिय ठहरे। सभी समझदार सिर जुड़े, तुरंत जिला प्रशासन से हस्तक्षेप करने को कहा! इस शहर में तो लोग झोली फैलाए खड़े रहते हैं आसमान के नीचे, टपका दे कोई मसला, कोई मुद्दा, कोई दंगा। शहर की केसरिया पल्टन भी हरकत में आ गई थी। सवाल-जवाब, आरोप-प्रत्यारोप शुरू हो चुके थे।

तुरंत नौजवान अध्यापकों ने पहल की। घटना की निंदा करने के साथ शहर और यूनिवर्सिटी में गड़बड़ी फैलाने वालों की भी मजामत की। प्रशासन से सख्त कार्रवाई करने को कहा। साथ ही शौकत भाई की अगुवाई में एक ग्रुप घटना की तहकीकात करने में जुट गया, जिरह-दर-जिरह। पूरे गवाह जुटाए गए। कोई नहीं बख्शा जाएगा।

जब सख्ती हुई तो सारा मामला हवा हो गया। गवाह जो मिले, वह हकलाने लगे। कड़ियों को जोड़-जोड़ कर जब सिरे पर पहुंचे तो पता चला कि सिरे का कुंडा ही गायब है। बहरहाल, मामला तो फुस्स हुआ ही, हालात बेकाबू होने से बच गए। शहर बच गया जलने से। यूनिवर्सिटी बच गई हंगामे से और शौकत भाई हीरो हो गए। वातावरण शांत हुआ। इलेक्शन भी हो गया और जमात का उम्मीदवार भी हार गया। उसे हारना ही चाहिए था। उसका चेहरा सबने पहचान लिया था। नाटक ज्यादा नहीं चला। शौकत भाई तो चमक गए, साथ ही तरक्की पसंद सेक्यूलर गुट के नेता भी बन गए। सबने कहा कि उनमें चिंगारी है। गलत बात का प्रतिरोध करने का जज़्बा है! आस-पड़ोस, परिवार के दबाव को नकारने

की हिम्मत है! आज के ज़माने में इतना ही बहुत है। वर्ना तो कैरियर की अवसरवादिता, कमाई के दंद-फंद से बचे तो कहीं आस्था आती है तो कभी समुदाय, तो कभी भले-बुरे की ऊंच-नीच और लाभ-हानि।

शुरू में जब शौकत हिन्दुस्तान आते तो वहां के हालात पर हँसते। बहुत खीझ के साथ बखान करते, ''क्या बताएं, वहां तो हिन्दुस्तानियों के मेलजोल की जगह मंदिर है या मस्जिद है। यही क्लब है। मंदिर-मस्जिद, कहीं पीछा नहीं छोड़ते। यहां क्या कम हंगामे कराते हैं, जो अमरीका में और चले आए। अरे हम हिन्दुस्तानी उसके बिना ही ठीक हैं।''

लोग कहते हैं कोई भी चीज रातोंरात नहीं बदल जाती। फिर इन्सानी ज़िंदगी! करोड़ों साल का वजूद। ऐसे कैसे बदल जाएगा रातों रात?

दरअसल हवा तो ब़दल रही थी। रुख बदलती हवा आंधी की पहचान तो करा रही थी, लेकिन कमरे के भीतर उसका अहसास नहीं था। वे तो अपने लोगों के साथ खुश थे। मगन थे अपने काम में। पांच-सात साल में बीस रिसर्च पेपर। प्रो. मलिक उन दिनों एक सेमिनार के सिलसिले में न्यूयार्क गए थे। शौकत ने अपने विभाग में एक लेक्चर के बहाने वहां बुलवा लिया था।

''वह तो भूत की तरह काम करता है वहां।'' उन्होंने लौटने पर टिप्पणी की थी उनके बारे में।

''क्या अगला नोबेल किसी हिन्दुस्तानी को मिलने वाला है?''

''अमरीकी हिन्दुस्तानी को, जो कैन्टकी में काम करता है।'' किसी ने चुटकी ली और सबने ठहाका लगाया था।

कभी-कभी आदमी बीमार हो जाता है और लोगों को बीमारी का पता ही नहीं चल पाता। सर्दी-जुकाम हो। बुखार आ जाए। मलेरिया-हैजा हो जाए। तुरंत उसका इलाज होता है। ऐसे में डाक्टर की भूमिका प्रमुख हो जाती है।

मन की बीमारी जब पकड़ में आती है तो बहुत देर हो चुकी होती है। खुद मरीज को ही कहां पता होता है कि भीतर क्या घट रहा है। छोटी-छोटी नामालूम सी घटनाएं अंदर धंसकर नासूर बन जाती हैं। हँसी में उड़ाए जाने वाले फिकरे कैसे जिंदगी भर रुला सकते हैं, यह केवल रोने वाला ही समझ सकता है।

अज़रा को लगता है कि बोस्टन आना ही उनके दुर्भाग्य का कारण रहा। यूं किसी शहर की क्या गलती! जिम्मेदार तो वहां का माहौल बना। जब तक आप एक

परिचित, परंपरागत माहौल से कटे होते हैं, उस समय अपनी तरह से जिंदगी जीते हैं। अपने बाड़े में पहुंचने के बाद हमारे जीवन को बाड़ा संचालित करने लगता है। हमें घेरे हुए लोग हमारी जिंदगी के मसायल तय करने लगते हैं।

मियां शौकत ने सचमुच बहुत कोशिश की और ग्रीन कार्ड अंततः मिल ही गया। अज़रा तो अक्सर मजाक भी करती थी।

''किसी अमरीकी से शादी कर लो न! ग्रीन कार्ड मिल जाएगा, लेकिन शर्त है बुढ़िया होनी चाहिए।''

''वाह! गुनाह भी करूं और इतना बदसूरत, बेवकूफ समझा है क्या मुझे।''

उन्हें बोस्टन के रिसर्च इंस्टीट्यूट में असिस्टेंट डाइरेक्टर के रूप में बुलाया जा रहा था, आखिर मेहनत का नतीजा था यह। बिना कोई अवसर गंवाए तुरंत डॉ. शौकत ने वहां ज्वॉइन कर लिया।

शौकत खुश। अज़रा बेहद खुश। बच्चे भी खुश ही थे। वजह, ढेर सारे हिन्दुस्तानी जो थे बोस्टन में। हर हफ्ते मिलना। हर हफ्ते कोई न कोई कार्यक्रम। एकदम अपने शहर के, अपने मुहल्ले जैसा। जावेद भाई, लियाकत भाई, महफूज मियां, वे तीन तो अपने करीबी ही लोग थे। फिर उनके दोस्त अहबाब, दोस्तों के दोस्त, उनके परिवार। परदेस में अपनी जबान बोलने वाला हर बंदा दिल के करीब हो जाता है। बहुत बड़ी जमात के मेंबर हो गए थे शौकत। लगता जैसे रामपुर में बैठे हैं। क्या शानदार मस्जिद बनवाई थी वहां बंदों ने। एकदम ज़ामा मस्जिद की तर्ज पर।

रमज़ान शरीफ़ पर अब रौनक दिखने लगी थी। पिछले सात साल से इफ़्तारों का जो सिलसिला कहीं खो गया था, अब फिर चल निकला था। बारी-बारी से मीलाद के आयोजन भी होने लगे थे। मिनी हिन्दुस्तान बन रहा था वहां। हिन्दुस्तानी-पाकिस्तानी का भी कोई भेद नहीं। कड़वाहट नहीं। पूरा भाईचारा, वसुधैव कुटुंबकम।

अपनों के बीच रहने का यह उत्साह और उत्साह तो बढ़ता ही जाता है, जब उसे लगातार बढ़ाने वाले होते हैं। नित नयी संगत होती है। शौकत कब रिसर्च लैब से निकलकर एक नयी जमात में शामिल हो गए, पता ही नहीं चला।

आपस का उठना-बैठना। मेलजोल। भाई-चारा। अपने सुख-दुःख! अपना वतन! अपना कल्चर! अपने रस्मोरिवाज, अपने भाई-बंद। अपना, अपना, और अब अपना दीन, अपना मजहब, अपना ईमान।

अजनबी मुल्क, अजनबी माहौल में अपनापन, अपने लोग, अपना माहौल, कब तक बचते इस अपनेपन से।

शौकत को लगा कि अभी उनकी आंखें खुली हैं। अभी जागे हैं। अभी सवेरा हुआ है, अभी दुनिया को देखना-पहचानना शुरू किया है। अभी-अभी नजर दौड़ाई है अपने चारों ओर। कहां थे अब तक? बंद थी आंखें।

यही बात तारिक महमूद ने कही थी पिछली जमात की मीटिंग में—

"मियां! किस गफ़लत में जी रहे हैं। लगता है सोते रहे हैं आप! यह मुल्क हमारा नहीं है।"

"यहां तो बस! पानी में तेल की बूंद की माफिक रहो। तभी बचेगा अपना दीनो-ईमान, आखिर क्या जवाब देंगे ऊपर।" अब हर हफ्ते इदारा-ए-इस्लामी तालीमात में जाने लगे थे डा. शौकत अली।

शौकत मियां का हुलिया बदल रहा था। चिकने-साफ चेहरे पर दाढ़ी उगने लगी थी, जो दीन के लिए उनकी वफ़ादारी का सबूत बन रही थी।

"ये क्या! शेव नहीं कर रहे आप आजकल!" अज़रा ने पूछा एक दिन। शौकत मुस्कुरा कर रह गए।

"क्यों, क्या अच्छा नहीं लग रहा हूं, फॉर-अ-चेंज, देखते हैं, देखते हैं कैसा बनता है चेहरा।"

और देखते ही देखते दाढ़ी तो छा गई शौकत मियां के चेहरे पर। नहीं, पूरे वजूद का अहम हिस्सा बनने लगी थी वह। रोज़ेदार तो पहले ही हो चुके थे। नमाज़ का भी सिलसिला पाबंदी से शुरू हो गया। तीन वक्त की नमाज़ तो मिल ही जाती थी।

अज़रा तभी से सशंकित थी जब जमात की बैठकें घर पर होने लगीं। उसे मालूम था कि अब कहर उस पर ही टूटेगा।

वे सचमुच खुदा के बंदे हो गए। सच्चे, मुसलमान! क्या करें! और कोई रास्ता भी तो नहीं। "ये मुल्क है या भंगड़खाना। कोई शर्म-हया नहीं। छोटे-छोटे कपड़े पहनकर चल दिए। जहां दिल किया, शुरू हो गई चूमा-चाटी, छिः! लड़की सात-आठ साल की हो रही है। उस पर गलत असर पड़ेगा। क्या तहजीब सीखेगी वह! असर तो बीवी पर भी गलत पड़ सकता है।" उनके कानों में हिदायतें गूंजने लगतीं, लैब में उनका मन न लगता। विभाग में अनमने से रहते, कहीं चैन नहीं। हर वक्त आंख फाड़-फाड़कर चारों ओर निगाह दौड़ाते, कहीं कुछ नजर में आए

तो। तभी तो रोकेंगे उसे...सचमुच पटरी से उतरने लगे थे शौकत भाई। नौबत ये आई कि कोशिश करते कि घर पर ही पड़े रहें, चुपचाप। बजाय किताबों के, अब वह अपना समय पढ़ना चाहते थे। आसपास क्या घट रहा है। कौन आया, कौन गया, किसने क्या पहना, क्या कहा, क्या किया–अज़रा परेशान थी। हर वक्त जिरह, सवाल-दर-सवाल। आरिफ़ और गज़ाला परेशान थे। स्कूल न जाएं क्या? दोस्तों से न मिलें क्या? किसी से बातचीत न करें क्या?

अज़रा किसके सामने बयान करे यह सब। कमोबेश सभी ऐसे ही सोच रहे थे। परेशान थी वह। बेटा आरिफ़ तो एकदम चुप्पा हो गया। उसकी बातचीत भी बंद थी अब्बू से। छोटी गज़ाला रोना-धोना मचाती रहती। आखिर अज़रा ने शौकत भाई के कुछ दूसरे दोस्तों से बात की, सलाह-मशविरा किया। कैसे तो जमातियों से पीछा छूटे। तभी आगे कोई बात हो। फिर भी सोचा गया और शौकत भाई कर दिए गए साइकियाट्रिस्ट के हवाले। साइकियाट्रिस्ट क्या करता। ए सिंपल केस। कल्चरल शॉक। दो विपरीत धाराओं के बीच जूझ रहे हैं शौकत मियां। उनका अपनापन, फैमली बैक ग्राउंड, बचपन, जवानी, छूट गई दूर घर पर। यहां हजारों मील दूर, दूसरी ही दुनिया है। एकदम नयी। चकाचौंध भरी। ललचाती है। बुलाती है। तैरना चाहते हैं शौकत इस नयी दुनिया में, यहां उत्तेजना है, उमंग है, भय है, अनिश्चिंतता है, पता नहीं आगे क्या है, लेकिन ईमां पीछे खींचता था। कुफ्र डराता है। संस्कार आड़े आते हैं। तैरते-तैरते थक गए हैं शौकत मियां। कोई तो सहारा दे। हाथ थामे, और फिर हाथ थामा है किसी ने। मौलाना तारिक महमूद ने। उनकी जमात ने। खुदा देख रहा है, उसके कुछ उसूल हैं, कुरान-पाक रास्ता दिखाती है, रोशनी देती है।

शौकत मियां आंखें बंद कर लेते। झटक देते हैं अपने चारों ओर की दुनिया। सब झूठ-फरेब का जाल है, सब छलावा है, सुकून की तलाश में हैं शौकत मियां। सच्चे रास्ते की तलाश में हैं। जंगल में भटक रहे हैं वे। खुदा के बंदे हैं, वही सच्चा रास्ता है, उन्होंने ढूंढ़ लिया है रास्ता।

धीरे-धीरे शौकत भाई ठीक होने लगे। सामान्य होने लगे। विभाग जाने लगे। लैब का छूटा काम फिर शुरू किया। शौकत भाई अब पांचों वक्त की नमाज़ पढ़ने लगे। रमज़ान के महीने में पक्के रोज़दार होने का सबूत देने लगे, एक मित्र मंडली मिल गई थी। जमात में उनको शामिल कर ही लिया

गया था। अब साल में दो हफ्ते के लिए वह तबलीगी जमात के कामों में पूरी तरह से समर्पित हो गए थे।

"बच गए। मिल गया रास्ता।" शौकत भाई को अब इत्मीनान था। अपने चारों ओर किले की दीवारें बना लीं उन्होंने। अब सब कुछ सुरक्षित था। वो सुरक्षित थे। उनका वजूद सुरक्षित था। उनका जेहन अपवित्र होने से बच गया था।

उनकी नजरों ने अब घर की ओर रुख किया । फिर असमंजस की स्थिति बनने लगी। अब बाहर आप पर्दा पढ़ाओ। हिजाब की वकालत करो। घर की औरत बेपरदा रहे, कैसे हो सकता है? अज़रा को हुक्म हुआ, "आप थोड़ा पर्दे में रहा कीजिए।"

"क्यों! ये नया फरमान है?"

"देखिए, समझा कीजिए। मौलाना तारिक उस दिन ऐतराज़ कर रहे थे। आखिर कुछ तो लिहाज़ हो।"

"माय फुट! मुझे क्या मतलब आपके मौलाना से। आपने उन्हें बाप बनाया है अपना। मैंने नहीं।"

"देखिए-ये परदेस है, यहां तो आपको ऐसे ही रहना होगा, वर्ना..."

अज़रा अपने शौहर की आवाज के ठंडेपन से कांप गई। शौकत अब जमात वालों की जुबान घर में भी बोलने लगे हैं, धमकाने लगे हैं, क्या कर लेगी वह अकेली यहां। कहां जाएगी, उसका पासपोर्ट?"

'अल्लाह! क्या इसीलिए पिछले महीने उसका पासपोर्ट मांग लिया था शौकत मियां ने।'

अज़रा दांत पीस कर रह गई।

अज़रा शौकत के साथ पढ़ी है। एक साल जूनियर थी। लव मैरिज थी दोनों की। शादी न होती तो वह भी रिसर्च में दाखिला लेती। लेक्चरर बनती। चलो न सही रिसर्च, न सही नौकरी, लेकिन यह बंधन? किन अरमानों से वह अमरीका आई थी। सोचा था बच्चे बड़े हो जाएंगे, वह भी कोई जॉब कर लेगी। आखिर पढ़ी-लिखी है। फर्राटेदार अंग्रेजी बोलती है। डैशिंग है। लोगों को प्रभावित करती है, लेकिन अब? यह घर अब उसका नहीं रहा। तबलीकी जमात का दफ़्तर बन गया है। उसे पर्दा करना ही पड़ेगा। स्कार्फ से सिर ढंकना ही पड़ेगा। चेहरा लपेटना ही पड़ेगा।

साइकियाट्रिस्ट के पास जाने की अब उसकी बारी थी।

आरिफ तो ठीक पढ़ता रहा, लेकिन गज़ाला, उसका स्कूल बदल दिया गया। सोसायटी फॉर इस्लामिक मूवमेंट वालों ने अपने समुदाय के बच्चों के लिए एक उर्दू स्कूल खोला था। गज़ाला को अब उसी स्कूल में जाना था। यहां इस्लामियां स्कूल में उर्दू पढ़ाई जा रही थी। थियोलॉजी पढ़ाई जा रही थी। इस्लामिक कल्चर की शिक्षा दी जाती थी। अब बच्चे महफूज़ थे। अपनों के बीच में थे। कोई खतरा न था।

गज़ाला ने रो-रोकर पूरा घर सिर पर उठा लिया। पांच साल ठेठ अमरीकी स्कूल में पढ़ने के बाद अब उर्दू स्कूल? पैर पटकती रही, चीखती रही, कई दिन स्कूल नहीं गई लेकिन, मियां शौकत ने अंततः सब ठीक कर लिया। समझा लिया बेटी को। अरे, बच्चों का क्या है। थोड़ा लालच दो। थोड़ा धमकाओ-डराओ। फिर पुचकार लो, अल्लाह का शुक्र। सब ठीक हो गया है। चैन की सांस ली उन्होंने।

लेकिन, ठीक नहीं हुआ। गज़ाला ने हार नहीं मानी। वह एक दिन स्कूल से वापस घर नहीं आई। दो घंटे बीत चुके थे। अज़रा ने स्कूल फोन किया। वह तो रोज की तरह बस में बैठी थी।

फिर, कहां गई! तुरंत मौलाना को खबर दी गई।

पुलिस, रिपोर्ट, दौड़-भाग, टेलीफोन, रिश्तेदार, दोस्त और शाम तक पुलिस की गाड़ी में बैठी गज़ाला घर पहुंची। अपना स्कूल बैग वह कहीं फेंक चुकी थी। अपने बारे में कुछ बताने के लिए तैयार न थी।

''आयम ऑरफन, आय हैव नो पेरेंट्स।'' वह सचमुच अपने मां-बाप को अपने से अलग कर देना चाहती थी क्या? पुलिस वालों ने राय दी—

''कन्सल्ट अ साइकियाट्रिस्ट - शी इज ए प्रॉबलम चाइल्ड।''

अज़रा अब खामोश थी। धीरे-धीरे जिंदगी का ढांचा बदल रहा था। कहते हैं वहां का पतझड़ खूबसूरत होता है। नंगे पेड़ों पर जमी बर्फ और सफेदी से भरा माहौल निपट अकेलेपन का अहसास देता है। खूबसूरती के मायने सबके लिए अलग-अलग होते हैं। अज़रा भी अपने वक्त के पतझड़ के साथ चल रही थी। उसके दिल और दिमाग सर्द हो चुके थे, लेकिन बर्फवारी थी कि थमने का नाम नहीं ले रही थी। पत्तों के झड़ जाने के बाद फिर नयी कोपलें आती हैं। नयी हरियाली, नया जीवन दिखाई देता है। अज़रा को लगता कि उनकी जिंदगी में बसंत भूल गया है आना। कितना बदल गया है सब कुछ। शौकत अब लंबी दाढ़ी

रखने लगे हैं। पक्के दीन-ओ-इमान वाले हैं। इधर एक नयी फिक्र ने उनके जेहन को परेशान करना शुरू कर दिया।

गज़ाला बड़ी हो रही है। माशाअल्लाह सोलह की हो जाएगी। अब! यहां इस खुले माहौल में क्या बनेगा उसका।

नहीं-वापस जाना ही होगा। अपने वतन जाना ही होगा। अपनी यूनिवर्सिटी है। पनाह देगी उन्हें। दोनों हाथ खोलकर गले लगाएगी।

और मौलाना ने वापसी के धागे बुनने शुरू कर दिए। एक सुनहरा अवसर मिला उन्हें। यूनिवर्सिटी के वाइस चांसलर साहब अमरीका यात्रा पर थे। कहां से सुगबुगाहट लग गई मौलाना को। तुरंत उन्हें बोस्टन आने का निमंत्रण पहुंचाया। ओल्ड बॉयज एसोसियेशन की ओर से भव्य स्वागत। सर सैयद अकेडमी ऑफ अमरीका की ओर से भव्य स्वागत। शानदार मुशायरा। हर साल हिन्दुस्तान से इसमें चुनिंदा शायर बुलाए जाते। अबकी थोड़ा जल्दी कर लिया प्रोग्राम। शीशे में उतार लिया उनको। दिल खोलकर खर्च किया।

छह महीने बाद सेलेक्शन कमेटी होनी थी। हुई। अब वाइस चांसलर भी आखिर इन्सान ही ठहरा। देवता नहीं। साथ खाया-पिया था, कीमती गिफ्ट, ख़ातिरदारी, साथ घूमना-फिरना, सब याद था उन्हें। मौलाना का सेलेक्शन होना ही था। हुआ। वाइस चांसलर ने अपना वायदा निभाया। वो वापस आ गए। शौकत अपने पुराने विभाग में आ गए। अपनी पुरानी यूनिवर्सिटी में आ गए। शानदार घर वापसी का ख्वाब लिए, ठसक से वापस आ गए।

बीस साल! दो युग! कितना कुछ बदल गया। पुराने लोग बहुत कम बचे थे। जो नए थे, पहचानते नहीं। पूरा निजाम ही बदल गया था।

विभाग भी अब वैसा नहीं रहा। मौलाना को उम्मीद थी कि उनका पुरजोर खैरमकदम होगा, नहीं। सब ठंडा। विभाग के एक पुराने, मजबूत समझे जाने वाले उम्मीदवार को काट कर आए थे वह। इसलिए नाराजगी थी। अमरीका की प्रतिष्ठित यूनिवर्सिटी में पढ़ाने का अनुभव। उच्चकोटि की रिसर्च का अनुभव! उनके साथियों को प्रभावित नहीं कर सका। उनकी लंबी दाढ़ी, ऊंचा पाजामा और शेरवानी, कुछ भी असर नहीं डाल सके, विभाग के लोगों पर। बाहरी आदमी तो बाहरी ही माना जाएगा। अपना कैसे हो सकता है? फिर हो जाएगा अपना, लेकिन यह कैसे भूला जाए कि पूरा तयशुदा समीकरण बिगाड़कर आए हैं। यहां किसी का हक मारकर आए हैं, ऊपर से टपका दिया गया है उनको।

मौलाना के कानों में बातें पड़ती रहीं। उन्होंने सिर झटक दिया। सब चलता है। लायक आदमी कहीं भी अपनी जगह बना सकता है। फिर वो आउटसाइडर नहीं हैं।

कभी-कभी मौलाना सोचते—क्या मजाक है। बीस साल अमरीका रह कर आए। वहां भी आउटसाइडर रहे। काम करेंगे इनसाइडर का, लेकिन कहलाएंगे आउंटसाइडर। रेवड़ी बंटेगी तो सबसे पीछे धकेले जाएंगे। दस साल लगे उन्हें अपनी जगह बनाने में। उनके रिसर्च प्रोजेक्ट को अमरीकी सरकार नेशनल अवार्ड दे रही है। पब्लिकेशन टॉप पर है, लेकिन आउटसाइडर हैं। अब यहां आए। अपनी पुरानी जगह आए। अपने घर वापस आए तो यहां आउटसाइडर हैं। उन का दिमाग फिर उखड़ने लगा।

बीस साल का अमरीका प्रवास। काम और सिर्फ काम। डिपार्टमेंट। लैब। लैब में पलते उनके चूहे। चूहों का दिमाग। दिमाग से जुड़े एक्शन। एक्शन के साथ रिएक्शन।

ग़ज़ाला कहती, ''अम्मी! लगता है अब्बू भी चूहा बन गए हैं।'' अम्मी चुप लगा जाती। कौन किसकी सुने, किसकी कहे। सब अपने में सिमटे पड़े हैं। सब अजनबी हैं। एक साथ दिन काट रहे हैं।

हिन्दुस्तान लौटने की बात हुई तो अज़रा सचमुच खुश थी। वहां अपने लोग मिलेंगे। अपना परिवारं। अपने लोग। पांच साल पहले पापा गुजर गए थे। अम्मी की छाती से लगकर सोएगी, कितना याद करती है वह उन्हें।

लेकिन ग़ज़ाला को समझाना मुश्किल था। उसने फिर पैर पटकने शुरू कर दिए। चीखना-रोना, उसकी पुरानी आदत है।

''अम्मी, आप भी कुछ नहीं कहतीं। मैं नहीं जाऊंगी।''

''क्यों?''

''मुझे नहीं जाना इंडिया! कोई रहने लायक जगह है। स्लम! ए-ग्रेट-स्लम।''

''वहां रहोगी। लोगों के बीच, सबसे मिलोगी तो अपना जैसा लगेगा।''

''व्हॉट अपना जैसा, अम्मी। मुझे कभी इंडिया अच्छा नहीं लगा।'' उसकी आवाज का वाल्यूम बढ़ता ही जा रहा था।

''मैं भी तो पहले कभी अमरीका नहीं आई थी। मैं आई यहां। रही! कैसे रही, धीरे-धीरे अच्छा लगा न।'' अज़रा समझा रही थी। उसकी आवाज का खोखलापन खुद उसे मुतमईन नहीं कर पा रहा था, ग़ज़ाला को क्या करता।

गज़ाला कुछ नहीं सुन रही थी। उसका मन कहीं और दौड़ रहा था। उसकी उधेड़-बुन चल रही थी, जमे हुए सर्द अल्फाज़ में जैसे वह एक-एक शब्द तौल रही हो, आहिस्ते से मानो अम्मी को राजदार बनाते हुए कहा—

''अम्मी! ऐसे जबरदस्ती नहीं कर सकते अब्बू। तुम देखना, मैं नहीं जाऊंगी इंडिया।'' और फिर खामोश हो गई।

''मैं, मैं क्या।''

''कुछ नहीं। बस, देखना मैं नहीं जाऊंगी।''

गज़ाला अब शांत थी। सामान्य थी। अपने सभी काम ठीक से कर रही थी। पैकिंग कर रही थी। दोस्तों से मिल रही थी। टीचर्स से मिलकर अलविदा कह रही थी।

''शुक्र है! लड़की को समझ तो आई।'' अज़रा ने चैन की सांस ली। उसे अभी बहुत काम करने थे। बहुत सा सामान निकल चुका था। किताबों और कपड़ों की पैकिंग होनी थी। किचन का थोड़ा सा जरूरी और महंगा सामान ही ले जाना है। बाकी यहीं छोड़ना है। यूं अभी तीन दिन बाद की फ्लाइट थी। दो दिन तो पूरे ही हाथ में थे। अचानक मौलाना नमूदार हुए और ऐलान किया—

''आपको मालूम है कि कब की फ्लाइट है?''

''जी! दो दिन बाद! फ्राइडे को।''

''थोड़ी तब्दीली हुई है प्रोग्राम में। अब हमें कल ही रवाना होना होगा। कल फ्लाइट है। हमें सबेरे निकलना होगा। आप जरूरी काम आज ही कर लें।''

''गज़ाला?''

''हां, बता दीजिए उसे भी...''

और गज़ाला टेलीफोन से चिपकी पड़ी थी। उसे किसी के फोन का इंतजार था। उसका फोन तो कल आने वाला था। पूरा प्रोग्राम उसका तय था।

''ओह नो! नो! यू आर अ चीट...''

उसका पूरा प्लान खत्म हो चुका था।

मौलाना मुस्कुराते हुए बाहर चले गए थे। स्टुपिड गर्ल। क्या सोचती है। किसी को मालूम नहीं कि वह क्या करना चाहती है? बहुत चालाक समझती है खुद को।

गज़ाला मेरी बेटी की दोस्त है। हालांकि उम्र में बड़ी है वह! गज़ाला को यहां एडमिशन नहीं मिला। हारकर प्राइवेट दसवीं पास की और फिर फर्स्ट ईयर में आई।

मेरी बेटी ने शुरू में ही बताया था।

"मॉम, हमारे यहां एक लड़की आई है नयी। एकदम अमरीकन।"

"यानी।"

"यानी कि अपने बोलने-चालने के स्टाइल में, लेकिन ऊपर से सख्त पर्देवाली।"

"अच्छा!" मुझे भी थोड़ा अचरज हुआ।

हालांकि यह कोई अचरज की बात नहीं। दरअसल हम लोग भाषा-बोली को परिवेश से, विचारों से जोड़ने लगते हैं यानी की अंग्रेजी बोलने वाला बड़ा मॉडर्न, प्रगतिशील। हिन्दी बोलने वाला या अपनी बोली बोलने वाला धुर्रा, देहाती, पिछड़ा, न जाने क्या-क्या! लेकिन आज के समय में सारे अनुमान, उलट-पुलट हो रहे हैं। पुरानी धारणाएं धराशायी हो रही हैं। नए सूत्र, नए समीकरण, नया जमाना, नयी हवा के साथ नए चलन। समाज का नक्शा ही बदल रहा है।

यहां आने पर मौलाना ने डिपार्टमेंट ज्वाइन कर लिया। फिर पता चला कि वे ठगे गए हैं। उन्हें मेडिकल कालेज में ज्वाइन करना पड़ा। मुख्य विभाग में उनकी नियुक्ति नहीं हुई थी। उन्होंने शिकायत की, वाइस चांसलर से–

"वेल प्रोफेसर! मुझे नहीं लगता है आपको कुछ फर्क पड़ेगा। मेन डिपार्टमेंट में हों या कालेज में, आखिर आप वहां भी प्रोफेसर हैं, व्हॉट्स द प्रॉब्लम।"

मौलाना दांत पीसकर रह गए। मुख्य धारा से उन्हें बहुत सफाई से काट दिया गया था। अब पड़े रहो मेडिकल कालेज के कोने में।

मौलाना ने सब्र कर लिया, लेकिन हद तब हो गई, जब तीन महीने बीतने को आए और उन्हें कमरा तक नहीं मिला। यही हाल रहा तो लैब अगले छह महीने तक नहीं मिलेगी।

सब्र का बांध टूट गया। फिर एक दिन वह पहुंचे रजिस्ट्रार ऑफिस। दरवाजे पर खड़े होकर जो धाराप्रवाह गालियां शुरू कीं, अफरातफरी मच गई। मां की, बहन की, सबकी ऐसी तैसी। उनका रामपुरी खून उबाल मारने लगा था। बचपन में हॉस्टल में गालियों की अन्त्याक्षरी खेलते थे, वही याद आने लगी थी। जाते-जाते चेतावनी दे गए–

"हफ्ते भर में कमरा अलॉट न हुआ तो तुम्हारे मेडिकल सुपरिंटेंडेंट को यही पटक कर मारूंगा।"

उनके जाने के बाद ही लोगों की जान में जान आई।

“थोड़ा मेंटल है मौलाना। अमरीका में इलाज हो चुका है दिमाग का।” अच्छा हुआ मौलाना ने यह नहीं सुना।

मौलाना को हफ्ते भर में तो नहीं, हां दस दिन में कमरा अलॉट तो हो गया, लेकिन रिसर्च लैब मिलने में दो महीने लग गए।

अज़रा ने अपने आपको घर के भीतर समेट लिया है। वक्त-वक्त की बात है। एक जमाना था शादी से पहले, जब अज़रा के ही चर्चे हुआ करते थे। अज़रा जैसा स्टाइल! अज़रा जैसे कपड़े। साड़ी बांधना तो कोई अज़रा से सीखे। क्या मजाल साड़ी की एक प्लीट इधर से उधर हो जाए और अज़रा की चाल।

अज़रा ने अपना पुराना अलबम छिपाकर रखा है। कभी पलटती है तो लगता है कोई अजनबी है उसमें। कोई पिछले जनम का वाकया, अरे, तौबा-तौबा। पिछला जनम, यह ग़ैर इस्लामी सोच ज़ेहन में आई कैसे!

अब तो वह मोटे-मोटे सलवार-सूट पहनती है। ढंकना ही तो है शरीर को। कभी-कभी लगता है जैसे घर-आंगन की दीवारें सिमट आई हैं उसके चारों ओर। घर का आंगन एकदम ही सिकुड़ गया है। बित्ते भर का आकाश ही बचा है उसके हिस्से में।

“गज़ाला, तुम क्यों आ गईं अपने डैड के साथ। वहीं पढ़ाई करतीं न। आरिफ भी तो है वहां।”

“यू नो, माय स्टुपिड फादर। ही इज क्रेजी अबाउट इंडिया।”

“हाय! कैसे अपने बाप को कह रही है। कोई ऐसे गालियां देता है? छी, छी।”

“गेट लॉस्ट।” उसने आंख तरेरकर ‘नेक परवीन’ बनी अपनी उस पड़ोसिन से कहा। उस बेचारी ने कुछ समझा, कुछ नहीं, चुप हो गई।

गज़ाला सबको गालियां बकती है।

“यू नो। वी आर स्लम ड्वेलर्स।”

“तुम्हारा तो घर शानदार है यार! इतना महंगा घर।” मेरी बेटी ने टोका उसे। मैं उनके लिए चाय बना रही थी। गज़ाला पहली बार हमारे घर आई थीं। लंबे-चौड़े तालिबानी बुर्के को उतारने के बाद गज़ाला अब जींस और कुर्ते में बहुत सुघड़-प्यारी लग रही थी। उसकी चमकदार काली आंखें। जैसे हर वक्त बेचैन रहती हैं।

‘‘आंटी! हम मुसलमान ऐसे स्लम एरिया में क्यों रहते हैं?’’

मैं क्या जवाब देती, मैंने प्लेट उसकी ओर बढ़ाई, ‘‘लो समोसे खाओ। घर के बने हैं।’’

‘‘आंटी बताइए न। आपका एरिया इतना अच्छा। चौड़ी सड़क। साफ-सुथरी। हमारी ओर इतनी सटी हुई गलियां। लगता है हर घर-हर गली मार्केट में तब्दील हो गई है। वहीं चिकन बेचने वाला। वहीं बूचर-गोश्त लटका पड़ा है। एंड ऑल इट इज एट रोड साइड। वहीं फिश-वहीं कूड़े का ढेर। उसके ऊपर वहीं चाय वाला, होटल वाला, यू नो इट ऑल मेक्स मी सिक।’’ मैं चुप थी।

‘‘आंटी! व्हाई कांट वी लिव हियर। इन योर नेबरहुड, व्हाई-व्हाई-व्हाई, माय फादर, ही इज क्रिमिनल, उसने साजिश किया, हमें पटक दिया यहां।’’ वह उत्तेजित हो रही थी।

हमारी बेटी, गज़ाला और उनकी चार दोस्त उस दिन फिल्म देखने जा रही थीं।

‘‘ममी! इनके अब्बू दो दिन के लिए बाहर गए हैं न! इसीलिए।’’

गज़ाला गाली बक सकती है। उसकी अम्मी तो गाली भी नहीं दे सकती। उनकी जिंदगी खुद एक गाली बनकर रह गई है।

मौलाना शौकत भी गाली बकते हैं। उन्हें मालूम है बिना गाली बके कोई काम नहीं होगा। आखिर किस-किस मोर्चे पर लड़े वह बंदा। उसके खिलाफ भी तो साजिश हुई। नियुक्ति दी, लेकिन कोने में पटक दिया। इतना अच्छा रिसर्च का काम, लेकिन कोई लड़का उनके साथ काम करने को तैयार नहीं।

उस दिन बेटी फोन पर बात कर रही थी और हँसती जा रही थी। मैंने पूछा—

‘‘क्या बात है, किसका फोन है?’’

‘‘गज़ाला का है मम्मी। उसके फोन में म्यूजिक सुनाई दे रहा है। मैंने पूछा कि क्या बात है। तुम्हारे अब्बू ने क्या म्यूजिक सिस्टम की इजाजत दे दी है, तो बोली, लो सुनो और जानती हो मम्मी उसे क्या सुनने की इजाजत मिली?’’ और विभा गाने लगी, ‘मेरे मौला, बुला ले मदीने मुझे।’

‘‘अरे तो क्या हुआ! आखिर कव्वाली भी तो म्यूजिक का हिस्सा है।’’

‘‘व्हाय नॉट, व्हाय नॉट।’’ और हँसने लगी वह।

कितना कठिन होता है अपने आपसे लड़ते हुए जीवन बिताना। औरतों की जिंदगी में मूक-बधिर की तरह हुकुम का पालन करना, रेवड़ के साथ चलते जाना क्यों होता है? अज़रा बीमार रहती है। न कहीं आना, न जाना। खुद को चारदीवारी में बंद कर लिया है। उसका आकाश आंगन के चौकोर टुकड़े में सिमट चुका है। "नेक बीवी का नमूना है वह।" मौलाना फख्र से कहते हैं। गज़ाला कब तक लड़ेगी। क्या मालूम सफल होगी या एक दिन आत्मसमर्पण कर देगी। पानी में तैरती तेल की बूंद जैसी हिलती-डुलती, अपनी जगह तलाशती, कहां तक जाएगी।

शशिबाला और ज़हरा रिज़वी

गेस्टहाउस के हॉल में जैसे सब हमारा ही इंतजार कर रहे थे। शहनाज़ आपा ने हमें देखा तो लपककर आईं हमारी ओर!

"बड़ी देर कर दी तुम लोगों ने?"

"क्या बताऊं शहनाज़ आपा! दरअसल वो रिक्शा।" मैंने सफाई देनी चाही, लेकिन उनके पास समय नहीं था सुनने के लिए।

"सब लोग आ चुके हैं। हमारी चीफ गेस्ट भी, देखो।"

सामने सोफे पर शशिबाला दिखाई दीं। शशिबाला को बहुत दिनों बाद देखा मैंने। हमेशा की तरह वह अपने विशिष्टताबोध के प्रति बेहद सजग होकर बैठी थीं। ऐसी महफ़िल में आने का शायद उनका पहला मौका था। इसीलिए बहुत ढंग से तैयार होकर आई थीं। अच्छा खासा मेकअप! गले में एक नेकलेस और एक लंबी-मोटी चेन। जैसे किसी शादी के अवसर पर महिला संगीत के कार्यक्रम में आई हों।

शशिबाला एकदम घरेलू महिला हैं। उनके पति रामशरण अग्रवाल यहां व्यापार मंडल के अध्यक्ष हैं और अग्रवाल सभा के भी शायद अध्यक्ष ही हैं। नहीं

तो सचिव होंगे। आए दिन अखबार में उनका नाम आता ही रहता है। रामशरण जी शहर की जानी-मानी हस्ती हैं। शहर के अग्रसेन महाराज डिग्री कालेज की प्रबंध समिति के अध्यक्ष भी वही हैं। पिछले वर्षों में राम मंदिर आंदोलन के प्रमुख नेताओं में रहे हैं। अब तो आंदोलन की वह उग्रता बची ही नहीं है। सत्ता और राजनीति के गलियारों में घूमती-घूमती बेदम हो चुकी है। एक समय इस आंदोलन के ब्रज मंडल के प्रभारी भी रामशरणजी रह चुके हैं।

पिछली बार पूरी उम्मीद थी कि उन्हें एम.एल.ए. का टिकट मिलेगा और वह विधायक की कुर्सी संभालेंगे। खासतौर पर 2002 के बाद तो उनके जीतने की संभावना बहुत बढ़ गई थी, लेकिन हुआ ये कि उससे पहले ही कांग्रेस से टिकट अविनाश शरण को मिल गई। अब पेंच यह अड़ गया कि अविनाश ठहरा उनके चचेरे भाई का बेटा। घर का पुश्तैनी लोहे का व्यापार। दूर-दूर तक फैली संयुक्त व्यापार की शाखाएं। अविनाश नए जमाने का नौजवान। घर-परिवार के लोग थू-थू करते। क्या बुढ़ापे में युवा भतीजे का मुकाबला कर रहे हो। अब घर के अंदर ही क्या गुत्थम-गुत्था होगी? हालांकि यह कोई नयी बात नहीं। ऐसे निरे उदाहरण हैं, लेकिन अग्रवाल परिवार है कुछ मायनों में पुराना-परंपरावादी। घर के भीतर द्वंद नहीं। इसीलिए व्यापार इतनी सुगमता से चल रहा है। फिर फर्क क्या पड़ता है। सत्ता की कुर्सी किसी को मिले। किसी पार्टी को मिले। उसके फल तो पूरा परिवार ही खाएगा। तुमने अपना समय देखा, बहुत कुछ किया। बहुत कुछ पाया। अब नयी पीढ़ी की बारी है, ऐसा ही कुछ परिवार के लोग कहते, सो रामशरण पीछे हट गए।

तभी नगर निगम के चुनावों की सुगबुगाहट होने लगी तो मेयर का चुनाव लड़ने की सोचने लगे रामशरणजी, लेकिन किस्मत ने फिर एक बार चोट की और मेयर का पद महिला के लिए आरक्षित हो गया।

अब लाख टके का सवाल फिर टंग गया सामने, लेकिन अबकी उन्होंने हार नहीं मानी। मेयर पद के लिए शशिबाला की उम्मीदवारी की घोषणा तुरत-फुरत करवा डाली। कहीं फिर कोई पेंच न अटक जाए। पत्नी मेयर बने या वह खुद बनें, क्या फर्क पड़ता है। पूरी अग्रवाल सभा उनके साथ। अग्रसेन महाविद्यालय का तंत्र अपने हाथ में और साथ में राम आंदोलन की राजनीति से जुड़ा बड़ा समुदाय। शुरू-शुरू में शशिबाला को भाषण देने में दिक्कत होती थी, लेकिन बहुत जल्दी संभाल लिया शशि ने पूरा तामझाम। लोग घरेलू कह-कहकर औरतों को

दाएं-बाएं धकेलते रहते हैं। शशि ने आशा के विपरीत बहुत जल्दी लोगों के बीच जगह बना ली। वह छोटे-छोटे भाषण देने लगी। रामशरणजी को सपने में भी उम्मीद नहीं थी कि शशि इतनी जल्दी मोर्चा संभाल लेगी।

"क्या साहब! ये औरतें भी कितनी तेजी से अपने पैर जमाती हैं। मौका मिला नहीं कि बस उड़ने लगेंगी आसमान में।" रामशरण अपने सहयोगियों के बीच अक्सर इसे दोहराते। पता नहीं उनकी बात में उल्लास होता या क्षोम। बहरहाल, शशिबाला का इलेक्शन दौड़ रहा था और परिणाम कतई अप्रत्याशित नहीं था यानी शशिबाला मेयर चुन ली गईं, लेकिन शशि ने रामशरणजी को निराश बिल्कुल नहीं किया। शपथ ग्रहण समारोह में रामशरणजी ने उनकी बगल में आसन ग्रहण किया। डी.एम. महोदय ने लिहाज किया और कुछ नहीं कहा।

पहली मीटिंग, दूसरी मीटिंग, शशिबाला का आग्रह केवल औपचारिकतावश नहीं था। सचमुच उसे लगता कि बिना अग्रवालजी के वह कैसे इतनी बड़ी जिम्मेदारी उठाएगी। पहली ही मीटिंग में एजेण्डा तय करने के लिए कितना शोरगुल हुआ। तीन-चार सभासद एक साथ खड़े होकर चिल्लाने लगे। रसलगंज से निर्वाचित मुहम्मद यासीन तो अड़ गया। उसके क्षेत्र के विकास को एजेंडा में सबसे ऊपर रखा जाए, वह लगातार चिल्ला रहा था। रसलगंज की सड़कों की हालत, शहर के चेहरे पर जैसे बदनुमा दाग हैं। सीवर लाइन जैसे है ही नहीं। एक महीने बाद रोज़े शुरू होंगे, फिर ईद, लेकिन रसलगंज की गलियों में पानी जो भरता है तो निकलने का नाम ही नहीं लेता। जमालपुर की सभासद रुकय्या बेगम, उसे अपने ही क्षेत्र का रोना था। शहर के बाहर का क्षेत्र, अपनी किस्मत को रोता हुआ। सड़कों के नाम पर धूल उड़ाती गलियां। बिजली जैसे लगातार आंख मिचौली खेलती हुई। नालियों का नामोनिशान नहीं। जगह-जगह गड्ढे, जो तालाब की शक्ल ले लेते, बदबूदार पानी से भरे और मच्छरों की छत्र-छाया में पलते।

"वहां भी इन्सान रहते हैं मैडम। हम तो जानवरों से भी बदतर हैं वहां।" रुकय्या बेगम चिल्ला रही थी। "मेयर साहिबा, हमारे एरिया के डेवलपमेंट को आप सबसे ऊपर रखें, हमारे अवाम की भी सुनें।" उसकी तीखी आवाज सबसे अलग सुनाई पड़ रही थी।

हे भगवान, कैसे निपटा जाएगा इन सबसे, शशिबाला सोचने लगी। वह चुपचाप देखती रहीं तो रामशरणजी ने उठकर मेज पीटना शुरू कर दिया। उनका

बस चलता तो सब जंगली सभासदों को गर्दन पकड़कर बाहर निकलवा देते, लेकिन इसका तो उल्टा ही असर हुआ।

दूसरे सभासद खड़े हो गए। सिर्फ खड़े ही नहीं हुए, बल्कि लगे चिल्लाने,

"डी.एम. साहब, बाहरी आदमी को बाहर करें।"

"जिलाधीश महोदय, क्या मेयर साहिबा को अपना प्राइवेट सेक्रेटरी लाने की इजाजत है?"

टी.एम. गोयल कुछ नहीं बोले। उन्होंने अग्रवाल को इशारा किया कि वह बैठ जाएं। उनके बोलने से स्थिति और खराब होगी। इससे ज्यादा वे और क्या कहते। आखिर डिस्ट्रिक्ट क्लब में रोज का उठना-बैठना हुआ। मनोरंजन कक्ष के दोनों ही ताश के नियमित खिलाड़ी। गोयल साहब को जीतने का शौक ठहरा तो अग्रवालजी को हारने का। वे क्रॉनिक लूजर ठहरे, लेकिन जिंदगी के पत्ते जब फेंटते तो हमेशा जीतते।

कुछ महीने बाद एक राजाज्ञा पहुंची। इसके तहत सरकारी संस्थाओं में निर्वाचित महिला जन प्रतिनिधियों के साथ उनके पति, ससुर, बेटा वगैरह का मीटिंग में बैठना निषेध हो गया।

मेयर के पति तो इससे बेहद परेशान हो गए। उन्हें लगता कि उनकी शागिर्दा अभी अपने तौर पर जिम्मेदारी उठाने लायक नहीं है। क्या करेंगे मेयर के पति!

अग्रवालजी अब मीटिंग भवन के बाहर वाले कमरे में बैठे रहते। नगर निगम का एक क्लर्क उन्हें अंदर के हालात से अवगत कराता रहता। वक्त जरूरत जब उन्हें लगता कि अंदर उनकी सलाह की जरूरत है, मेयर साहिबा का फोन बजने लगता, उन्हें निर्देश मिलते रहते।

इधर कुछ महीनों से मेयर साहिबा ने एक नया खेल आरंभ कर दिया था।

फोन बेआवाज बजता रहता।

"क्या हुआ! तुमने फोन क्यों बंद कर दिया था?"

"नहीं तो। फोन तो चालू था।"

"नहीं, तुमने उठाया नहीं।"

"अरे शोरगुल में आवाज ही नहीं सुनाई पड़ी, लेकिन तुम चिंता मत करो। सब ठीक हो गया।" शशिबाला उन्हें आश्वस्त करती रहती।

वैसे इस शहर के लोग समझदार हैं। सार्वजनिक कार्यक्रमों में वे हमेशा दोनों को साथ बुलाते हैं। साथ ही स्वागत करते हैं।

शशिबाला का बस चले तो वह सारी फूलमालाएं रामशरणजी के गले में डाल दें।

इतना सम्मान। इतनी प्रतिष्ठा!

सब कुछ रामशरणजी की बदौलत है।

शुरू-शुरू में जब वे मेयर नहीं हुई थीं, तब अनेकों कार्यक्रम रामशरणजी के सौजन्य से संपन्न होते थे। वे आयोजकों को बुलाते। उन्हें चेक थमाते।

''आप कार्यक्रम करिए। खर्चा-पानी हमारे ऊपर डालिए। अरे हम हैं न! आप नौजवानों को आगे बढ़ता देख हमें खुशी होती है, आप बढ़िया कार्यक्रम करें। शशिजी को मुख्य अतिथि बनाइए, इनको भी तो सेवा कार्य में लगना है।''

और शशिजी को आगे करके वे सचमुच प्रसन्न होते। शशिजी के लिए जमीन बन रही थी। उनका अभ्यास हो रहा था।

अब धीरे-धीरे चीजें बदलने लगी थीं और अग्रवालजी को इसका अहसास होने लगा था। अब शहर तो शहर ठहरा। रोज कहीं न कहीं कोई कार्यक्रम। रोज शहर में मेयर की जरूरत। मुख्य अतिथि के रूप में रोज आमंत्रण। शशिबाला मुख्यअतिथि के तौर पर उपस्थित रहतीं, साथ ही मंच पर अग्रवालजी भी रहते। यह अनकही, अलिखित अनिवार्य शर्त जैसी थी। शशिबाला अपना संबोधन सर्वप्रथम 'परम आदरणीय अग्रवालजी' से शुरू करतीं।

सचमुच परस्पर सहयोग और निर्भरता की अद्भुत मिसाल के रूप में स्थापित हुई है शशिबाला और रामशरण अग्रवाल की जोड़ी।

आज यहां मेयर शशिबाला को अकेले आना था। क्या किया जाए। लेडीज़ क्लब जो ठहरा। खवातीनों की मजलिस में मर्दों का क्या काम।

''क्या अकेली आई हैं शशिजी।'' विमलेश पूछ रही थी।

''अरे नहीं! सिकंदर को कह दिया था। वही साथ लेकर आई हैं।'' शहनाज़ बोलीं।

मेरा दिमाग तो देखो। दूसरे सोफे पर आधी जगह घेरे सिकंदर नहीं दिखाई दी मुझे।

भारी-भरकम सिकंदर बेगम भी लगता है तबीयत से तैयार होकर आई हैं। दमकता गोरा रंग उनके कश्मीरी होने का धोखा देता है। काली चमकीली विहँसती

आंखें। काली साड़ी पर सुनहरा चमकता बेलबूटे का काम। गले में चौड़ा जड़ाऊ हार। आखिर वे भी एक बड़े बिजनेसमैन की बीवी हैं। सोना लादने में शशिबाला से पीछे कैसे रह जाएंगी।

फिर पिछले छह महीने से उनकी हैसियत में इज़ाफा हुआ है। उनके पति नासिर साहब ठहरे खानदानी कांग्रेसी। नासिर साहब के दादा और अब्बा भी कांग्रेसी थे। दादा तो स्वतंत्रता आंदोलन में जेल भी गए। दो बार विधानसभा के सदस्य रहे। सीधे-सादे आदमी। पक्के कांग्रेसी। फिर जब चुनाव में पार्टी निष्ठा की जगह पैसा, रुतबा और जाति-धर्म आधार बनने लगा तो खुद हाशिए पर आ गए। 1962 के इलेक्शन में युवा शक्ति के उभार के नाम पर जब उन्हें टिकट नहीं मिला तो वे खामोश हो गए। दो बैलों की जोड़ी लेकर वे गांव चले गए और पुश्तैनी खेती देखने लगे। कब मर-खप गए, पता ही नहीं चला। स्वाधीनता आंदोलन के सिपाहियों की शायद अब जरूरत नहीं थी। अब नयी फसल की नयी पौध तैयार हो रही थी। बस स्थानीय अखबारों में छोटी सी खबर छप गई कि वयोवृद्ध स्वतंत्रता सेनानी अकमल खां नहीं रहे।

अकमल खां अपने गांव में भी लोगों की आंखों का तारा कभी नहीं रहे। एक तरह से विद्रोही जमात में थे वह। उनका एक किस्सा अब भी लोगों को याद है। उस जमाने के बड़े-बूढ़े तो अब बचे नहीं, लेकिन नौजवान पीढ़ी के लोग सुनते चले आए हैं।

बात उस जमाने की है, जब नौजवान मियां अकमल एक साल की जेल की सजा काट कर लौटे थे। गांधी का स्वदेशी आंदोलन शबाब पर था। इलाके में जगह-जगह विलायती कपड़ों की होली जलाई जा रही थी। आगे-आगे नेतृत्व अकमल खां का था। पुलिस के साथ आंख-मिचौली कब तक चलती। आखिरकार पड़ोस के गांव में पकड़े गए।

साल भर की सज़ा काटकर लौटे अकमल खां। इन बारह महीनों में गांव में बहुत कुछ बदल गया था। उनका खानदानी भाई असगर मुस्लिमलीगी हो गया था। वह अब नेतागीरी कर रहा था। सुना था कि एक बार गांव की चौपाल के पास उसने हरे रंग का चांद-तारा झंडा फहराने की कोशिश की, लेकिन सबने उसे दूर तक खदेड़ दिया। अपने ही गांव के प्रतिष्ठित परिवार का लड़का। आखिर ठहरा तो अकमल खां का भाई ही। सो धमकाकर छोड़ दिया। बाहर वालों से तो आप निबट लो, लेकिन गांव के अपने ही आदमी का लिहाज़ तो करना ही पड़ता है।

फिर एक दिन गांव की मस्जिद के इमाम तथा दो और लोगों के साथ असगर शेरवानी डाटे, सिर पर तुर्की टोपी, नए पंप शू पैरों में चढ़ाए, उनसे मिलने आया। मिलने क्या आया, पूरा डेलीगेशन उन्हें मुस्लिमलीग में शामिल होने की दावत देना चाहता था।

"भाई जान, दिल्ली से कुछ लोग आपसे मिलने के लिए आना चाहते हैं।"

"क्यों!" भौंहें तन गईं अकमल खां की।

"वे आपको इस पूरे इलाके की कमान सौंपना चाहते हैं।"

"कौन लोग?"

"मुस्लिमलीग के, भाई जान।"

अकमल मियां की आंखों में खून उतर आया। आ गए वे अपनी पर।

"हरामजादे, तेरी हिम्मत कैसे हुई।" और मां की, बहन की गालियों के साथ उसकी सात पुश्तों का उद्धार कर दिया था उन्होंने। उनके मुंह से झाग निकल रहा था। गुस्से से कांप रहे थे वे!

सब लोग चुपचाप वहां से उठ आए।

अगले जुमा को जब वह मस्जिद में नमाज़ पढ़ने गए तो मुअज्जम, अली नासिर ने उन्हें सीढ़ी चढ़ते हुए वहीं रोक दिया।

"अकमल मियां, आप इस मस्जिद में नमाज़ नहीं पढ़ सकेंगे।

"क्यों?" उन्होंने सिर उठाया। सामने वजू कर रहे असगर पर नजर पड़ी जो सिर नीचा किए मुस्करा रहा था।

दो क्षण सोचा उन्होंने।

फिर पलटकर वापस आ गए।

वो दिन और मरते वक्त का दिन।

वे कभी किसी मस्जिद में नमाज़ पढ़ने नहीं गए।

उनके परिवार ने अपनी परंपरागत निष्ठा को नहीं छोड़ा। बेटे ने छोटा-मोटा व्यापार शुरू कर दिया था, जो नासिर महमूद के हाथों में आते-आते बहुत फैल गया। नासिर ठहरे नए जमाने के व्यापारी। उन्हें मालूम है कि सिर्फ निष्ठा और परंपरा से सफलता के रास्ते नहीं बनते। घुसपैठ चारों दिशाओं में करनी होती है। आप लाख किसी एक दल के साथ जुड़े हों, संबंध सबसे बनाकर रखने होते हैं। फिर अलीगढ़ जैसी जगह। मौसम-बेमौसम जब चाहे, दंगा बरस जाता है आसमान से।

नासिर मियां गोटी बिछाना जानते हैं। आज की सियासत के दांव-पेंच भी खूब समझते हैं। व्यापार और सियासत एक ही सिक्के के दो रूप हैं, उन्हें अच्छी तरह मालूम है। पैसा फेंको, तमाशा देखो, यही नुस्खा है आज की सियासत का। दादाजान भोले आदमी थे। यूं फेंकने के लिए उनके पास सिक्के भी नहीं थे। इसलिए नए जमाने की सियासत में वे असफल रहे।

नासिर मियां को पिछली बार पार्टी टिकट मिलते-मिलते रह गया। सभी नुस्खे आजमाए। पैसे की कमी नहीं होने दी। दिल्ली से लखनऊ तक अनगिनत चक्कर लगाए। छुटभैये से लेकर बड़े नेता तक, सभी को खुश कर दिया। न जाने कितने तरह के पार्टी फंड में चंदा दिया। कमबख्त खेल बिगाड़ा तो उस मूर्ख दोस्त मोहनदास ने। इसीलिए बड़े-बूढ़े कह गए हैं कि बेवकूफ दोस्त से समझदार दुश्मन कहीं बेहतर है। अब बात यहां तक आ गई है तो खुलासा भी कर ही दिया जाए।

किस्सा कोताह यह कि राधारमण भाखरीजी कांग्रेस अध्यक्ष थे। अलीगढ़ क्षेत्र से उम्मीदवारों का चयन करने तो नहीं, लेकिन जायजा लेने के लिए वे आए। चुनाव करने के लिए तो दूसरी कमेटी के लोग आते। दरअसल नासिर मियां की ही कोशिश थी, भाखरी जी यहां आएं। उ.प्र. के अध्यक्ष महेश कुमार भी साथ में थे। यूं कहने को वे जिला अध्यक्ष की बेटी की शादी में आए थे, लेकिन दूसरा मकसद था वहां के हालात देखकर रिपोर्ट देना। सिर्फ रिपोर्ट देना ही नहीं, आने वाले चुनाव के लिए संभावित उम्मीदवार तलाशना।

नासिर मियां के यहां उनका डेरा-तंबू गड़ा। भाखरीजी लंबे-चौड़े, गुदगुदे सोफा पर विराजमान थे । कमरे में भीड़ थी कांग्रेसजनों की। कुछ इधर-उधर के छुटभैये और तमाशबीन भी आ घिरे थे। ड्राइंग रूम अटा पड़ा था लोगों से।

नासिर ने भाखरी की सेवा के लिए अपने परममित्र मोहनदास को तैनात कर रखा था। मोहनदास यूं तो कहने को दर्जा ग्यारह पास, उनके गांव का किसान ठहरा, लेकिन था बचपन का मित्र। सिर्फ मित्र ही नहीं, हितैषी भी। मोहनदास के दादा और नासिर महमूद के दादा दोनों ही साथ-साथ जेल गए थे। मोहनदास के दादा किसान के किसान रह गए। नासिर का परिवार शहर में आकर फल-फूल गया और फैल गया। जो भी हो; मोहनदास ठहरे नासिर के विश्वासपात्र, पारिवारिक मित्र। भाई जैसे।

मोहनदास भाखरीजी के साथ ड्राइंगरूम में विराजमान थे। वे बहुत देर से भाखरीजी से कहना चाहते थे कि भीतर चलिए, भाभी अंदर बुला रही हैं। भोजन तैयार है।

भाखरीजी पैर लटकाकर खड़े हुआ चाहते थे।

इतने में महिला कल्याण समिति की अध्यक्ष मीना देवी पधार गईं। उनके साथ अल्पसंख्यक महिला प्रकोष्ठ की रूबी बेगम भी थीं।

उठते-उठते भाखरीजी फिर बैठ गए।

मोहनदास के लिए भीतर से कोई संदेशा आया। वे भीतर गए। थोड़ी देर बाद फिर नमूदार हुए। भाखरीजी को ट्रेन से वापस जाना था। सिर्फ एक घंटा शेष था।

भाखरीजी अब भी उन महिला नेत्रियों से वार्तालाप कर रहे थे। इधर-उधर से लोग उन पर गिरे पड़ रहे थे।

मोहनदास लोगों को धकेलते हुए उनके पास जा पहुंचना चाहते थे।

मोहनदास उनका हाथ पकड़कर उठाना चाहते थे। वे बिना कुछ खाए-पिए चले गए तो नासिर भाई का किया-धरा बेकार हो जाएगा, ऐसा सिकंदर नासिर सोच रही थीं।

सिकंदर को भीतर एकांत में भाखरीजी से कुछ जरूरी कहना भी था। नासिर की सिफारिश करनी थी।

अब भाखरीजी बातों में निमग्न। मीना देवी और रूबी बेगम अपने दावे पेश कर रही थीं।

भाखरीजी का हाथ मोहनदास कैसे पकड़े।

उनका हाथ जांघों के बीच फंसा लगातार हिल रहा था। उनकी खुजली नहीं थम रही थी।

क्या खजुवाया कुत्ता सा खुजाए जा रहा है ससुर, मोहनदास ने मन ही मन गाली दी और उनके उठने का इंतजार करने लगा।

भीतर से एक बालक बाहर आया और मोहनदास से फिर कुछ कह गया।

मोहनदास का धैर्य चुकने लगा था।

"भाखरीजी, बहुत खुजाय चुके, आपका यह काम हम कर देंगे। आप तनिक हमारी बात सुनौ..." अरे बाप रे! अचानक जैसे सन्नाटा फट पड़ा हो।

भाखरी का थुलथुल शरीर गुस्से से हिल उठा। वे ठहरे पुराने आदमी। धोती-कुर्ता वाले। उन्होंने धोती की लांग जांघ पर संवारी।

गुस्से से चेहरा फनफना उठा था।

दूसरे हाथ को जांघों के चंगुल से मुक्त किया। टोपी सिर पर ठीक की।

"कौन बेहूदा है यह?" दूर खड़े मोहनदास को देखा और दांत किचकिचा कर बुदबुदाए।

मौका अच्छा था। वहां भीड़ में नासिर के दोस्त थे तो दुश्मनों की कमी भी नहीं थी। पास खड़ी भीड़ के बीच से एक बोला।

"नासिर मियां का भाई है, मुंहबोला।"

"घर का ही आदमी है जी।"

मोहनदास पर जैसे कोई असर नहीं। निर्विकार भाव से फिर बोला,

"नेताजी, अब चलौ भीतर। भाभी कबसे आवाज दे रही हैं, कछु कहेंगी आपसे।"

तभी सिकंदर का चेहरा दरवाजे पर नजर आया। उसका धैर्य चुक रहा था।

सिकंदर को देख, खून का घूंट-पीकर नेताजी अंदर चले गए। सिकंदर बेगम ले गईं उन्हें भीतर, लेकिन नासिर को माफ नहीं किया उन्होंने।

"किस उजड्ड को लगा दिया मेरे साथ। तमीज नहीं। ससुर, बेइज्जती करा दी सबके बीच में।" और इस तरह नासिर का टिकट कटा। घटना की गहराई तो नासिर भी नहीं जान पाए।

हां, अध्यक्ष भाखरीजी ने इसकी भरपाई इतनी जरूर की कि सिकंदर बेगम को जिला महिला कांग्रेस का अध्यक्ष बना दिया।

वह मोटा चेक जो नासिर ने भाखरी को गुप्तदान के रूप में दिया था, उसकी रसीद भी तो मिलनी थी।

बहरहाल सिकंदर की तो लॉटरी खुल गई। छप्पर फाड़कर झोली में अध्यक्ष पद आ गिरा। कितनी पुरानी-नयी कार्यकर्ता इसके लिए जमीन-आसमान एक किए हुए थीं। सिकंदर को मौका मिल गया, घर से बाहर आने का। लोगों के बीच में आने का। पद की तख्ती मिल जाए तो तामझाम तो खुद ही जुड़ जाता है।

अब पार्टी अलग-अलग है, इससे दोस्ती थोड़ी बदल जाती है। व्यापार मंडल के तीन सह-सचिवों में एक नासिर महमूद भी ठहरे। इस नाते नासिर महमूद और रामशरण साथी हुए। साथ होगा तो मित्रता होगी। सिकंदर और शशिबाला भी मित्रवत ही हैं।

ये अलग बात है कि मेयर के पद के लिए नासिर ने सिकंदर के लिए दौड़ भाग की थी, लेकिन पार्टी का विचार था कि अल्पसंख्यक समुदाय का आदमी नहीं जीतेगा। मुस्लिम महिला को टिकट मिलने से तुरंत हिन्दू और मुस्लिम वोटों का ध्रुवीकरण हो जाएगा।

पार्टी का ख्याल था कि मुस्लिम मुद्दों पर इलेक्शन नहीं जीता जा सकता।

माना कि दिसंबर, 1990 में यहां भड़के दंगों में दो हजार के करीब अल्पसंख्यक मारे गए, लेकिन यह मुद्दा कितना कारगर होगा, नहीं कहा जा सकता। माना चालीस प्रतिशत मुस्लिम आबादी है, लेकिन सक्रिय वोट कितना होगा, कहा नहीं जा सकता। कोई फसाद हो गया तो बस। मामला चौपट। कौन रिस्क लेगा।

''ना-ना, हम रिस्क नहीं ले सकते। टिकट हिन्दू को मिलेगा।'' भाखरी ने दिल्ली में बैठकर नासिर से दो टूक कह दिया था।

औरतों की मित्रता इन सबसे अलग हटकर होती है। शशिबाला के यहां हर साल सावन में ब्रज संस्कृति सप्ताह मनाया जाता है।

सिकंदर वहां हमेशा खास मेहमान होती हैं।

सावन के झूले की पहली पींग सिकंदर के साथ ही शशिबाला बढ़ाती हैं।

ऐसे में अगर शहनाज़ आपा ने सिकंदर नासिर को शशिबाला को लाने का दायित्व सौंपा तो गलत नहीं किया। सिकंदर अपनी लंबी ऑपट्रा गाड़ी लेकर समय से शशि के दरवाजे पर दस्तक दे रही थी। शशि तैयार थीं। सिकंदर जब अंदर पहुंची तो रामशरण शशि को कुछ समझा रहे थे।

रामशरण का बस चलता तो वह जरूर चल देते शशि का साथ देने।

शशि का मुस्लिम इलाकों में जाना नहीं के बराबर है। इलेक्शन के जमाने में भी उनके प्रतिनिधि गए थे, शशि खुद नहीं गई थीं।

शशि डरती रही है हमेशा से उन इलाकों में जाने से। एक जमाने में जब शशि की पॉलीटिकल हैसियत नहीं थी, वे लोग विश्वविद्यालय और उनसे लगे इलाकों को मिनी पाकिस्तान कहा करते थे।

अब भी कभी यह संबोधन जबान पर आ जाता है, लेकिन बेहद दबे-ढंके रूप में।

''भाई साहब, आप फिक्र न करें। शशिजी को सही सलामत घर पर पहुंचाऊंगी मैं।'' सिकंदर ने हँसते हुए आश्वस्त किया रामशरणजी को।

"इतनी बड़ी संख्या में महिलाएं। इतना बड़ा पढ़ा-लिखा मुस्लिम समाज। कुछ अपने क्षेत्र की, अपने विषय की विदुषियां, मैं सौभाग्यशाली हूं कि आज आपके बीच हूं, आपने मुझे बुलाया।" शशिबाला लेडीज़ क्लब की महिलाओं को संबोधित कर रही थीं। यह उनके दिल की आवाज थी। इतनी सारी महिलाएं। हर महिला एक पूरे परिवार की नुमाइंदगी कर रही थी। हर वक्त वोटर पर नजर रखने की अब आदत हो चली है शशिबाला की। उन्हें दिल से लगता है कि अगर घर से बाहर कदम निकाला है, घर के आंगन को पारकर चारदीवारी से निकल कर बड़ा चौड़ा मैदान पाया है तो यह सफर अब यहीं खत्म नहीं होना चाहिए। कैमरे की चकाचौंध करती रोशनियों की आदत पड़ गई है श्रीमती शशिबाला, पत्नी रामशरण अग्रवाल को। अब कब तक अग्रवाल साहब ही उनके लिए दौड़-भाग करते रहेंगे। उन्हें खुद भी अपनी जमीन बनानी चाहिए, अपने वोटर तलाश कर वोट बैंक बनाना चाहिए। कितने ध्यान से सुन रही हैं महिलाएं उन्हें। पूरा हॉल भर गया है। अंदर डाइनिंग रूम से और कुर्सियां लानी पड़ी हैं।

सचमुच आज उपस्थिति भी उम्मीद से कहीं ज्यादा थी। शायद इसमें महिला दिवस न होकर मेयर की उपस्थिति की भूमिका भी थी। हर कोई आकर उन्हें अपना परिचय दे रहा था। आखिर मेयर हैं। बीसियों काम होते हैं। थोड़ी जान पहचान होगी तो ठीक रहेगा। डा. शाहिदा उन्हें मेडिकल कालेज और अपने विभाग के बारे में बता रही थीं। पिछले दिनों शशिबाला के चचिया ससुर को हार्ट अटैक हुआ था तो वह डॉक्टर जमाल के ही इलाज में थे और महीना भर मेडिकल कालेज में रहे थे।

शशिबाला ने सचमुच अच्छा भाषण दिया। खासा धाराप्रवाह बोलना सीख गई हैं। यूं भी पुरुष समाज की मानें तो औरतों को बोलने के सिवाय और क्या आता है। यही बोलना पड़ोसियों के छेदों को ढूंढ़ने के काम में आता है। लाइन पर लगा दो तो महिला दिवस पर शशिबाला अग्रवाल, शहर मेयर का भाषण बन जाता है। पति की अनुपस्थिति के बावजूद खासा प्रभावित किया उन्होंने क्लब की महिलाओं को।

मैंने एक बात गौर की। आज उन्होंने हिन्दू समाज और पति परमेश्वर वाला प्रसंग न जाने क्यों छोड़ दिया। मैंने दो-तीन बार शशिबाला का भाषण सुना है। कमोबेश एक जैसा ही होता है। थोड़ा-बहुत समयानुकूल फेरबदल हो जाता है। महिला सशक्तीकरण के साथ-साथ उनका यह तकिया कलाम टुकड़ा है...

"महिलाओं के आगे बढ़ने का मतलब ये नहीं कि हम लोग घर-परिवार को भूल जाएं। हमारे हिन्दू धर्म और संस्कृति में पति परमेश्वर होता है। पति की आज्ञा और आशीर्वाद से ही हम आगे बढ़ सकते हैं। हमारे आदर्श सीता और सावित्री हैं।"

पूछो तो, क्या तुम आज छल से, गर्भवती अवस्था में जंगल में छुड़वा दी जाओ तो बरदाश्त करोगी? तुम्हारे चरित्र पर लांछन लगाया जाए तो बरदाश्त करोगी? घर-परिवार बरदाश्त करेगा? तुरंत एफ.आई.आर. दर्ज होगी पति के खिलाफ। पति के घरवालों के खिलाफ। धोखाधड़ी और जान से मार डालने की नीयत के खिलाफ।

बहरहाल, आज शशिबाला ने सती सीता के आदर्श की बात नहीं की। उनके विवेक ने यही संकेत किया होगा। हो सकता है कि इन शब्दों के अर्थ से खुद मेयर साहिबा मुतमईन न हों, साधारणतः शिक्षा की बात, नौकरी की बात, आगे बढ़ने की बात, उच्च पदों तक पहुंचने की बात, सभी को अच्छी लगती है। उन्होंने अच्छी लगने वाली बातें ही कहीं।

प्रो. साज़िदा नकवी को आना था। वे नहीं आईं। हम सब उनका इंतजार कर रहे थे। साज़िदा यूनिवर्सिटी के वीमेंस कालेज की प्रिंसिपल रही हैं। चार-पांच साल पहले रिटायर हो गईं, लेकिन कौन कहेगा कि इतनी उम्र है और इतने साल पहले रिटायर हो चुकी हैं। वैसी ही चुस्त-दुरस्त। लोग रश्क करते हैं उन्हें देखकर। दरअसल सेहत का राज, जवान बने रहने का राज आदमी के दिमाग में छुपा रहता है। काम करते रहिए और जवान बने रहिए। मेकअप चेहरे की झुर्रियां हटा सकता है। मन की झुर्रियां तो लोगों के बीच काम करते हुए ही निकलेंगी।

लेकिन आज साज़िदा नकवी अनुपस्थित थीं। ऐसा होता नहीं था कि वे शहर में हों और स्वीकृति देकर कार्यक्रम में शरीक न हों।

"उनकी बेटी-दामाद आए हैं अमेरिका से।" किसी ने सूचना दी।

"अरे, उन्हें भी ले आतीं, ऐसी क्या बात थी।"

बात चल ही रही थी कि हांफती-कांपती साज़िदा दरवाजे पर दिखाई दीं। शहनाज़ लपक कर गईं, उनका स्वागत करने के लिए। शशिबाला अपना भाषण समाप्त कर रही थीं।

"क्या हो गया साज़िदा! सब खैरियत तो है?"

"अरे यार, खैरियत ही तो नहीं है। फिर बताऊंगी।"

शशिबाला बोल चुकी थीं। लोग तालियां बजा रहे थे।

"साज़िदा। अब बारी तो तुम्हारी है। अभी बोलोगी या थोड़ी देर में।" शहनाज़ आपा कह रही थीं कि तभी अजान शुरू हो गई।

शाहिदा ने घड़ी देखी।

"हां, असर की नमाज का समय हो चुका है, " उन्होंने शहनाज़ की ओर देखा। शहनाज़ भी उधर देख रही थीं, मानो निर्देश लेना चाहती हों। तभी सिकंदर बोली।

"शहनाज़ आपा, दस मिनट का ब्रेक कीजिएगा।"

"ठीक है। दस मिनट बाद हमारी साथी प्रो. नकवी बोलेंगी।" यह घोषणा करके शहनाज़ शशिबाला और सिकंदर के पास आ गईं। शशिबाला के लिए यह थोड़ा अटपटा था। दस-बारह महिलाएं दूसरी ओर चली गईं थी नमाज पढ़ने। गेस्ट हाउस के कर्मचारियों ने उस ओर तीन-चार चटाइयां डाल दी थीं। बाकी महिलाओं ने भी सिर ढंक लिए थे, विमलेश और ज़हरा रिज़वी का छोड़कर। अपने आसपास देखकर शशिबाला ने भी पल्लू से सिर ढंक लिया। कदाचित मुझे देखकर किया उन्होंने। हमारी एक छोटी-सी बात से अगर कुछ लोगों को अच्छा लगता है तो इससे हमारे ऊपर क्या फर्क पड़ता है। विमलेश ऐसे मौकों पर हमेशा हड़बड़ाहट में सोचने लगती है और सोचती रह जाती है।

बीच का ब्रेक हुआ तो ज़हरा उठकर जाने लगीं।

"क्या हुआ ज़हरा आपा, जा रही हैं क्या?"

"नहीं! थोड़ा बाहर बैठूंगी, लॉबी में।"

"चलिए, मैं भी चलती हूं।" मैं समझ गई कि उनको तलब लग रही है। बहुत देर हो गई थी न बैठे-बैठे।

प्रो. ज़हरा रिज़वी एक जमाने में चेन स्मोकर हुआ करती थीं। आज इक्कीसवीं सदी में जब दुनिया की संस्कृति आपस में गड्डमड्ड हो रही है, जब टेलीविजन के जरिये दुनिया का रहन-सहन बच्चे से लेकर बूढ़े तक आंख फाड़-फाड़ कर देख रहे हैं, तो ये सब चीजें बहुत सामान्य लगने लगी हैं, लेकिन आज से बीस-तीस साल पहले जहां कुछ लोग ज़हरा आपा को आंख फाड़-फाड़कर देखते थे, वहीं पढ़े-लिखे लोग भी कनखियों से नजर दबाकर देखने का लोभ संवरण नहीं कर पाते थे।

एक पूरा ग्रुप था। इसमें राही और शहरयार जैसे शायर थे। काजी अब्दुल सत्तार और तारिक जैसे अफसानानिगार थे। रज़ा इमाम और सईद जैसे पाठक और आलोचक थे। लखनऊ से आए मिश्रा नए-नए इस ग्रुप में शामिल हुए थे। शास्त्रीय संगीत के अलावा गज़ल गायकी में भी उनका अच्छा दखल था। सुल्तान, जो उस समय अंग्रेजी में एम.ए. कर रहे थे, उनके सपनों में दिल्ली और बंबई बसा था। वे थियेटर की दुनिया में तहलका मचा देना चाहते थे। बाद में वे जरूर ऑल इंडिया रेडियो, दिल्ली के सांग एंड ड्रामा डिवीजन में चले गए, लेकिन एक समय तो ज़हरा रिज़वी के साथ मिलकर ड्रामे लिखा और खेला करते थे।

उन दिनों दो-तीन अड्डे थे इन नौजवान कलाकारों के बैठने के। 'शाम का बैठना' एक कोड वर्ड की तरह था। यूनिवर्सिटी की ओर जाने वाली सड़क आगे चल कर दूधपुर गांव की ओर मुड़ जाती है। आज सबसे बुरी भीड़ रहती है इस पर। निकलते भी डर लगता है कि कब कौन वाहन टक्कर मार दे, कब चौराहे पर लगा जाम हमारे रास्तों को रोक दे। इतनी भीड़-भाड़ वाली सड़क उस ज़माने में सुनसान हुआ करती थी। बहुत बाद में जब उसके सुनसान छोर से भी आगे मेडिकल कालेज बना तो यह मेडिकल रोड कहलाने लगी। वर्ना, चुप पड़ी, धूल उड़ाती सड़क थी यह, जो दूधपुर गांव की ओर मुड़ जाती थी।

उसी पर बनी थी कोठी ज़फर मंजिल। ज़फर आलम पुराने रईस। जमींदार खानदान के थे। परिवार के लोग पढ़े-लिखे। अंग्रेजी दां। उस जमाने में ज़फर आलम के बेटे इम्तियाज़ आलम उस कोठी के मालिक थे। इंग्लैंड में पढ़े। बैरिस्टर। कभी वकालत की होगी, लेकिन फिर बंद कर दी। उनका बेटा जफ़र जूनियर, जो सिर्फ जूनियर रह गया था, यूनिवर्सिटी में पढ़ता था। साहित्य का शौकीन। कलाकृतियों का कद्रदान। यूनिवर्सिटी के रिबैल ग्रुप से दोस्ती थी उसकी। वह सबको बटोरकर ले आता। धीरे-धीरे उसकी कोठी तथाकथित इस रिबैल ग्रुप का अड्डा बन गई। अक्सर ये कम्युनिस्ट ग्रुप की उपाधि से भी नवाजा जाता, क्योंकि इतनी छूट, इतना मुक्त जीवन शायद कम्युनिस्ट ही जी सकते हैं, ऐसा आम लोग समझते। यूनिवर्सिटी का मुल्ला ग्रुप तो वैसे ही इन लोगों से बचता। मानो इनकी छाया भी पड़ जाए तो वे भ्रष्ट हो जाएंगे, नापाक हो जाएंगे।

रज़ा इमाम उन दिनों का वर्णन करते हुए कुछ दिन पहले सुना रहे थे—

"क्या दिन थे वे भी। जूनियर का अपना रिहायशी हिस्सा अलग था। उस ज़माने में जब हम लोगों के घरों की दीवारें सफेद चूने से पुती होती थीं, उसके

ड्राइंगरूम की दीवारों का रंग हल्का हरा था। रंगीन शीशे लगे दरवाजे और खिड़कियां। ऊंची मेहराबदार छत। ऊपर से लटकते शैंडिलियर। फर्श पर हरे लाल रंग का कारपेट एक दोस्ताना गर्माहट पैदा करता हुआ। एक कोने में ऐंटीक की तरह सजा भोंपू वाला ग्रामोफोन। उस वक्त तक टेप रिकार्डर मार्केट में आ चुके थे। उस पर कभी वो वीथोवेन की सिंफनी लगा देता तो कभी सुरैया, नूरजहां के पुराने गाने। पंकज मलिक और सहगल का अच्छा कलेक्शन था उसके अब्बा का। उस समय भी उनके यहां रसोइया और बैरा अलग-अलग थे। वाइन भी चलती और विहस्की भी। लगता स्वर्ग में बैठे हैं। आर्ट पर बहस हो रही है कि पोयट्री की फिलॉसफी समझी जा रही है। सुल्तान अख़्तर ड्रामे के प्लॉट बनाते। उनकी हार्दिक इच्छा थी कि एक थियेटर ग्रुप बने। नए लड़के जोड़े जाएं उसमें। वे इस खयाल से वहां आते कि शायद कोई अमीरज़ादा उनके थियेटर ग्रुप का खर्चा उठा ले।

उन्हीं दिनों ज़हरा रिज़वी की दोस्ती जूनियर की अम्मी जान से हो गई। नुमाइश में होने वाले फ्लावर शो में दोनों निर्णायक थीं। अम्मी ने उन्हें अपने यहां आने का निमंत्रण दिया। वे शाम को पहुंची तो महफिल जमी हुई थी। अब राही हों या शहरयार हों या काज़ी अब्दुल सत्तार, सभी उनके साथ के लोग। सभी यूनिवर्सिटी की शिक्षक बिरादरी के लोग। शुरू में हिचकते-हिचकते और फिर खुलकर वे भी महफिल का हिस्सा बनने लगीं। उन्हीं के साथ शहनाज़ भी कई बार उसमें शामिल हुई।

अब साहित्य होगा। कला होगी। मद्धिम रोशनी में बहती हुई संगीत की लहरें होंगी। जोश और नए जज़्बे से भरे, नयी दुनिया बनाने के सपने देखने वाले नौजवान होंगे तो ऐसे में इश्क बेचारा कब तक अनुपस्थित रहेगा। उसे तो प्रवेश करना ही पड़ेगा। इस बीच इन महफिलों की गूंज यूनिवर्सिटी परिसर में भी सुनाई देने लगी। रंगीन शीशों से छन-छनकर आते किस्से उजाले-अंधेरे के बीच बनने वाली परछाई के रूप में विशालकाय रूप धारण कर चर्चा का विषय बनने लगे।

हमारे समाज में पड़ोसी के किस्से लोगों की जिंदगी में बहुत बड़ी अहमियत रखते हैं। लोगों के दिमागों की कतार से गुजरते-गुजरते टीला अंततः पहाड़ बन कर सामने आ जाता है।

नतीजा, एक दिन अचानक जूनियर ज़फ़र ने घोषणा कर दी कि उसके अब्बा ग्रेजुएशन के बाद आगे पढ़ाई के लिए इंग्लैंड भेज रहे हैं। यूं तो और भी उसके बाद बहुत कुछ हुआ, लेकिन ज़फ़र मंजिल का अड्डा बंद हो गया।

साहित्य-कला-संगीत की दुनिया को उजड़ने से बचाने के लिए, अड्डे के सूरमाओं ने दूसरा ठिकाना तलाशने की कोशिश की। कुछ नए विकल्प बने भी, लेकिन बात बनी नहीं। वह नज़ाकत, वह अभिजात्य, वह ठाठ, वह कोमलता और संवेदना, फिर जुटाना आसान न था। रूस और पूर्वी योरोप की समाजवादी क्रांति से लेकर लैटिन अमरीका का प्रतिरोध-साहित्य और बुर्जुआ देशों का साहित्य-संस्कृति में आक्रामक हस्तक्षेप, इन पर बहसों के लिए अब न तो इत्मीनान वाली कोई जगह थी और न गुदगुदे काउच उपलब्ध थे। इसीलिए क्रांतिकारी विचार अब बहस के लिए जगह नहीं पा रहे थे। फिर एक-एक कर लोग बिछड़ने लगे। सईद और राही बंबई चले गए। सुल्तान ने दिल्ली का रुख किया। ज़हरा और शहनाज़ पहले ही वहां आना-जाना कम कर चुकी थीं। बचे लोगों के पैरों में घर-गृहस्थी की बेड़ियां भारी होने लगीं और साहित्य-कलाओं के साथ-साथ अब उनके सामने बच्चों की पढ़ाई और परवरिश जैसे सवाल भी खड़े होने लगे।

ज़हरा आज भी अक्सर उन दिनों को याद करके आहें भरतीं। उनकी रचनात्मक ऊर्जा उन दिनों शिखर पर थी। एक ग़ज़ल संग्रह और एक नाटक की किताब उन्हीं दिनों में तैयार हुई थी। यह अलग बात है कि छपने में देर हुई। पूरे दस साल लगे उन किताबों के छपने में, लेकिन उनकी उपलब्धियां उन्हें निश्चित रूप से संतुष्ट करती होंगी। अब देखिए, सुल्तान दिल्ली पहुंचे। ऑल इंडिया रेडियो में आए। सांग एंड ड्रामा डिवीजन से जुड़े। कई नाटक तैयार किए और खेले। थियेटर जगत में नाम तो हुआ ही, वे अपने पुराने साथियों को भी नहीं भूले। अक्सर उन लोगों को दिल्ली बुलवाते। कार्यक्रम संपन्न कराते। यह अलग बात है कि राही हों या काज़ी साहब हों या शहरयार हों, सभी आज अपने दम पर साहित्य में ऊंचे कद्दावर नाम हैं। वे किसी परिचय के मोहताज भी नहीं। ज़हरा रिज़वी को भी उन्होंने लाल किले में होने वाले भव्य मुशायरे में पढ़ने के लिए बुलवाया। ज़हरा अभिभूत थीं। वो उनके जीवन की यादगार घटना है। सुल्तान ने दोस्ती का पूरा सिला निभाया।

ज़फ़र मंजिल आज सिर्फ यादों में है। जूनियर तो इंग्लैंडवासी हो गए। कभी-कभार आते हैं हिन्दुस्तान। कोठी का एक हिस्सा दो नौकरों की देखरेख में है। उनकी मां फ़ातिमा बेगम जब तक जिंदा रहीं, कोठी भरी-पूरी रही। उनकी अपनी ही शान थी। अपना ही रुतबा था। उस जमाने में जब अलीगढ़ में बमुश्किल तीन-चार गाड़ियां हुआ करती थीं, एक गाड़ी ज़फ़र मंजिल में थी।

अलीगढ़ की सड़कों पर अपनी ऑस्टन चलाते बेगम साहिबा को देखना एक चर्चा का विषय होता था। शौहर के इंतकाल के बाद भी ज़फ़र मंजिल में चहल-पहल रही। कोई समारोह करना है, कोई मीटिंग होनी है, ज़फ़र मंजिल का हॉलनुमा ड्राइंगरूम हाजिर है। बड़ा आयोजन करना है, कहीं जगह नहीं मिल रही, फ़ातिमा बेगम से कहो। वे अपना लॉन दे देंगी। चाय-नाश्ता मुफ्त में और क्या चाहिए। ज़हरा रिज़वी का लिखा ड्रामा 'तीसरी शादी' के लिए जब कहीं जगह नहीं थी, तब ज़फ़र मंजिल ने उस आयोजन को गोद लिया। यह ऐतिहासिक घटना थी। ज़हरा और शहनाज़ जैसे 'बदनाम' लोग तो ऐसी खुराफातें करते ही रहते थे, लेकिन ज़फ़र मंजिल ने पहली बार अपने खामोश वातावरण में खलल पैदा किया था। उन्हें जितना कोसा गया था, शायद उससे कहीं ज्यादा तालियां मिली थीं। उनके साहस को सराहा गया था।

ड्रामा क्लब पर जब यूनिवर्सिटी के कुछ लोग पाबंदी लगाना चाहते थे, लड़कियों का प्रवेश वहां वर्जित कराना चाहते थे, वो लड़ाई शहनाज़ आपा ने पुरजोर तरीके से लड़ी थी। वे कामयाब भी हुई थीं। उस लड़ाई में ज़हरा गले-गले तक उनके साथ थीं। दरअसल कट्टरपंथी ग्रुप के आक्रामक विरोध का शिकार ज़हरा अक्सर बनती रही हैं। उनका रहन-सहन, उनकी जीवन-शैली, उनका धुआंधार सिगरेट पीना और दबे-ढंके शराब की महफिलों में शामिल होना, सर्वविदित था। उनके नाटक लिखने और उसके खेलने के प्रस्ताव ने मानो आग में घी का काम किया हो।

हुआ यह कि उन्होंने एक नाटक लिखा था, तीसरी शादी। नाटक मस्जिद के एक मौलवी और उसकी बीवी को केंद्र में रखकर लिखा गया था। मौलवी ने पत्नी के इंतकाल के बाद दूसरी शादी कर ली। पचास साल के मौलवी ने मुश्किल से बीस साल की लड़की से शादी की थी। लड़की के घरवाले गरीब थे। लड़की अनपढ़ थी। मौलवी की रहमदिली के चर्चे होने लगे। कुछ दिनों बाद एक गरीब बेवा औरत मौलवी के पास आई। उसकी जवान लड़की थी, जिसकी शादी नहीं हो रही थी। वह गंडे-ताबीज लेने आई थी ताकि लड़की की शादी हो जाए। मौलवी ने उसके गले में ताबीज पहनाया और खुद उसकी सूरत और शबाब का ताबीज अपने गले में लटका लिया। उससे कहा कि एक हफ्ते में तुम्हारे घर शादी का पैगाम आ जाएगा। अल्लाह ताला ने यह संदेश खुद उन्हें सपने में दिया है।

वह बेवा तो मौलवी के कदमों में लोट गई। अपनी बेटी से भी उसने ऐसा करने को कहा तो मौलवी का दिल खुद लोटन कबूतर हो गया और मन ही मन गुटरगूं करने लगा। छठे दिन मौलवी खुद पैगाम के रूप में बेवा के घर पहुंच गया। अल्लाह ताला का यही हुक्म हुआ था, ड्रामे के आखिरी सीन में मौलवी और उसकी बीवी में पूरी जंग छिड़ जाती है और बीवी फ्री स्टाइल में मौलवी के सिर पर चढ़ा तीसरी शादी का भूत उतार रही होती है।

जाहिर है, इस ड्रामे को ड्रामा क्लब वालों ने खेलने से मना कर दिया था। उन लोगों को इसका पूरा अंदेशा था, लेकिन ड्रामा तो होना था। तैयारी पूरी थी। सभी किरदार लड़कियों द्वारा ही निभाए जा रहे थे। लड़कियां ज़हरा रिज़वी की और शहनाज़ आपा की छात्राएं थीं।

उन लोगों ने कोशिश की कि जनरल एजुकेशन सेंटर के हॉबी क्लब के तत्वावधान में ड्रामे का मंचन हो सके, लेकिन वहां भी इस ड्रामे की शोहरत उनके पहुंचने से पहले ही पहुंच चुकी थी। नतीजा, वहां भी लंबी-चौड़ी बातचीत के बाद नतीजा शून्य ही रहा।

अब मामला इज्जत का बन गया। एक बार अगर हार मान ली तो फिर हमेशा के लिए किस्मत में हार ही लिख जाएगी।

अंत में रास्ता मिला ज़फ़र मंजिल में। फ़ातिमा बेगम को कोई ऐतराज नहीं था। बस, उनकी एक शर्त थी कि कोई हंगामा न हो। यहां भी कहीं लोग न धावा बोल दें। पता चला कि कोठी ही तहस-नहस कर दी।

"इससे आप निशा खातिर रहिए। ये कागज के शेर हैं। सिर्फ यूनिवर्सिटी की चारदीवारी के अंदर ही दहाड़ते हैं। वहां से बाहर तो चूहे हैं ये।"

"कोई साजिश तो कर ही सकते हैं।"

"कुछ नहीं। डिस्ट्रिक्ट एडमिनिस्ट्रेशन को खबर करेंगे।"

"मेरा ख्याल है डी.एम. तथा एस.एस.पी. को आप चीफ गेस्ट बना लें, खुद-ब-खुद पूरा निजाम मौजूद रहेगा।"

और साहब, फ़ातिमा बीवी के लॉन में तंबू कनात लगाकर ड्रामा खेला गया। झटपट एक संस्था बना ली गई, 'अलीगढ़ कल्चरल ग्रुप'। ज़हरा रिज़वी, शहनाज़ और उनकी मित्रमंडली ने फोन कर-करके लोगों को बुलाया। पत्रकारों को बुलाया। डी.एम. स्वयं नहीं आए, लेकिन उनकी जगह पर ए.डी.एम. सिटी ने उनका

प्रतिनिधित्व किया। अखबारों ने सुर्खियों के साथ घटना को छापा। कई हफ्तों तक पूरी घटना चर्चा के केंद्र में रही।

वह तेज-तर्रार, लड़ाकू ज़हरा अब बीमार रहने लगी हैं। थकी-हारी-सी लगने लगी हैं। ऐसा लगता है कि बतियाने को तरसने लगी हैं। उनके चंगुल में आ जाओ तो फिर आसानी से छुटकारा नहीं। दुनिया-जहान के शिकवे-शिकायत। अकेलापन भी एक बड़ी बीमारी है। लोगों के साथ मिलना-जुलना, अपनी सुनाना, दूसरे की सुनना, बड़ी राहत देता है। पिछले दिनों कोई बता रहा था कि उनका अपने पड़ोसी प्रो. गयासुद्दीन से झगड़ा चल रहा है। झगड़ा यूनिवर्सिटी के वाइस चांसलर तक पहुंचा। पता नहीं क्या फैसला दिया उन्होंने।

"मैडम, डा. गयासुद्दीन ने अपना टीन-टमाड़ा नीचे से उठाया कि नहीं।"

उनकी दुखती रग को जैसे छू लिया हो मैंने, तड़पकर बोलीं,

"मत पूछो। उन्होंने तो इतना तंग किया हुआ है कि बस। जिंदगी अजाब हो गई है।"

"आप यूनिवर्सिटी प्रॉक्टर से कहिए न। लिखकर शिकायत कीजिए। वो यूनिवर्सिटी में मुलाज़िम हैं। आप भी यूनिवर्सिटी की ही हैं।"

"कई बार कहा। कुछ नहीं होता।"

"नहीं, ये बताइए कि आपने कभी लिख कर शिकायत की।"

"अरे कुछ नहीं होता! लिख कर देती, तब भी कोई न सुनता। ये मर्दों की दुनिया है माई डियर, मेरी जगह कोई आदमी होता तो तुरंत शिकायत सुनी जाती।"

"ज़हरा आपा, हम लोग हैं तो पढ़े-लिखे, लेकिन अजीब बात है कि जबानी बातों पर यकीन करते हैं। जो तयशुदा तरीका है, उस पर अमल नहीं करते। आखिर दो लाइन लिखकर देने में परेशानी क्या है?"

मुझे लगा कि बुढ़ापा और अकेलापन आदमी को निरीह बना देता है। यूनिवर्सिटी की तेज-तर्रार प्रोफेसर, सारी जिंदगी लिखने-पढ़ने में बिता दी और अब, शायद लिखने से यूं घबराती हो कि हमेशा के लिए दुश्मनी हो जाएगी। इस उम्र में, अकेले रहना, तिस पर पड़ोसियों से दुश्मनी, मुझे तरस आने लगा उन पर।

"देखिए, आप लिख कर दीजिए कि आपको नीचे गाड़ी नहीं खड़ी करने देते। आपके हिस्से की जमीन पर अपना ताम-झाम फैलाकर जगह घेर लेते हैं,

और अकेले क्यों जाती हैं? तीन-चार लोगों के साथ जाइए वाइस चांसलर के पास। एक शिकायत अलीगढ़ डेवलेपमेंट अथॉरिटी के चेयरमैन को भी लिखिए, उनके फ्लैट्स हैं। वो करेंगे निपटारा।''

कुछ सोचती रहीं वह। फिर बोलीं, ''राधा, आप भी तो डेवलपमेंट अथॉरिटी के फ्लैट्स में रहती हैं। आप लोगों के सामने भी ऐसे झंझट आते होंगे, क्यों?''

मैंने संतोष की सांस ली।

''मैडम! हमारे फ्लैट्स डबल स्टोरी नहीं हैं। एक मंजिला फ्लैट्स हैं हमारे।''

''अब देखो, तुम्हारे इलाके में एक मंजिला फ्लैट्स बनाए। हमारी मुस्लिम लोकैलिटी में दो मंजिला बना दिए। एक मकान पर दो परिवारों का कब्जा। मुझे तो लगता है तुम लोगों की तरफ फ्लैट्स बड़े हैं और क्वालिटी भी अच्छी है। हमारी तरफ तो बहुत खराब क्वालिटी का मटीरियल लगा है। क्यों?'' और वे मेरा मुंह ताकने लगीं।

मुझे हँसी आ गई। दूर के ढोल सुहाने ही लगते हैं।

''मैडम, नक्शा तो डेवलपमेंट अथॉरिटी का एक स्टैंडर्ड है। जमीन का एरिया और बना हुआ एरिया भी एक जैसा होता है। मुझे नहीं मालूम क्वालिटी के बारे में। हमारे यहां तो एक दीवार पर कील ठोको तो दूसरी ओर की पूरी ईंट ही निकल जाती है। जरा प्लास्टर खुरचो, पता चल जाता है कि मिट्टी की चिनाई है और प्लास्टर में सीमेंट की सिर्फ गंध होगी, निरा बालू झड़ता है।''

''वही तो। हमारे यहां भी ऐसा ही है।''

''दरअसल, मामला भ्रष्टाचार का है ज़हरा आपा और भ्रष्टाचार सबसे ज्यादा सेक्युलर होता है। जो भ्रष्टाचार लोगों की जेब भरता है, वह तो हर तरफ से बटोरेगा। उसके लिए तो सबै भूमि गोपाल की है।''

ज़हरा चुप रहीं। मुझे लगा कि खामखा एक भ्रम पाले हुए हैं कि यूनिवर्सिटी इलाके से बाहर पूरा रामराज्य है। कृष्णापुरम के फ्लैट्स स्वर्ग समान और सैयद नगर के फ्लैट्स घटिया।

''लेकिन तुम लोगों के सिंगल स्टोरी फ्लैट्स हैं न!''

''मैडम, आप यह क्यों नहीं सोचतीं कि यहां कृष्णापुरम में किशनपुर गांव का तकरीबन आधा एरिया डेवलपमेंट अथॉरिटी ने ले लिया। उस पर दूर-दूर तक खेत फैले थे। सारी ज़मीन गांव वालों से ले ली। पूरा एक नगर जैसा बस गया।

इसीलिए सिंगल स्टोरी के फ्लैट्स बन गए वहां। आपकी तरफ दो मुहल्लों के बीच की जमीन उन्हें मिली। उस छोटे एरिया में डबल तो क्या, तीन मंजिला भी बन सकते थे फ्लैट्स।''

ज़हरा मुस्कराने लगीं।

''समझ गई मैडम, समझ गई। पब्लिक रिलेशनिंग अच्छी कर लेती हो।''

कभी-कभी मुझे लगता है कि अपनी शिकायतों का ठीकरा फोड़ने के लिए हम लोगों को निरे सिरों की तलाश रहती है। हमारी सोच और काम करने के ढंग में कुछ तो बदलाव होना चाहिए। हम भी अनपढ़ों की तरह से सोचने लग जाते हैं। क्या सचमुच बढ़ती उम्र के साथ अपने आप पर भरोसा कम होने लगता है?

क्या पता, कल को मैं भी इन्हीं स्थितियों से गुजरूं?

ओह नो!

''ज़हरा आपा, मैंने सुना है किसी जमाने में आप लोगों ने एक कल्चरल ग्रुप बनाया था। कई प्रोग्राम आप लोगों ने ऐसे कराए कि आज भी लोग याद करते हैं।'' मैंने उन्हें थोड़ा सहज करना चाहा।

''सब खत्म हो गया राधा! अब किसी को दिलचस्पी नहीं। नयी जनरेशन को बिल्कुल कोई मतलब नहीं उन सब चीजों से।''

''कोशिश तो की जा सकती है।''

''हां, क्यों नहीं।'' वह उठ खड़ी हुईं, ''चलो करते हैं कोशिश। फिलहाल तो अंदर चलते हैं। नमाज खत्म हो गई है।'' और अपनी सिगरेट के धुएं की तरह जैसे उन्होंने मेरी बात को भी उड़ा दिया हो!

कुलसुम बेन

नमाज़ खत्म हो चली थी। साड़ी का पल्लू ठीक करती हुई और सिर पर लपेटे दुपट्टे को कंधों पर संभालती हुई महिलाएं हॉल के कोने से उठकर आ रही थीं। मुहम्मद जान जानमाज लपेट रहा था। गज़ाला और रखशन्दा हॉल के साथ लगे कॉरीडोर से आती दिखीं। लगता है आज केटरिंग की बारी रखशन्दा की है। इसीलिए किचेन में गई होगी।

"क्या कर रही हो तुम किचेन में, गज़ाला। तुम्हारी किचेन से भी दोस्ती है?"

"आंटी! मैं तो रखशन्दा खाला की मदद कर रही हूं सिर्फ़।"

"अरे नहीं! शी इज़ वेरी गुड कुक! कबाब और आलू टिक्की इसके सुपरविजन में बन रही हैं।"

"रियली! गज़ाला, क्या सुन रही हूं मैं।" मैंने उसकी ओर देखकर आंख तरेरी।

"आंटी, आप तो मुझे नालायक ही समझती हैं न!" और हँसने लगी वह!

"अरे नहीं! तुम बहुत प्यारी और समझदार बिटिया हो।" मैंने उसे ऊपर से नीचे तक देखते हुए कहा! जींस-शर्ट में सचमुच गुड़िया सी लग रही थी वह!

पीछे से किसी ने कंधे पर थपकी दी। देखा तो दो सेकेंड के लिए दिमाग पर ज़ोर डालना पड़ा।

"पहचान नहीं रही हैं क्या राधा बेन!"

ओह! बेन कहकर संबोधित करने वाली और धीमे-धीमे नकिया कर बोलने वाली कैंपस में तो क्या, पूरे शहर में अकेली वही हैं—कुलसुम बेन। पता नहीं क्यों जब मैं उनसे पहली बार मिली और उन्होंने मुझे राधा बेन कहा तो बेसाख्ता मेरे भी मुंह से निकला था-कुलसुम बेन। लाख और लोग उन्हें कुलसुम बेगम कहें या मिसेज मेराज कंवल कहें, मैंने उन्हें हमेशा कुलसुम बेन ही कहा है। एक बहनापे का भाव ही पैदा होता है उन्हें देखकर। अब तो इस बीच जो उनके साथ हुआ है, ईश्वर न करे किसी के साथ हो, हां, ईश्वर जैसी कोई चीज अगर है तो।

मैं उन्हें बेन कहती हूं तो मेरी बेटी मुझे डांटती है। वह कहती है कि मैं दूसरों की नकल करती हूं। चिढ़ाती हूं उन्हें, लेकिन ऐसा नहीं है। होता यह है कि सामने वाला जिस अंदाज़ में, जिस लहजे में बोलता है, मैं ठीक उसी तरह जवाब दे देती हूं यानी यह ठीक वैसा ही है कि अगर कोई अंग्रेजी में बोला तो जवाब भी अंग्रेजी में दिया जाएगा। अगर हिन्दी में बोला है तो जवाब हिन्दी में ही देना होगा। शायद मुझे लगता है कि उसी के लहजे में जवाब देना, सुनने वाले के लिए सुविधाजनक होगा। अपनी बेटी को मैंने बहुत बार विश्वास दिलाया है कि मैं कतई नकल नहीं उतारती किसी की। यह मेरी भीतर की भावना के तहत खुद-ब-खुद हो जाता है।

बहरहाल, सामने कुलसुम बेन खड़ी थी। इनके पति भी इंजीनियरिंग कालेज में हैं। शादी के बाद यहां आने पर कुलसुम बेन ने यूनियन के स्कूल में पढ़ाया था। यहां स्टूडेंट यूनियन का जो लंबा-चौड़ा फंड होता है, उससे यूनियन के दो स्कूल चलते हैं। एक लड़कों के लिए और दूसरा लड़कियों के लिए। स्टूडेंट यूनियन की रकम का ऐसा विलक्षण इस्तेमाल मेरी नजर में तो और कहीं नहीं है। नौजवानों को गरियाने वाले, स्टूडेंट यूनियन को अराजकता और गुंडागर्दी का अड्डा कहने वालों के सामने यहां की मिसाल रखना जरूरी होगा।

इस विलक्षणता के बावजूद कुलसुम बेन को जल्दी ही यूनियन के स्कूल को अलविदा कहना पड़ा। उनके पति मेराज साहब ने बताया कि वो स्कूल के वातावरण में अपने को ढाल नहीं सकीं और कि हमेशा असहज महसूस करती रहीं। निश्चित ही उनकी बोली और लहज़ा फर्क था। ठेठ उर्दू वाला नहीं था। बच्चे तो शायद कुछ नहीं कहते थे। वे क्यों कहेंगे? यूनिवर्सिटी के चपरासियों, दूसरे चतुर्थ श्रेणी कर्मचारियों के बच्चों के लिए ही हैं ये स्कूल। उनके लिए

तो आसमान से गिरे वरदान की तरह है यहां पढ़ाई करना! जबसे यूनिवर्सिटी ने अपना प्रशासन यहां लागू किया है, यूनियन के स्कूलों की दशा बहुत सुधर गई है। अब पढ़े-लिखे, ट्रेंड टीचर्स रखे जाते हैं। दसवीं पास कर लेने के बाद अगर लायक बच्चा हुआ तो अपने रिजल्ट के आधार पर यूनिवर्सिटी में दाखिला भी पा जाता है। नहीं तो जहां सींग समाए, अपना ठिकाना ढूंढ़ो। कितने तो अपने बाप की जगह पर नौकरी पाकर उसी तरह बावर्ची, चपरासी, गार्ड, माली वगैरह-वगैरह बन गए। हमारे यहां सिर्फ जाति जन्म-दर-जन्म नहीं चलती है, पेशा भी वैसे ही चलता है। नेता का बेटा नेता। व्यापारी का बेटा व्यापारी। डाक्टर का बेटा डाक्टर और अध्यापक का बेटा अध्यापक। अब नयी जातियां बन रही हैं। नए पेशे बन रहे हैं।

मेराज कंवल सूरत के एक आई.टी. इंस्टीट्यूट में एम.टेक करने गए थे। वहीं कुलसुम बीवी से मुलाकात हुई। उन्होंने तभी पी-एच.डी. में दाखिला लिया था। परिचय हुआ। जान-पहचान बढ़ी। नौजवान मेराज भी वहां एक घर और घर जैसे माहौल के लिए तड़प रहे थे। परिचय को प्रगाढ़ता में बदलते देर नहीं लगी।

कुलसुम बीबी के घरवालों को क्या ऐतराज हो सकता था, सिवाय इसके कि लड़का गुजराती नहीं है। गुजराती बोलना नहीं जानता। वर्ना पढ़ा-लिखा खानदानी लड़का। पेशे से इंजीनियर।

मेराज ने भी अपने घरवालों को मना लिया और पैगाम लेकर अम्मी पहुंच गईं बेटे के साथ, कुलसुम के घरवालों से मिलने और चार महीने बाद ठेठ गुजरातन को बहू बनाकर ले आईं।

कुलसुम बीबी के लिए राह बहुत आसान नहीं थी ससुराल में। मेराज मूलतः गोंडा-आजमगढ़ के रहने वाले। किसी पुराने पीर फ़कीर के खानदान से वे लोग अपना शज़रा जोड़ा करते। साल में एक बार वहां दरगाह पर उर्स लगता। पूरा परिवार पहुंचता। दरअसल दरगाह की इंतज़ामिया कमेटी में उनके परिवार का कोई न कोई मुखिया भी शामिल रहता। इस नाते वहां होने वाली आमदनी में उनका हिस्सा बनता था। चलो, साल भर का हिसाब नहीं मांगते, लेकिन सालाना उर्स की आमदनी से अपना हिस्सा कैसे छोड़ देते। हिस्सा इतने सारे खानदानों में बंटते-बंटते अब बमुश्किल इकन्नी-दुअन्नी भर का रह गया था। फिर भी दस-बीस हजार तो मिल ही जाते थे।

छह भाई-बहनों में मेराज सबसे छोटे हुए। अपने खानदान का सिरमौर माने जाते रहे हैं वे। अलीगढ़ आकर पढ़-लिख गए और इंजीनियर बनकर खानदान का नाम रोशन कर रहे हैं। सोलह-सत्रह साल की उम्र में आए थे यहां दाखिला लेने। पढ़ने में ज़हीन। हाईस्कूल में अच्छे नंबर आए तो हिन्दुस्तान के हर पढ़े-लिखे मुसलमान की तरह उनकी आंखों में भी अलीगढ़ का सपना पलने लगा था।

"यूनिवर्सिटी में पढ़नेवालों की बात ही और है। किस्मत से ही मिलती है यहां जगह।" दूर-दराज के लोगों की तरह उनकी और उनके घरवालों की भी यही सोच थी।

नौजवान मेराज को यहां दाखिला मिल गया। पुराने आज़मगढ़ी छात्रों ने पूरी मदद की। जुलाई में दाखिलों के बाद आज भी रामपुर, आजमगढ़ और बिहार के छात्र समूह अपनी-अपनी सेनाओं में नए भर्ती रंगरूटों की गिनती करते हैं और अपनी ताकत का अंदाज़ा लगाते हैं। ये अलग बात है कि बिहारियों में अक्सर सिवान और गोपालगंज वाले भी परस्पर भिड़ जाते हैं, लेकिन गैर बिहारियों के सामने तो सब मिलकर यहां एक बड़ी ताकत हैं।

समूहों की यह ताकत और असरदार हो जाती है, जब अध्यापक और विश्वविद्यालय प्रशासन के लोग भी उसमें शामिल हो जाते हैं। छोटे-मोटे समूह अपने-अपने क्षेत्र के आधार पर इन्हीं के बीच खपते नजर आते हैं। मसलन सम्भल के छात्र रामपुरियों के साथ और बलिया-गोरखपुर के लोग आज़मगढ़ियों के साथ ही मिलते हैं। मिनी हिन्दुस्तान का नक्शा नजर आता है यहां। मुंबई के बाल ठाकरे या उनके जूनियर राज ठाकरे का दर्शन पूरे हिन्दुस्तान का दर्शन नजर आने लगता है।

मेराज के यहां आने के एक साल बाद ही उनके अब्बा हुज़ूर गुजर गए। नतीजा अकेली जान अम्मी अपने सबसे छोटे बेटे के पास ही आ गईं। विश्वविद्यालय का पूरा आजमगढ़ परिवार उनके साथ था। जल्दी ही रच बस गए मां-बेटे यहां के वातावरण में। अब गांव के खेत-मकान तो बेच दिए, लेकिन दरगाह की हिस्सेदारी भला कैसे छोड़ देते। मामला सिर्फ पैसे का नहीं, प्रतिष्ठा का भी था। मेराज के चच्चा के पास था दरगाह का हिसाब-किताब। उनसे भिड़ना आसान नहीं था। वे सरपरस्त थे और प्रतिद्वंदी भी थे।

अब चच्चा की दास्तान भी अजीबोग़रीब थी। मेराज अहमद को वही मालूम है, जो वे अपने घर में सुनते चले आए हैं। टुकड़ों-टुकड़ों में घर-परिवार के लोग कभी

कुछ कह जाते। अम्मी किसी बात पर उबल रही होती तो उसके छींटे कुछ जानकारी दे देते। कहते हैं कि उनके चच्चा का दिल न कभी गांव में लगा, न घर-परिवार में और न ही पढ़ाई-लिखाई में। तब सारा घर तो क्या, गांव-जवार के लोग भी लानतें देते कि दादा अब्बा का दुश्मन बनकर पैदा हुआ है। हालांकि वे ही लोग अब कहते नहीं थकते हैं कि उन्हें तो अल्लाह मियां ने खास अपने बंदे के रूप में भेजा है।

चच्चा एकदम नाकारा निकले। कहते हैं कि शुरू से ही उनका दिल पढ़ाई में नहीं था। गांव में दर्जा पांच तक कंधे पर पट्टी-दवात लादी। फिर एक दिन थैला-बस्ता सब पटककर भाग गए शहर की ओर। गांव में एक नाटक मंडली आई थी, उसी के पीछे लग लिए। बमुश्किल खोजे गए। पकड़कर लाए गए वापस।

"पढ़ने में दिल नहीं लगता तो न पढ़े। कुछ हुनर सीख लेगा तो पेट भर लेगा।" सबने कहा और हुनर तो मियां के गले में था। कुछ साल बाद फिर एक कव्वाल पार्टी के साथ चले गए। अबकी किसी ने खोज खबर नहीं ली। दादा अब्बा ने फैसला सुनाया—

"जाए ससुरा! अगर मिरासी-तबलची ही बनना है तो बने।" दादाजी तंग आ चुके थे।

लेकिन मियां अबकी लौटे तो गबरू जवान थे। अलीगढ़ कट पैजामा। रंगीन, कढ़ा हुआ कुर्ता। सिर पर नक्काशीदार सफेद टोपी, काली जैकेट। लगता था कहीं कव्वाली गाने जा रहे हैं। घर-खानदान में उनका नाम भुलाया जा चुका था। किसी को उम्मीद भी नहीं थी उनके लौटने की। एक भूली हुई याद बनकर रह गए थे वह, लेकिन अबकी बार अकेले नहीं थे। साथ में थी एक जनानी। चादर में लिपटी। पैरों की सैंडिल दिख रही थी। सैंडिल के ऊपर लाल रंग की सलवार के कढ़े हुए बित्ता भर पांयचे दिख रहे थे। सिर से पैर तक हरे-पीले रंग की चादर ओढ़े हुए इस तरह उसका छोर थामे थी कि कहीं सरक न जाए। गोरा माथा और बड़ी-बड़ी काली आंखें चमक रही थीं। सिर झुकाए हुए थी, लेकिन नजरें सतर्क थीं।

घर के बाहर दालान में फय्याज़ मियां के अब्बा चारपाई पर सिर के नीचे तकिया डाले लेटे हुए थे। नीचे उनका कुत्ता कलुआ भी दोपहर की ऊंघ ले रहा था। अजनबियों की गंध से उठ बैठा और लगा भौंकने।

"सलामवालेकुम अब्बा हुजूर।"

अब्बा को आंख खोलकर पहचानने में समय लगा।

"मैं फय्याज़! पहचाना नहीं अब्बा।" राजकपूर कट मूंछों में कुछ मुस्कुराए, कुछ शरमाए फय्याज़।

अब्बा ने फय्याज़ को तो बाद में देखा, चादर में लिपटी उस नाजुक गठरी पर पहले नजर पड़ी। मुंह से बोल भी नहीं फूटा। गाली मुंह पर आते-आते रह गई। सिर्फ सवाल पूछती उंगली उस ओर उठी।

"ये आपकी बहू! हमारे उस्ताद की साहबज़ादी।" फय्याज़ मियां थोड़ा रुके, अब्बा की प्रतिक्रिया के इंतजार में। फिर जैसे उन्हें आश्वस्त कर रहे हों। बोले—

"अब्बा, निकाह कर लिया है मैंने।" फिर उस गठरी की ओर इशारा करके कहा, "शौकत बेगम। अंदर जाओ तुम। भाभी हैं अंदर, चलो।" और जल्दी से खुद भी अंदर घुस गए।

उस वक्त तक शोर मच चुका था। आसपास घरों की औरतें भी उधर आ रही थीं। बच्चे अलग तमाशबीन बने खड़े थे।

अब ये अलग बात है कि दादा अब्बा न जाने कितने दिनों तक गालियां बकते रहे, लेकिन मेराज की अम्मी और अब्बा ने बहू को पूरी इज्ज़त और ऐहतराम के साथ कबूल किया। परिवार के उस नए सदस्य का स्वागत किया। चांद-सी नाजुक देवरानी को देखकर मेराज की अम्मी तो क्या, कोई भी उससे नजर नहीं मोड़ सकता था। मुश्किल से पंद्रह-सोलह साल की मासूम बीबी थी वह।

अगले महीने शुरू होने वाले सालाना उर्स में अबकी दो सदस्य और बढ़ गए थे। शौकत बेगम ने वहां मजार पर नियाज़ लगवाई। फय्याज़ मियां अपनी फ़नकारी दिखाते रहे। नात गाते रहे। कव्वालों की मजलिस में शामिल रहे और फिर जब वहां से चलने की बारी आई तो मियां फय्याज़ और शौकत बीवी वहीं के होकर रह गए।

"आखिर हमारा भी तो हक है भाभी। हम तो यहीं पीर साहब की खिदमत में जिंदगी गुजार देंगे, मैं और कुछ नहीं कर सकता-सिर्फ खिदमतगार बन सकता हूं।"

कहने-सुनने लायक कोई बात ही नहीं बची। कोई क्या कह सकता था।

लेकिन मेराज मियां की अम्मां इतनी भी मूर्ख नहीं थीं। मेराज के अब्बा भले ही सब छोड़ दें। वो कैसे अपना हिस्सा छोड़ देंगी। अब तो और जरूरी हो गया हर साल वहां जाना। हफ्ता-दस दिन रहना और अपना हिस्सा लेकर आना। अब

अगर अब्बा हुज़ूर की जगह उनका छोटा बेटा वहां दरगाह की इंतज़ामिया में हो गया है तो क्या! हिस्सा तो दोनों बेटों का होगा! ये कैसा इन्साफ़ है कि छोटा सब कुछ समेट ले और बड़ा मुंह ताकता रहे, सालाना हिस्सा तो लेना ही होगा। आखिर उनके भी औलादें हैं। खेती से कौन साल भर कमाई होती है। नया जमाना है। बच्चों को पढ़ाई-लिखाई भी करनी है। दो लड़कियों की शादी करनी है। कौन पूछेगा अनपढ़-जाहिलों को। अब हर कोई तो कव्वाली गाकर पेट नहीं भर सकता है न, मेराज की अम्मां गाहे-बगाहे गरियाती रहतीं। शायद यह शौकत बीवी का भला स्वभाव था या कि फय्याज़ मियां का भाभी के सामने लिहाज़, कुछ न कुछ उनके हाथ में हिसाब के नाम पर रख ही देते। वो भी तसल्ली करके, भागते भूत की लंगोटी भली, सोचकर जो मिल जाता, लेकर चली आतीं।

''चलो। रिश्ता नाता तो बना हुआ है। खून का रिश्ता है। मुश्किल से बनता है। तोड़ने का क्या है, जब चाहो तोड़ दो।'' वे सबर कर लेतीं।

कुलसुम बीवी के लिए स्कूल तो क्या, घर-परिवार में भी जगह बनाने में मुश्किल हुई। ये ठीक है मेराज यूनिवर्सिटी में लेक्चरर हैं। बहुत तरक्की करेंगे, लेकिन घर का पूरा माहौल? पीर-मुरीदों से जुड़ा खानदान। निरे किस्से चले हुए, पता नहीं कितने सच्चे और कितने गढ़े हुए, जिसे वे लोग ऐसे सुनाते, मानो सीने पर लगे तमगे दिखा रहे हों। कुलसुम बीवी ठहरी मिडिल क्लास की। बाप का सूरत में कपड़ों का बड़ा कारोबार। पढ़ा-लिखा परिवार। कुलसुम चार भाइयों में अकेली बहन। लाडली! शुरू से अंग्रेजी स्कूल में पढ़ी। कालेज के दिनों में बास्केट बॉल खेला करती। स्टेट की टीम में जगह बना ली थी। घर वालों की थोड़ी बहुत मुखालफत के बावजूद टीम में खेलने जाती। वह तो गनीमत कहो कि नाचने का शौक नहीं पाला कुलसुम ने। कैसी जिद में पड़ गई थी वह एक बार कि नवरात्रि गरबा में जाएगी। नाजुरा ने बरगलाने में कोई कसर नहीं छोड़ी थी।

हुआ यह कि बड़ोदरा में कुलसुम के चचा थे। यूनिवर्सिटी में प्रोफेसर। इतिहास पढ़ाते थे। उनकी बेटी नाजुरा कुलसुम की हमउम्र। नाजुरा के बड़े भाई की शादी में पूरा परिवार बड़ोदरा पहुंचा था। हँसी-खुशी शादी हो गई।

नाजुरा ठहरी एकदम मॉडर्न। पूरा खानदान ही मॉडर्न ठहरा। नाजुरा के प्रोफेसर पापा हर दूसरे साल बाहर जा रहे हैं। कभी इंग्लैंड, कभी अमेरिका। सब तरह के लोगों से मेलजोल। उन्होंने तो दबी जुबान यह भी सुना था कि नाजुरा

किसी हिन्दू लड़के के चक्कर में पड़ी है। उसके साथ ही पढ़ता है। कहने वाले यह भी कहते हैं कि नाजुरा के अम्मी-अब्बा का तो दिमाग फिर गया है। देखकर भी अनजान बने हैं।

शादी के दौरान ही नाजुरा की बात छिड़ गई। किसी ने कहा कि अब नाजुरा की शादी भी कर दीजिए प्रोफेसर साहब।

"अपना मेडिकल का कोर्स तो पूरा कर ले न भाभी। शादी कहीं भाग रही है क्या!"

"भाई साहब, मेडिकल में तो लड़के लड़कियां हरदम साथ रहें। कुछ ऊंच-नीच हो जाए तो।" अम्मी ने अच्छा मौका देखकर कहा।

"भाभी आप भी कैसी बात करती हैं। मेडिकल की पढ़ाई अब पर्दानशीं बन कर थोड़ी होगी?"

"भाई साहब, जमाना खराब है। लोग मौका देखकर फंसा लें हमारी लड़कियों को, फिर दंगा-फसाद होवे।"

अम्मी अब भी सीधे-सीधे दिल की बात जुबान पर नहीं ला रही थीं। घुमा-फिराकर ही कहना उचित समझा। कहीं प्रोफेसर साहब बुरा मान गए तो?

"कोई दंगा-फसाद नहीं भाभी। अगर ऐसी ही नौबत आवे तो जाओ! निकल जाओ हिन्दुस्तान से। इतनी बड़ी दुनिया है। कहीं जाकर बस जाओ न।"

कितनी आसानी से कह गए यह सब प्रोफेसर साहब। ये तो जब दिल चाहा उठकर विलायत में जाकर बस जाएंगे, लेकिन उन्हें तो यहीं रहना है अपने शहर में, अपने लोगों के बीच में।

तीसरे दिन कुलसुम की अम्मी सामान लगाने में व्यस्त थीं। दोपहर बाद निकलना था उन्हें भी। हँसी-खुशी सब काम निपट गया था। मियां-बीवी हनीमून मनाने गोवा के लिए निकल चुके थे।

नाजुरा कुलसुम के साथ नमूदार हुई।

"चच्ची, कुलसुम एक अठवारिया बाद आ जाएगी।" नाजुरा बोली।

"काय कूं बेटी! कालेज का हर्जा नहीं होवे?"

"अम्मी, तीन दिन की तो छुट्टी है कालेज फेस्टीवल की। फिर संडे, दो दिन की तो बात है।" कुलसुम कह रही थी।

"अम्मी सोच में पड़ गईं!

नाजुरा ने कुलसुम के कान में फूंक दिया था,

"नवरात्र है न! अंबे माता के मंदिर में गरबा चलेगा! बहुत मजा रहता है। दिखाऊंगी तुझे।" नाजुरा बोली, "तू जाती क्या गरबा देखने?"

"देखने नहीं, गरबा खेलने भी। मेरी सहेली है न अपर्णा। अपर्णा शाह, उसके साथ। उसकी अम्मी और दीदी सब लोग के साथ।"

अम्मी की नज़र किसी जासूस से कम नहीं। नाजुरा और कुलसुम की बात पर अम्मी सोच में पड़ गईं। जवान बेटी। ऐसे कैसे छोड़ दें।

"कुलसुम! तेरा अब्बा नहीं मानेगा बेटी।"

"अम्मी, आप बोलो न अब्बा से।"

"नहीं-नहीं! नाजुरा बेटी। हम फिर आते न। कुलसुम बेटी। अब्बा से तुम जिद नहीं करना। उसका माथा गरम होता है न।"

वे खुद भी डर गईं। कुलसुम को कैसे छोड़ा जा सकता है इस घर में। यह घर तो बहुत मॉडर्न है।

उस दिन तो अम्मी ले गईं जबरदस्ती अपने साथ, लेकिन मेराज से शादी करके कुलसुम ने कई हिसाब बराबर किए। चच्चा अपने को बड़ा प्रोफेसर समझते थे। मेराज अभी लेक्चरर हैं। देर-सबेर प्रोफेसरी कहीं नहीं गई है। नाजुरा बहुत मॉडर्न बनती थी। एम.बी.बी.एस. करते ही हिन्दू पटेल लड़के से शादी करके दूसरे ही दिन फुर्र से उड़ ली अमेरिका को। उसने भी छोटा-मोटा इश्क तो कर ही लिया और अपने मन की शादी की। उसे संतोष रहा।

लेकिन यह संतोष तब खंडित होता नजर आया जब मेराज की अम्मी ने उर्स के लिए जाते समय उससे पर्दा करने के लिए कहा।

तड़प उठी वह। ऐसे कैसे हो सकता है। उसने तो कभी पर्दा नहीं किया। वह बुर्का पहनकर जाएगी? उसे लगा कि कमरे के कोने में नाजुरा खड़ी मुस्करा रही है, "कुलसुम, अपनी मर्जी से जीने के लिए हिम्मत भी तो चाहिए न।"

कुलसुम के माथे पर बल पड़ गए। मानो कह रही हो–

"हिम्मत! हिम्मत की क्या कमी है। इतनी दूर सूरत से इधर को चली आई। यह क्या कम हिम्मत की बात है नाजुरा बाजी।" और दूसरे दिन मेराज मियां उसे रोकते रहे, लेकिन कमरे से बाहर आकर उसने ऐलान कर दिया।

"अम्मी जान, मैं पर्दा नहीं कर सकती! आप लोग चाहो तो मुझे छोड़ जाओ। मेरा उर्स में कोई मन नहीं।"

कुलसुम को शिकायत अपने शौहर से थी, मेराज की अम्मी से उतनी नहीं थी। वह गरीब तो अपने सोच के दायरे से अलग नहीं हो सकती। जैसा उसने जिंदगी भर देखा और किया, वैसा ही वह उससे कहेगी, लेकिन उसका मियां क्यों माटी का पुतला है, जो जबान नहीं खोलता। मर्दों का सारा इंकलाब शादी से पहले ही होता है और शादी के बाद सब भरभरा कर नीचे ढह जाता है। फिर घर-परिवार, रवायत और अम्मी-अब्बा याद आने लगते हैं। फिर दिखती है असल सूरत। सदियों पुराना झुर्रीदार चेहरा। मेराज की अम्मी को उससे निरी शिकायतें रहतीं और वे उसका बखान मुहल्ला-पड़ोस में करती रहतीं। उस बखान का अंत होता,

"बाहरवाली है ना! हमारे तरफ की नहीं, क्या करूं।" कुलसुम वह सुनती तो तड़प उठती–

"गुजरातन न हो गई, जैसे मैला ढोने वाली हूं मैं।"

एक बार की बात है। मैं और हमारे साथ की दो अध्यापिकाएं सिनेमा हॉल से बाहर निकल रहे थे। यहां नुमाइश के दिनों में दो फिल्में जरूर लगती हैं। शोले और मुगले-आजम। दो सिनेमा हॉल रूबी और नॉवल्टी दरअसल नुमाइश रोड पर ही हैं। पहले से नुमाइश पूरी रात चला करती थी। पुराने अलीगढ़ के बाशिंदे आसपास के शहरों से इन दिनों चाहे एक दिन के लिए सही, नुमाइश देखने जरूर आया करते थे। यह सालाना नुमाइश इस शहर के लिए राष्ट्रीय पर्व की हैसियत रखती है। मस्जिद विध्वंस के बाद तीन साल तक नुमाइश नहीं लगी। दिलों में समाया भय अपने आकार से कई गुना बड़ा था और डराता था। चौथे साल चाक-चौबंद प्रशासन ने फिर से नुमाइश शुरू कराई तो लोगों को भरोसा हुआ कि हां! अब माहौल सामान्य है। होता यह था कि रात भर नुमाइश में घूमे। फिर नौटंकी देखी, किस्सा हातिम ताई या किस्सा लैला मजनूं का या किस्सा देव कुमार और देव कुमारी का। अब ट्रेन है सबेरे की। लगा कि नींद आ रही है तो चले गए रूबी या नॉवल्टी। वहां कुछ सोए, कुछ फिल्म देखी और सुबह सकारे रवाना हो गए अपने ठिकाने की ओर। दिलचस्प है कि शोले और मुगले आजम जैसी फिल्में अपने-अपने कारणों से हमारे बच्चों से लेकर हमारी अम्मां तक, तीन पीढ़ियों के लिए अब भी याद कर ली जाती हैं। हमें अपने जमाने में मुगले आजम के संवाद रटे

होते थे। मुगलिया सल्तनत के शहंशाह अकबर और अनारकली के बीच के डॉयलॉग अब भी हॉल में ताली पिटवा देते हैं। शोले के गब्बर सिंह और कालिया तथा साथियों के बीच के डायलॉग हमारे बच्चों को याद हैं।

उस दिन कॉलेज के स्टाफ रूम में बैठे-बैठे बात होने लगी। बहस फिल्मों से होती हुई शोले के किरदारों पर अटक गई। कुछ ऐसा जोश चढ़ा कि दूसरे दिन के लिए प्रोग्राम बना डाला। जवानी के दिन याद आ गए और हम लोग कॉलेज से फिल्म देखने चले गए। कई पुरानी यादें ताजा हुईं। घर-गृहस्थी और नौकरी, पति-बच्चे, रिश्तेदारियां, काम का बोझ। हमारे मध्यवर्गीय समाज में जिंदगी घड़ी की टिक-टिक पर टिकी मशीन बनकर रह जाती है। ऐसे में सब बंधन छोड़कर, किसी दिन रोज की दिनचर्या की जिम्मेदारियां भूलकर ऐसे ही गब्बर सिंह को देखने बीहड़ में निकल जाओ या मुगलिया सल्तनत के शहंशाह के दरबार में पहुंच जाओ तो कितनी ताजगी महसूस होती है। टीन एज जैसे फिर वापस आ गई हो।

वहां सिनेमा हॉल की सीढ़ियां उतरते हुए, अचानक देखा कुलसुम बेन को, अपने दोनों बच्चों का हाथ पकड़े सावधानी से नीचे उतर रही थी।

''राधा बेन।'' मुझे देखकर जैसे चहकी हो वह।

''अरे वाह! कुलसुम बेन और बच्चा पार्टी! कैसे हो।'' मैं बच्चों की ओर मुखातिब हुई। अकेली तो क्या आई होगी, सोचकर मैंने पूछ ही लिया—

''मेराज साहब नहीं दिख रहे। आगे निकल गए हैं क्या?''

दो मिनट रुककर जवाब दिया उन्होंने—

''राधा बेन। उन्ने तो फिल्म देखना छोड़ ही दिया है न, मैं अब क्या करूं। बच्चों को तो लाना ही पड़ता है। बच्चा लोग नहीं मानते न! रिश्वत देना पड़ती है।''

''कैसी रिश्वत?''

''पढ़ाई करने का। अब देखो न राधा बेन। सब सब्जेक्ट में पास है, लेकिन हिन्दी में फेल, कैसे चलेगा?''

''अरे, हिन्दी नहीं पढ़ता बच्चा लोग।'' मैंने आंख दिखाई।

छोटे कमर ने जोर से सिर हिलाया, मानो डंके की चोट पर ऐलान कर रहा हो, बड़ा जफ़र मुस्कराता रहा।

''अबके पास हो गए तो वचन दिया न कि फिल्म दिखाऊंगी।''

"कुलसुम बेन, आप मेरे पास भेज दो। मैं पढ़ाऊंगी इन्हें हिन्दी, देखूं कैसे नहीं पढ़ेगा यह।"

"राधा बेन! बहुत उधम करते हैं ये लोग। आपको भी परेशान कर देंगे।" कुलसुम बेन अपने खास अंदाज में धीरे-धीरे समझाने लगी।

"आप फिक्र मत करो, कुलसुम बेन। मैं इसे कोर्स की किताब पढ़ाऊंगी ही नहीं। कहानी-सिर्फ कहानी। कहानी सुनाऊंगी, कहानी पढ़ाऊंगी और कहानी ही लिखाऊंगी, क्यों भई, कहानी सुनते हैं आप।" मैंने छोटे साहबजादे कमर के सिर को सहलाया।

कमर उचककर बोला, "आंटी, आपको कहानी आती क्या! हमारी अम्मी तो कभी भी नहीं सुनाती कहानी।"

"राधा बेन। इनके अब्बा नाराज होते कहानी किस्सा सुनाने से।"

"कोई बात नहीं। उन्हें नाराज होने दो। हम अपने तरीके से पढ़ाएंगे इन्हें। क्यों भई ठीक है?"

"ठीक है।" कहकर फिर उचका वह और खरगोश जैसे दांत दिखाता हुआ शरारत से हँसने लगा।

तीसरे ही दिन दोनों बच्चे अपनी मां के साथ हमारे घर पर मौजूद थे।

"आ जाऊं राधा बेन।" वह दरवाजे पर खड़ी थी। कुलसुम का तो हुलिया ही बदला हुआ था। बढ़िया शिफौन की साड़ी। हल्का मेकअप। माथे पर चमकती छोटी-सी लाल बिंदी। परफ्यूम से महकती हुई। चेहरे पर शर्मीली मुस्कान!

मैंने देखा। पलक झपकाई।

"कौन हैं आप! कहीं मिसेज मेराज तो नहीं।" मैं परिहास के मूड में थी।

"हां, जी। मैं आपकी कुलसुम बेन।" पता चला मेराज साहब बाहर गए हैं इम्तिहान लेने और अम्मीजान गांव चली गई हैं।

"ओह हो, तो अब आपका ही राज है।"

कुलसुम और मैं गप मारते रहे। वह अपने घर के किस्से सुनाती रही। दोनों बच्चे धमाचौकड़ी मचाते रहे। मैंने बच्चों की कुछ हिन्दी पत्रिकाएं इकट्ठा कर रखी थीं, वो उन्हें पकड़ाईं और कहा कि अगले हफ्ते वे सारी कहानियां मुझे सुनाएंगे। छोटा कमर तो बेहद शरारती। दौड़ता-कूदता रहा। बड़ा जफ़र आठवीं में पढ़ता, बेहद शांत। बहुत कम बोलने वाला।

“राधा बेन। मैं जफ़र को बोली कि तू भी चल। क्या हर बखत घर में बंद।”

“बड़ी क्लास हो गई है न कुलसुम बेन। इसीलिए सीरियस हो गया है जफ़र।

कुलसुम बेन का वह रूप मेरी आंखों में बसा है। कभी-कभी समय की गति एकाएक कितनी तेज़ हो जाती है। पूरा परिदृश्य इतनी तेजी से बदल जाता है कि लगता है हमारा दूसरा जन्म हुआ हो या पिछला सब कुछ सपना हो कोई। हां, सपना, जो सुखद हो सकता है और भयानक भी! ऐसा दुःस्वप्न, जो दिल और दिमाग सब कुछ बदल दे। जिंदगी की शक्ल बदल दे। दीन-धरम-ईमान सब कुछ। बात दरअसल उसी बरस की है जब लीला गुप्ता और डॉ. गुप्ता कैंपस छोड़कर चले गए थे और डॉ. शाहिदा खूब रोई थी। असल में रोने वाला किस्सा तो बाद का है। मेराज साहब के साथ जो हादसा हुआ, वह उससे तीन-चार महीने पहले की बात है। उस वक्त तक हालात इतने खराब नहीं हुए थे। हां, पर्चेबाजी हो रही थी। कोई किसी को गद्दार बता रहा था तो दूसरा ताल ठोंक रहा था कि हम यहीं रहे हैं, यहीं रहेंगे। अखबारों में बयानबाजी हो रही थी। कई मंदिर कमेटियां बन चुकी थीं तो मस्जिद बचाओ कमेटी भी चुप नहीं थी। ये सियासी खेल हैं। चलते रहते हैं। इनसे डरकर कोई अपना काम थोड़े बंद कर देगा।

अब कोई डॉ. शाहिदा से पूछे या कि डा. मेराज कंवल को टटोले। सब यही कहेंगे कि अब बार-बार उस बरस को क्या याद करना। क्या किया जाए! कुछ लोगों के दिलों में जिंदगी के कुछ पल ऐसे धंसे बैठे हैं कि बस! नासूर बनकर अपनी जिंदगी बरबाद होती है तो दूसरों का हाल भी बेहाल होता है। ज़ाहिर है, कोई आपके पड़ोस में तड़प रहा हो, चीख रहा हो तो आप कैसे सुकून से सो सकते हैं। कभी-कभी लगता है लीला गुप्ता और डॉ. गुप्ता यह कैंपस छोड़कर चले गए तो ठीक ही हुआ। खुद तो चैन से रह लिए। अब शाहिदा बीबी रोई तो रोती रहें। दूसरों की जरूरत से ज्यादा फिक्र करने वाले बहुत लोगों के माथे पर रोना ही लिखा होता है।

मेराज साहब भी तो रोए थे। उन पर तो कोई चर्चा नहीं हुई, बल्कि सब लोग खुश थे। मैंने कुलसुम बीबी को फोन किया था। वह बोली, “अल्लाह का

शुक्र है, ठीक है मेराज राधा बेन, आप लोगों की दुआ से ठीक है, सही सलामत घर पहुंचा है।"

किसी बंदे ने उनसे भी तो पूछा होता। उन पर क्या गुजरी थी। किस बुरी घड़ी में वह बस में चढ़े थे। फिजां में गर्मी का अहसास ही नहीं हुआ उन्हें, जल्दी पहुंचने के चक्कर में चढ़ गए बस में। देहरादून के किसी कॉलेज में इंजीनियरिंग की नयी फैकल्टी खुल रही थी। उसके विशेषज्ञ-सलाहकार के तौर पर वह एकेडमिक बोर्ड की मीटिंग में गए थे। हुआ यह कि गलती से ट्रेन रिजर्वेशन एक दिन बाद का हो गया। अब! या तो एक दिन और रुको या चल दो, जो भी सवारी मिले। कुछ पैसे बचाने का लालच और कुछ अपनी आरामतलबी को धिक्कार कि बस में सवार हो गए।

रास्ता ठीक ही था। मेरठ पहुंचते-पहुंचते लगा माहौल गरमाया हुआ है। आधी से ज्यादा बस मेरठ में खाली हो गई। धीरे-धीरे स्थिति और साफ हुई। यहां से होकर रथ यात्रा गुजरी है। साध्वीजी का कार्यक्रम संपन्न हुआ है। उनका जोशीला भाषण हवाओं में तैर रहा था और बार-बार इधर-उधर लोगों से टकराता, सुलगता-चिंगारी फेंक रहा था। वातावरण में ओज था। कुछ कर गुजरने की तमन्ना थी। बाहर से तो कुछ ऐसा नहीं था, लेकिन हवा चुगली खा रही थी, गंधा रही थी।

यह गंध धीरे-धीरे उनकी बस के भीतर बैठे यात्रियों को भी महसूस होने लगी। कुछ निर्विकार थे तो कुछ सुर में सुर मिला रहे थे तो, कुछ दबे-सहमे से थे। गर्दन झुक रही थी, लेकिन बार-बार सप्रयास गर्दन उठाकर नार्मल दिखने का प्रयास कर रहे थे।

डॉ. मेराज शांत बैठे थे। खिड़की के शीशों के पार देख रहे थे, मानो ध्यान में डूबे, दौड़ते दरख्तों, मकान और सड़क का कोई जरूरी अध्ययन कर रहे हों। अचानक गाड़ी शहर के बाहर चेकपोस्ट पर रुकी।

दो पुलिस के नौजवान राइफल लिए, बस में चढ़े। उनके पीछे एक हट्टा कट्टा नौजवान भी चढ़ा, जो वहीं पायदान पर खड़ा रह गया। उनकी जान में जान आई, कितना अच्छा हो अगर यह दोनों राइफलधारी बस में बैठ जाएं। अलीगढ़ तक चलें। तसल्ली रहेगी। राइफलधारी किसी की सीट टोहते, किसी का सामान। दो-एक मामूली लोगों के हाथ खड़ा करके तलाशी भी ली।

"दरोगाजी जल्दी करो।" नीचे खड़ा नौजवान चिल्लाया, "ठीक से देख लो। कोई पाकिस्तानी तो नहीं। कोई अली, वली।" और हँसा जोर से, जैसे कोई बहुत बड़ा मजाक किया हो।

मेराज सिहर उठे। अब ये सब भी देखना बचा है क्या किस्मत में, उन्होंने पुरजोर कोशिश की, निर्लिप्त बने रहने की, लेकिन शायद चेहरे की रंगत दिल का भेद खोल रही थी।

पायदान पर चढ़कर वह नौजवान अब बस के भीतर था। सामने बैठे मेराज पर उसकी नज़र पड़ी।

"ऐ दाढ़ी वाला, हिन्दुस्तानी या पाकिस्तानी।"

मेराज तड़पकर रह गए।

"क्या मतलब है इस बेहूदगी का। कौन पाकिस्तानी?"

"ऐ बच्चा लोगो, सब लोग अपना-अपना नाम बोलना, सच्ची-सच्ची।" वह ढीठ बस में सबके सामने हाथ लहराता हुआ बोला।

पुलिस वाले चुपचाप अपनी ड्यूटी करते रहे, गठरियां टटोलते रहे-सीट के नीचे झांक-झांककर देखते रहे, मानो उस शख्स की उपस्थिति से बेखबर हों।

मेराज ने पुलिस वालों के निर्विकार चेहरे पर नजर डाली तो सर्द हो गए।

"हां, तो अब जल्दी-जल्दी करने का और नाम बोलने का।"

मेराज की आंखों के आगे अंधेरा छाने लगा। कोई भी तो प्रतिवाद नहीं कर रहा था। उन्होंने पथरीली आंखों से देखा और फिर धीरे से बोले–

"मेराज कंवल।"

"काम?"

"पढ़ाता हूं।" और अपना कार्ड निकाल कर बढ़ा दिया।

"एम. कंवल, ओ हो मास्टर हैं, इसीलिए इतना टाइम खराब किया महाराज जी, और पीठ पर धपू मारता हुआ आगे बढ़ गया।

उनका चेहरा शर्म और अपमान से लाल पड़ गया। कनपटियां गर्म हो गईं, आंखों के आगे जैसे स्याह पर्दा खिंचा हो और इबारत गायब हों। दिल जोर-जोर से उछलता रहा और हौसला डूबता गया!

कब उस शख्स की गिनती खत्म हुई। कब बस आगे बढ़ी, उनकी याद्दाश्त से नदारद! यंत्रचालित से वे कब घर पहुंचे, उन्हें होश नहीं था।

रात के करीब दस बजे थे, जब वे दरवाजे पर जर्द और निचुड़ा चेहरा लिए खड़े थे। कुलसुम घबरा गईं, क्या हुआ अचानक? बीमार हो गए क्या?

"कुछ नहीं! थक गया हूं बहुत।" और बिस्तर पर पड़ गए। दिमाग अब भी चकरघिन्नी की तरह घूम रहा था। इतनी हतक, ऐसा अपमान, एक गुंडा मवाली कर जाए, उनकी जैसे जिंदगी की कमाई लुट गई हो। उनके कान के पर्दे भांय-भांय कर रहे थे। किसी गहरी गुफा से टकराकर आती आवाजें उनकी सांसों का पीछा कर रही थीं...ऐ दाढ़ी वाला, हिन्दुस्तानी या पाकिस्तानी, ऐ दाढ़ी वाला, हिन्दुस्तानी-पाकिस्तानी।

समय लगा डा. मेराज को सामान्य होने में। यूनिवर्सिटी जाने में भी डरने लगे। बार-बार कानों में आवाजें गूंजने लगतीं। जैसे कोई हँस रहा हो, ओ दढ़ियल मास्टर।

छुट्टी लेकर गांव चले गए मेराज। पांच-बीघा जमीन का मामला तय करना था। मियां फय्याज़ को भी पहुंचना था। फिर वहीं से चचा के साथ दरगाह चले गए। एक महीना वहीं बिता दिया, खुदा की बंदगी में। लौटे तो हुलिया ही बदला हुआ। खासी लंबी दाढ़ी लेकर और पांचों वक्त की नमाज़ के पाबंद होकर लौटे थे वह।

दोस्त अहबाब शुरू में जरा चौंके। होता है ऐसा अक्सर। लोगों ने पूछा। कुछ ने जानने के लिए कोंचा। स्टाफ रूप में, कैंपस में चर्चा होती रही। फिर सब सामान्य हो गया। मेराज भी सामान्य हो चले थे। अब सियासी माहौल के लिए तो कोई जिम्मेदार नहीं। कुर्सी की सियासत जो ठहरी, इसकी प्यास बुझती ही नहीं। जाने कितना खून पी चुकी है, लेकिन तसल्ली नहीं। फिर वह मनहूस छह दिसंबर आ टपका था। वही दिन थे, ठीक वही दिन थे जब मिसेज लीला गुप्ता पलायन कर गईं थीं और शाहिदा रोई थीं और मिसेज भारद्वाज रोज शाम को अपने घर में थाली बजाती थीं, जिसकी आवाज पूरे कैंपस में गूंजती थी।

लपटों से घिरे भयानक दिन थे वह। एक मस्जिद दूर अयोध्या में जमींदोज़ हुई थी। यहां हम सब बिखर रहे थे। हर सांस भारी थी। कब टूट जाए, पता नहीं। सब एक-दूसरे से डरे हुए थे। हम शर्म से मरे जा रहे थे। दूसरों की नजरों से घायल हो रहे थे। पलटवार की आशंका से मरे जा रहे थे। जिनकी आस्था टूटी थी, वे अंदर ही अंदर टूट रहे थे-बिखर रहे थे। आगे इससे भी कुछ और खतरनाक

होने की आशंका में थे। वे पल-पल मर रहे थे। हम लोग घर के भीतर मानो बातचीत करना भूल गए हों, फुसफुसाना सीख गए थे। पेड़, उन पर झूलते पत्ते, फूल, हवाएं, सब सहमे-सहमे हो गए थे, यहां तक कि सड़कों पर घूमने वाले आवारा कुत्ते भी इधर-उधर दुबके पड़े रहते। शहर कर्फ्यू में जकड़ा था, इसके बावजूद यदा-कदा फायरिंग की आवाजें सुनाई दे जातीं। अब यह बताना तो मुश्किल होता कि कौन सी फायरिंग किसने की है। फायरिंग करने वाला हिन्दू है या मुस्लिम या पुलिसिया फायरिंग है यह। रात को तो यह आलम होता कि शहर के बाहर भी अगर धांय-धांय हो रही हो तो लगता कि सब कुछ हमारे मुहल्ले-पड़ोस में ही हो रहा है।

और फिर। पड़ोस में भी हो ही गया था। कुछ नहीं, बहुत कुछ।

सवेरे-सवेरे एक दिन पूरा इलाका गोलियों से गूंज उठा। सभी लोग निकल-निकल कर भागे। ऊपर चढ़ गए छतों पर। कुछ खिड़कियों के पर्दे सरका कर नजर दौड़ाने लगे। कुछ बहादुर निकलकर बाहर सड़क पर आ गए। कुछ लोगों के पास अपनी राइफल और रिवाल्वर थीं। वे बाहर आ गईं। अब्दुल समद साहब ठहरे पुराने शिकारी। उनके शिकार के किस्से बहुत मशहूर थे, जिनमें कुछ सही भी हुआ करते थे। लोगों का कहना था कि वे बहुत अच्छे अफसानानिगार हैं, कोई हर्ज नहीं अगर वे अपनी शिकार गाथाओं के जरिये कुछ दिलचस्प किस्से बयां करते हैं। गो कि अब वे होंगे, पचहत्तर से ऊपर, फिर भी कांपते हाथों से बंदूक बगल में खड़ी कर वे ड्राइंग रूम के जाली के दरवाजे से झांक रहे थे। पंद्रह-बीस लोग सड़क पर भी निकल आए थे। यह कोई आम सड़क तो थी नहीं। कैंपस के भीतर कालोनी की सड़क थी। अपनी ही थी, डर नहीं था। फिर डर कर नहीं रहा जा सकता, कब तक डरेंगे? आम खयाल यही बन रहा था कि जरूर पीएसी है, फायरिंग कर रही है, मालूम है कि यहां हमारा इलाका है।

''पीएसी को तो बहाना चाहिए, ऐसे नहीं तो वैसे।''

तभी लोगों ने देखा महफ़ूज़ अलीशाह अपने घर से निकले। एक छोटा-मोटा चपटा सा डंडा लिए चले आ रहे थे।

''क्या लिए चले आ रहे हैं ये पगलैट। राइफल है क्या उनके हाथ में?''

''अरे नहीं, हॉकी का डंडा है।'' किसी ने कहा।

''यार, कुछ डंडे, रॉड वगैरह, एहतियातन तो रख ही लें हम भी।''

"हां, वक्त जरूरत काम तो आता ही है।"

इतने में वे पास आए तो देखा खोल में लिपटा हथियार। नहीं, वह हरा सा भूरा काला पड़ गया खोल था, जो कभी मखमली रहा होगा। अब तो सीधा-सपाट था और चीकट हो रहा था। उसके भीतर वह सौ साला पुरानी तलवार थी, जैसा कि वह कहा करते थे। इतने तनावपूर्ण माहौल में भी वहां सबको हँसी आ गई। एक कौतुक की चीज बन गया महफूज अली का वह हथियार। अपनी खिचड़ी दाढ़ी खुजाते हुए प्रो. शाहिद ने उनके कंधे पर हाथ रखकर थपथपाया, मानो आश्वस्त कर रहे हों–

"डा. शाह, हमने आपकी बातों का हमेशा यकीन किया है। सबूत दिखाने का यही मौका मिला आपको? अरे, फिर कभी आपके साथ एक प्याला चाय पिएंगे और आपकी यह खानदानी धरोहर भी देखेंगे।"

"मियां महफूज। यह ऐंटीक अभी है क्या तुम्हारे पास?"

महफूज अली और उनकी तलवार परिहास की वस्तु बन रही थी। एक ओर मन में समाया भय, निरी आशंकाएं, दूसरी ओर ये प्रहसन।

"मैंने कहा था इनसे चार साल पहले, आर्कियोलॉजिकल डिपार्टमेंट को दे दो। उनके म्यूजियम में रखी जाएगी यह। आखिर है न वाजिद अली शाह की तलवार।"

महफूज अली अपना सीधा संबंध अवध के नवाब वाजिद अली शाह से जोड़ते रहे हैं। यहां उर्दू विभाग में सीनियर पोजीशन में हैं। उनके बारे में कहा जाता है कि पढ़ाते कम हैं, अवध के नवाबों के किस्से ज्यादा सुनाते हैं।

दिसंबर के सर्द दिन। खद्दर का कुर्ता और पायजामे में महफूज अली। अधपके बाल बिखरे हुए। दो अलग-अलग किस्म के बाथरूम स्लीपर पैरों में। देखा तो सबने, लेकिन किसी ने नहीं टोका। उनके चेहरे पर हवाइयां उड़ रही थीं। पसीना आ रहा था।

"मियां महफूज, इतना परेशान होने की जरूरत नहीं। जो होगा देखा जाएगा। सब मिलकर मुकाबला करेंगे।"

"यार, मेरे यहां तो कोई हथियार भी नहीं है, इसी को बड़े बक्स से ढूंढ़कर लाया हूं, कमबख्त ऐसी चिपक गई है खोल से।"

"मियां, निकालो भी मत। इसके सहारे से चिपकी पड़ी है। वर्ना बिखरकर तुम्हारे हाथ में आ जाएगी। तुम तो यार, वैसे ही महफ़ूज़ हो, तुम्हें क्या डरना।"

इतने में दक्षिण भाग से जो रास्ता कैंपस की ओर आता है, उसमें शोर सुनाई दिया। एक रेला भागता हुआ उधर आया। पैरों की भदर-भदर की आवाज़ें, शोर-गुल, बीस-तीस नौजवान लड़के आगे थे और फिर, पीछे तो जैसे पूरी कायमपुर की बस्ती उमड़कर चली आ रही हो।

"कहां! कहां!! कहां जा रहे हो तुम लोग, हुआ क्या है?"

वहां खड़े, सभी लोग हक्का-बक्का। कुछ लोग भागे अपने घरों की ओर। आती हुई भीड़ से कुछ और पूछा जाता, कोई रोकता, टोकता, वे पहले ही चीखने लगे—

"गोली चल रही है गोली।"

"फायरिंग, फायरिंग, भुवनगढ़ी के लोग-फायरिंग कर रहे हैं।"

"हां-हां। पीछे से, पीछे से आए हैं-साहब सिंह ने कराई है ये फायरिंग, साहब सिंह ने।"

"वहां तो परसों भी कुछ झगड़ा हुआ था। पीएसी थी वहां पर तो।" किसी ने इत्तिला दी।

"पीएसी? पीएसी दंगा कराती है या दंगे से बचाती है। उसका काम देखना है, सिर्फ़ देखना। जरूरत के समय वह मुंह फेरकर खड़ी हो जाती है।"

"कल प्रॉक्टर आफिस से लेटर गया तो है कि यहां सीआरपीएफ भेजिए। वी डांट वांट पीएसी।"

"अल्लाह, कितनी भीड़ चली आ रही है।"

देखते ही देखते पूरा कैंपस कायमपुर के लोगों से भर गया। औरतें, बच्चे, बूढ़ें। नौजवान भी थे। सभी जैसे थे, वैसे ही उठ भागे। खाली हाथ। कुछ अपनी बकरियां हांककर साथ ले आए। पीछे-पीछे आने वाला मुन्नू खां तो अपनी दोनों भैंसे भी ले आया। कैंपस में उन दिनों प्रोफेसरों वाले टाइप-ए के क्वार्टर बन रहे थे। छतें पड़ चुकी थीं। इस बीच फसादात की वजह से काम बंद हो गया था। उन अधबने क्वार्टरों में कैसे हजार-पांच सौ लोग समाए होंगे, यह सोचना दूसरों का काम है। यह अलग बात है कि प्रोफेसरान के एक क्वार्टर में ऊपर-नीचे और सर्वेंट क्वार्टर मिलाकर कुल सात बड़े-बड़े कमरे, दो आंगन, तीन छतें और आगे पीछे दो विशालकाय लॉन हुआ करते है। ऐसे में जिसके जहां सींग समाए, वहीं सिर छिपा लिया।

शुरू-शुरू में कॉलोनी के टीचर्स प्रसन्न थे। ये लुटी-पिटी, झुग्गी-झोंपड़ी वाली बस्ती की जनता उनका मोटा रक्षा कवच जो बन रही थी। आवारा घूमते छोकरे-छोकरियां घरों में छोटे-छोटे काम के लिए तत्पर रहते। कामवालियां तो आ नहीं रही थीं। ऐसे में निरे अस्थायी सेवक-सेविकाएं काम करने के लिए मौजूद थे। दिनभर के दस-पांच रुपये दे दिए, इससे सस्ता सौदा और क्या होता। ऐसे संकट के दिनों में मुफ्त नौकर। इतनी बार दंगे हुए, लेकिन ऐसा आराम बीवियों को पहले नहीं मिला। फिर ये साहसी लड़के, गली-गली घूमघाम कर, बचते-बचाते, लाइन पार निकल जाते और दूध-सब्जी जैसी जरूरी चीजें ले आते।

इस भीड़ का बदबूदार पहलू तीन चार दिन बाद ही नजर आने लगा। सिर पर छत तो हो गई थी, लेकिन टट्टी-पेशाब के लिए कहां जाते। सबेरे के वक्त पूरी कॉलोनी में बिखरे, नालियों पर बैठे लोग। शायद यह कुछ आपसी समझौता था या सलाह-मशविरा कि एक ओर औरतें तो दूसरी ओर गेस्टहाउस के आगे मर्द। कॉलोनी के लोग तो शर्म से मर गए। पढ़ी-लिखी बीवियां। प्रोफेसरों की बिरादरी। कान्वेंट में पढ़ने वाले उनके बच्चे, क्या नजारा देखने को मिल रहा था। शर्म से नजरें नीची होतीं और कौतुक से फिर उठ जातीं।

हद है बेशर्मी की—बीवियों का बड़बड़ाना जारी था। तीन-चार दिन में ही शहर की सबसे पॉश कालोनी गंधाने लगी। भीषण बदबू। बगल में मेडिकल कॉलेज। उससे लगे हुए डॉक्टरों के क्वार्टर। यह शहर तो तबाह हो रहा है। कुछ मरे दंगे में और लग रहा था कि कुछ मरेंगे महामारी में। हैजा, टाइफाइड कुछ भी हो सकता है।

मुफ्त नौकर-नौकरानी पाने की खुशी उड़ती नजर आने लगी। मुन्नू खां की भैंसों के शुद्ध दूध का स्वाद फीका लगने लगा था। फिर सिर जोड़कर बैठना पड़ा।

सिवाय नसीर साहब के सभी की राय थी कि तुरंत यूनिवर्सिटी के वाइस चांसलर को कहा जाए कि डिस्ट्रिक्ट एडमिनिस्ट्रेशन से कहकर इन लोगों को वापस भेजा जाए। कायमपुर में सीआरपीएफ तैनात की जाए ताकि ये लोग वहां खुद को सुरक्षित समझ सकें। नसीर साहब तब्लीगी जमात से जुड़े रहे हैं। उन्होंने जरूर विरोध किया।

''क्या है जनाब। थोड़ा अपने सोफिस्टीकेशन पर काबू पाएं। मुसीबत के मारे लोग हैं। इन्हें हम पनाह भी नहीं दे सकते?''

''जरूर दे सकते हैं, लेकिन अब थोड़े दिन बाद ये ही लोग आपके घरों में चोरी-चकारी करने लगे तो कौन जिम्मेदारी लेगा?''

''मोर ओवर, होल अफेयर हैज बिकम सो अनहाइजेनिक। जहां-तहां बैठ जाते हैं ये। गंद फैला रहे हैं, इट्स हॉरिबल।'' प्रोफेसर फैज़ान गुस्से में जैसे बिलबिला रहे थे—''कोई कुछ नहीं करेगा, मैं लिखूंगा डिस्ट्रिक्ट एडमिनिस्ट्रेशन को, चीफ मिनिस्टर को।''

खैर, हफ्ते भर में हालात सामान्य होने लगे। कायमपुर के लोग भी धीरे-धीरे लौटने लगे। जिला प्रशासन विश्वविद्यालय के मसले सबसे पहले लेता है। हालांकि पूरा कैंपस और कॉलोनी सुरक्षित थी, इसके बावजूद सीआरपीएफ की एक टुकड़ी वहां तैनात रही।

तभी एक दिन कुलसुम का फोन आया।

''राधा बेन! बहुत बुरी खबर सुनाती आपको।'' वह रुआंसी हो रही थी।

मैं घबरा गई। ''फिर क्या मेराज साहब के साथ किस्मत ने कुछ मजाक किया है, बुरा हो उनके दुश्मनों का। अपनी सियासत में आदमी को आदमी नहीं रहने देते।''

''क्या हुआ कुलसुम बेन?''

''राधा बेन! सूरत से बड़ी ख़ाला का फोन, उनकी बड़ी बेटी, मेरी बेन, उसके ऊपर अटेक हुआ।''

''फिर!'' मुझे समझ नहीं आया कि मैं उसके साथ इस खबर को कैसे बाटूं। क्या यह मेरी शर्म बढ़ाने के लिए है या सचमुच मैं कुछ मदद कर सकती हूं।

''क्या बताऊं बेन, ऐसा हुआ कि...'' और फोन पर कुलसुम के सिसकने की आवाज, मैं परेशान हो उठी।

''मैं आ रही हूं कुलसुम, बैठकर बात करते हैं।''

दोपहर बाद मैं उसके घर पर थी। अजीब तनावपूर्ण माहौल था। जुहर की नमाज़ हो चुकी थी, लेकिन मेराज साहब के सिर पर टोपी अभी मौजूद थी। वे बरामदे में टहल रहे थे। अजीब हुलिया बना हुआ था उनका। खासी दाढ़ी पक आई थी, जो उनके चेहरे को ही नहीं, बल्कि पूरी शख्सियत को अजनबी बना रही थी। मुझे देखकर उन्होंने हमेशा की तरह झुककर आदाब किया,

लेकिन नजरें कहीं दूर टिकी थीं। उन्होंने मुझे देखने की ज़हमत नहीं की, मानो किसी गहरी सोच में हों।

ड्रांइग रूम के बाद आंगन से लगे बरामदे में जानमाज़ बिछी थी। कुलसुम बीवी सिर पर दुपट्टा लपेटे शायद नमाज के बाद कुछ पढ़ रही थी। मेरी आवाज सुनकर उसने आंखें बंद किए दुआ पूरी की। सामने खुली कुरान शरीफ़ को बंद किया। दोनों आंखों से लगाया और पास की तिपाई पर रख दिया। जानमाज़ लपेटकर उसे दीवार के सहारे रखा और उठ खड़ी हुई।

''आओ बेन, वह ड्रांइग रूम की ओर मुड़ी।''

''क्या हर्ज़ है, यहीं बैठ लेते हैं।'' मैंने बरामदे में रखी कुर्सियों की ओर इशारा किया।

''ठीक है।''

और अब हम आमने-सामने थे। कब उसके दोनों लड़के उसके दाएं-बाएं आकर खड़े हो गए, पता ही नहीं चला। शायद खुद उसने भी गौर नहीं किया। फिर ध्यान गया तो जैसे नींद से जागी हो, बोली–

''बेटे, आप लोगों ने ख़ाला को सलाम नहीं किया।''

कमर और जफ़र जैसे अजनबी हो चले थे। पहचान का, मुहल्ले-पड़ोस के रिश्ते का कोई निशान नहीं था उन दो जोड़ी आंखों में। एकदम सटकर खड़े थे दोनों अपनी मां से, मानो बॉडी गार्ड हों, बड़ी जिम्मेदारी पूरी कर रहे हों। कमर की शरारत, हर वक्त हँसी में मुंह खुला रहना, कहीं कुछ नहीं था। खामोश सख्त चेहरे थे। अचानक अपनी उम्र से बहुत बड़े हो गए थे वह।

इससे पहले कि कुलसुम मुझे कुछ बताती, कुछ सुनाती, उसने फिर बच्चों से कहा–

''जफ़र बेटा, आप अब्बू के पास जाओ। कमर आप भी।''

दोनों टस से मस नहीं हुए। अपनी बड़ी जिम्मेदारी का मानो उन्हें अहसास था। अम्मी को अकेला कैसे छोड़ देते। बहुत मुश्किल से वे अंदर गए।

कुलसुम ने जो बताया, उसका लुब्बे-लुबाब यह था कि उसकी ख़ाला की लड़की गायब हो गई है। मैं उसमें क्या कुछ मदद कर सकती हूं? इतनी बड़ी घटना! पूरा देश इस समय दंगों की आग में झुलस रहा है। गुजरात में वैसे ही बहुत बुरे हालात हैं। ऐसे में ख़ाला की लड़की गायब हो गई, एक हादसा।

कितनी आसानी से कह गई वह, जैसे किसी प्रार्थना का कोई सूत्र पढ़ दिया हो। गायब हो गई यानी कोई इश्क-मुश्क। घर छोड़ गई, बिना बताए यानी परिवार को अपमानित कर गई। बिरादरी में, आस-पड़ोस, मुहल्ले में बदनामी का कारण बन गई।

"नहीं, नहीं, वैसा मत समझिए। फ़साद में गायब हुई है। बदमाश उठा ले गए हैं, बेन। वहां तो बस जैसे मुर्दे पड़े हों, किससे विनती करें, कौन सुनता उधर।"

मेरी समझ में नहीं आया क्या करूं। सूरत में बुरी हालत है। भीषण दंगा हुआ है। दिसंबर से जो आग शुरू हुई, वह अब भी सुलग रही है। वह कैसे फंस गई! क्यों कर बाहर निकली, क्या मजबूरी थी।

"बेन! बीच में एक दिन दो घंटे के लिए कर्फ्यू खुला था। दूसरे दिन तीन घंटे तक खुला। उसकी दोस्त, विद्या पाटील, बहुत फास्ट फ्रेंड। दोनों गईं स्कूटर से। लाइब्रेरी से किताबें लाने। दोनों को आईएएस की परीक्षा में बैठना होता। सोचा जब तक कर्फ्यू, तब तक घर में स्टडी करने का। खाली टाइम खराब करके क्या करना। दोनों गई एक साथ स्कूटर में। बेन, मुश्किल से पंद्रह-बीस मिनट का रास्ता होयगा। बस। लौटते में हुआ सब, लोग बताते, इतना भीड़ था बेन! स्कूटर गिरा दिया टक्कर से और नसीम को खींचकर ले गए गाड़ी में, बेन।"

"किसी ने नंबर नहीं नोट किया।"

"क्या मालूम। किया होगा। कौन बोलेगा, नसीम के लिए कौन बोलेगा।"

"विद्या का क्या हुआ।"

"वह तो अस्पताल में होती। बहुत क्रिटीकल है। होश नहीं आया अभी, नसीम का तो पता ही नहीं, उसे मालूम करा दो बेन। कैसे भी, मेरी खाला तो रो-रोकर मर जाएगी। पूरी फेमिली तबाह हो जाएगी।"

"कैसे कुलसुम बेन! कैसे?" मैं अधीर हो रही थी। मेरा कलेजा जैसे मुंह को आकर गले में अटक गया हो।

"बेन, तुम्हारा कज़िन, लखनऊ में आई.जी. है न। उसको बोलो। पुलिस-पुलिस सब आपस में दोस्त। वो कह सकते सूरत की पुलिस को, स्टेट की आईजी पुलिस को कि हेल्प करो, तलाश करो नसीम को।"

ओह! कभी मैंने जिक्र किया होगा विमल भाई का। कुलसुम को याद है बात!

"कुलसुम बेन। मैं जरूर कहूंगी। आज ही फोन करूंगी, लेकिन एक बात समझ नहीं आती, नसीम की फ्रेंड जो साथ थी, उसने नहीं बताया कुछ, वो कैसे बची, नसीम क्यों नहीं बच पाई।"

"जरूर कोई पहचान के लोगों ने हमला किया होगा। विद्या को तो छोड़ देते, उन्हें तो नसीम को ही उठाना था न! विद्या की बहुत हालत खराब है, होश नहीं आया उसे, वह कैसे बोलेगी।"

मैं सहमे हुए मन और भारी कदमों से लौट आई। मैंने विमल को रात में ही फोन किया। तीन दिन बाद फिर किया। उसे याद ही नहीं था कि मैंने क्या काम कहा था।

"आर यू रियली सीरियस, राधा!"

"आ'म वेरी मच सीरियस विमल। प्लीज कुछ हो सकता है तो करो, फोन करके देखो न वहां!"

फिर तीन दिन बाद मैंने फोन किया।

"मैं कोशिश कर रहा हूं।" उसने कहा और अंत में उसने स्वीकार कर ही लिया–

"अब कुछ नहीं हो सकता! जब ऊपर से नीचे तक सभी पागल हो रहे हों, वहां कोई होश वाला मिलेगा? यह बहुत खराब समय है राधा, आ'म सॉरी।"

रोज जब कुलसुम का फोन आता, मैं तसल्ली देती उसे।

"विमल देख रहा है।"

"विमल ने फोन किया है। हां सूरत के एसएसपी से, डीआईजी से, हां-हां आई.जी. से रिक्वेस्ट किया है।"

मैं तसल्ली ही दे सकती थी।

जिस दिन विमल ने आखिरी फोन किया, वह खुद भी निराश था। मैं कुलसुम को तसल्ली नहीं दे सकती थी। मैं उसके घर गई, वह अकेली थी।

"विद्या को होश आया, कुछ बताया उसने?"

"उसका तो कल सवेरे डेथ हो गया बेन, नसीम का भी डेथ हो जाता तो अच्छा था। सबके सामने मर जाती। पीछे उसका क्या हुआ होयगा, राधा बेन! जवान लड़की, कल आईएएस बनती, बड़ा अफसर बनती, सब खतम हो गया, तबाह हो गया सब।"

मैं और कुलसुम गले लगकर खूब रोए। कुलसुम नसीम के लिए रो रही थी। ख़ाला के लिए, अपने ख़ालू के लिए, अपने भाई के लिए रो रही थी, वह विद्या के लिए भी रो रही थी। मेरी आंखों से क्यों आंसू निकल रहे थे? मैं तो किसी को नहीं जानती, शायद मैं कुलसुम के लिए आंसू बहा रही थी, उन हालात के लिए जो कितनों को भीतर ही भीतर अपाहिज बना रहे थे। हमारे दोस्त-अहबाब हमसे छीन रहे थे। उन्हें अजनबी बना रहे थे, मेरी गर्दन झुकी हुई थी, जब मैं वहां से लौटी।

कुलसुम के संसार की तबाही तो शायद अब शुरू हुई थी।

हालात सामान्य हो चले थे, लेकिन असामान्य घटनाएं अब दिखाई देने लगी थीं। यूं कहा जाए तो दुनिया पहले की तरह चल निकली। सीआरपीएफ कब का हट गई। कॉलोनी में अध्यापकों के ग्रुप ने रात में गश्त लगाना बंद कर दिया था। अब हमारे घर पर या भारद्वाज या संग्राम सिंह के घर पर लोगों ने अड्डा लगाना बंद कर दिया था। मिसेज भारद्वाज थाली बजाने का कार्यक्रम बहुत पहले स्थगित कर चुकी थीं। उन कठिन दिनों में हम जैसे चार-पांच घरों पर हर वक्त लोग जमे रहते थे। गप्पबाजी, हँसी-मजाक, यह एक तरह से पहरा होता। लीला गुप्ता और डॉ. गुप्ता के बाद अब कोई परिवार यहां से न जाए, ऐसी सबकी कोशिशें थीं। यह यूनिवर्सिटी के पूरे शिक्षक समुदाय पर धब्बा होगा कि अपने कुछ साथियों की सुरक्षा नहीं कर सके। कुछ ने कहा कि फिर हम किस मुंह से मुल्क के और कोनों में अपनी हिफ़ाजत की बात करेंगे। इसके अलावा जो कहा नहीं गया, लेकिन कुछ का ख्याल था कि अगर अपनी हिफ़ाजत चाहते हो तो इन गैर मुस्लिम परिवारों की हिफ़ाजत बहुत जरूरी है। अगर किसी को खरोंच भी लगी तो पूरे मुल्क में यह खबर बनेगी। हम हजारों की तादाद में मर जाएं, लोगों के कान में जूं नहीं रेंगती, लेकिन खबरदार इनमें किसी का बाल भी न टूटे, वर्ना एक और तबाही को हम दावत देंगे।

कॉलोनी में उन्हीं दिनों एक अजीब बात शुरू हुई। एकाएक सड़कों पर घूमने वाले आवारा कुत्ते मरने लगे। पहले दिन सड़क के दो कुत्ते मरे हुए नज़र आए। दो एक दिन बाद चार कुत्ते और मरे दिखाई दिए। और तो और सुल्ताना बेगम का डल्मेशियन जैक भी नाली के किनारे मरा हुआ पड़ा मिला।

सुल्ताना बेगम वीमेंस कालेज में उर्दू की सीनियर रीडर! उनके पति महमूद अली पिछले चार सालों से रियाद में हैं। मेडिकल कालेज से दो साल की छुट्टी लेकर सऊदी अरब चले गए थे। फिर लौटने का मन नहीं हुआ। इतना पैसा, हर साल कम से कम आठ-दस लाख की बचत। दौलत जैसे बरस रही हो, लौटने का समय आया तो लगा पैरों में बेड़ियां डाल दी हैं किसी ने।

''आन, न औलाद, तिस पर इतना लालच।'' सुल्ताना बेगम ने सिर पीट लिया। मियां ने बहुत कहा, ''तुम भी यहीं आ जाओ। जितनी तनख्वाह तुम्हें वहां मिल रही है, उतना तो यहां जूनियर टेक्नीशियन भी कमा लेगा। फिर क्या धरा है वहां! रोज फसाद। रोज दंगे। हर वक्त जान सांसत में, अपने ही मुल्क में परदेसी। अरे यहां परदेस में कोई परदेसी कहेगा तो क्या है।''

सुल्ताना बेगम को कोई भी तर्क नहीं बहला सका।

''आप वहां रहिए। मैं यहीं भली हूं।'' और फिर मन को तसल्ली दी, ''अरे। अकेले ही दुनिया में आए हैं, अकेले ही जाएंगे। चार दिन की जिंदगी, कुछ कट गई, कुछ काट लेंगे। जैक और डॉली सलामत रहें, मैं कहां अकेली?''

सुल्ताना बेगम ने जब महमूद का रवैया देखा, उनके दिमाग की इबारत पढ़ी तो अकेले रहने की तैयारी कर ली। अगर नहीं आना है महमूद को तो क्या किया जाए। अब जान थोड़े देनी है। डल्मेशियन जोड़ा जैक और डॉली उन्हें व्यस्त रखने के लिए काफी थे।

लेकिन जैक कहां सलामत रहा। जैक के मरने पर कॉलोनी में खासा हंगामा हो गया। रहस्य बन गया कुत्तों का मरना। किसी ने कहा, ''यह किसी शातिर चोरों के गिरोह की कारस्तानी है। कुत्ते मर जाएं तो उन्हें यहां आने में आसानी होगी।''

''अरे नहीं। वो कायमपुर के निरे लोग यहां भर गए थे न। उनकी आधी आबादी तो क्रिमिनल है भाई साहब। घर देख गए हैं वो, अब रास्ता बना रहे हैं।''

''मुझे तो लगता है यह शहर की केसरिया पलटन की साजिश है।'' किसी ने दूर की कौड़ी फेंकी।

''अमां! बीच शहर से यहां तक कम से कम पांच-सात किलोमीटर का फ़ासला है। इतना रास्ता तय करके फौज की पलटन जाती है या पुलिस पिकेट! इतनी दूर दूसरे अनजान इलाके में घुसकर ऐसी साजिशें नहीं होतीं।''

ये कयास जारी थे कि एक दिन रज़ा इमाम ने रहस्य खोज ही लिया।

तड़के सवेरे पांच बजे। उन्हें अपने कज़िन को लेने स्टेशन जाना था। वो जल्दी-जल्दी रिक्शे की तलाश में कदम बढ़ाते जा रहे थे। मेन रोड के बाईं ओर ट्यूबवैल के पास कोई खड़ा था। ट्रैक सूट में। यूनिवर्सिटी में खिलाड़ी लड़के अक्सर दौड़ लगाने इस कालौनी में निकल आते हैं, यह कोई नई बात नहीं।

फिर भी नज़र चली गई। सोचा, देख ही लूं-कौन है। अकेले-दुकेले ऐसे सुनसान में न निकला करे। अपने दोस्तों के साथ दौड़ लगाए, यह तो कह दूं, बड़े होने के नाते मेरा फ़र्ज है समझाना।

वहां जाकर देखा। वह जफ़र था। मेराज कंवल का बड़ा बेटा।

"अरे बेटे तुम?"

"सलामवालेकुम अंकल।"

"वालेकुमअस्सलाम बेटे। इतनी सवेरे?"

"जी अंकल, अंकल मैं स्पोर्ट्स ग्राउंड जा रहा हूं, प्रैक्टिस कर रहा हूं।"

रज़ा इमाम ने स्पष्ट देखा कि वहां कॉलोनी के बचे-खुचे तीन-चार कुत्ते उसकी ओर लपक रहे थे और वह उन्हें रोटी खिला रहा था।

शाम होते-होते पता चला कि एक ट्यूबवैल के पास और दो कुत्ते अधबने क्वार्टरों के पास फिर मरे हुए थे। न जाने क्या रेंगा उनके दिमाग में, वे देखने चले गए।

उनका दिल धक् से रह गया। एक तो वही काला-सफेद कुत्ता था, जिसको सब हाफ़ कहा करते थे। उस कुत्ते को देखकर ऐसा लगता जैसे उसके शरीर पर लाइन खिंची हो। एक ओर काला और दूसरी ओर सफेद।

तो क्या, जफ़र, अरे नहीं। वो तो बहुत सीधा लड़का है।

वे चुप रहे! क्या कहें। मेराज खुद दया के पात्र बने जा रहे थे। बीवी वैसे परेशान। ये सब कहकर उनकी परेशानियां और बढ़ाना होता।

एक दिन जफ़र ही मिल गया रास्ते में। उन्होंने बहुत जब्त किया, लेकिन फिर सोचा, एक बार कहने में हर्ज क्या है—

"बेटे! आपको कुत्तों से कुछ ज्यादा नफ़रत हो गई है? देखिए, सारे कुत्ते मर गए, कोई अजनबी आ जाए कॉलोनी में, वे सबको खबर पहुंचा देते थे, है न! हिफाजत करते थे कालोनी की।"

“जी अंकल!” वह सिर झुकाए खामोश बना रहा।

“और आपने एक कुत्ते को स्पाइक करके मार दिया। आपके घर के नीचे सो रहा था। वो भाला कहां से ले आए थे आप।”

“न, नहीं, नहीं अंकल...”

“हां, शफी साहब आपके पड़ोसी हैं न! उन्होंने देखा आपको। हाउ वन कैन बी सो क्रूअल।”

“अंकल!” वह कसमसाया और ढिठाई से चल दिया जैसे उसे आगे कुछ नहीं सुनना हो।

एक हफ्ते बाद रज़ा इमाम आए। खासे परेशान हाल।

“बहुत खतरनाक खबर है भाई, हमारे मुहल्ले के लड़कों को क्या हो गया है? रोज इकट्ठा होकर जाने क्या मीटिंग करते रहते हैं?”

“जवान लड़के हैं रज़ा इमाम साहब! अब हमारे-आपके साथ बैठकर थोड़ी बतियाएंगे?”

“नहीं भाई! बात इतनी सीधी नहीं है। देयर इज समथिंग सीरियस! हमें इन लड़कों की ओर ध्यान देना चाहिए, इन्हें कुछ क्रिएटिव काम में लगाओ, वर्ना तबाह हो जाएंगे ये बच्चे।”

कुछ दिनों बाद रज़ा इमाम ‘लिटरेरी एंड कल्चरल सोसाइटी फॉर यूथ’ का आइडिया लेकर आए। कॉलोनी के नौजवान लड़कों से बातचीत करने के लिए उन्होंने दस-बारह लड़कों को अपने घर चाय पर बुलाया।

रज़ा इमाम ने उनके सामने पूरा आइडिया रखा। कुछ कार्यक्रम सुझाए। शुरुआत म्यूज़िकल इवनिंग से करने का सुझाव रखा।

“नो अंकल! हमारे इस्लाम में ये नाच-गाने वाला कल्चर हराम है, गुनाह है।” और जफ़र उठकर चल दिया।

मीटिंग में सन्नाटा खिंच गया। आगे की बातचीत महज औपचारिकता रह गई। आखिरकार पूरी योजना ही समाप्त हो गई।

बहुत मेहनत की मेराज और कुलसुम ने जफ़र को पटरी पर लाने के लिए। पढ़ने में तेज तो था। दसवीं पास कर ली तो उसे दिल्ली भेज दिया। पब्लिक स्कूल में दाखिला मिल गया था। हॉस्टल में रहेगा। सब तरह के लड़कों के साथ

मिलेगा-जुलेगा। साथ उठना-बैठना होगा। एक-सा खानपीन होगा तो निकलेगा इस फितूर से। कैरियर बन जाए, फिर यहां रहे या किसी कोने में। सात समुंदर पार विलायत चला जाए, बस महफूज़ रहे। ठीक रहे। सलामत रहे।

सचमुच काया पलट हो गया उसका। डीपीएस से दिल्ली आई.आई.टी. और फिर इंजीनियर बनकर निकला जफ़र। छह फुटा, गोरा जवान। चमकता माथा। लंबी नाक। फड़फड़ाते, बोलने को तत्पर दिखते होंठ, ठोड़ी पर थोड़ी सी दाढ़ी, सपने भरे हुए, सोच में डूबी आंखें।

सबसे आश्चर्यजनक तो यह कि इस होनहार इंजीनियर ने बाहर जाना गवारा नहीं किया। प्राइवेट कंपनी, विदेशी कंपनी, अमेरिका, जर्मनी, आठ लाख-दस लाख का सालाना पैकेज, नहीं! कुछ भी नहीं।

आज के जमाने में कौन सरकारी नौकरी में जाता है? पता चला कि यूपीएससी से चयनित हो गया है वह! पहली पोस्टिंग मिली पहाड़ों में। चमोली के पास बन रहे हाइड्रोइलैक्ट्रिक पावर प्रोजेक्ट में असिस्टेंट इंजीनियर।

क्या सचमुच किस्मत जैसी कोई चीज होती है? क्या सितारों का खेल किसी की जिंदगी को ऐसे ही तबाह करता है जैसे कुलसुम बेन के साथ हुआ। क्या सचमुच कहीं स्वर्ग और नरक होता है!

नहीं! जो कुछ है यहीं है। इसी धरती पर है। कुछ अपना किया भुगतते हैं तो कुछ को दूसरों का किया भी भुगतना पड़ता है। ये समाज! हमारे आसपास के लोग! हमारा समय। हमारा इतिहास, ये ही सितारे हैं। यही हमारा वर्तमान बनाते हैं और यही भविष्य निश्चित करते हैं। कभी ये हमारे बस में होते हैं तो कभी हमें बेबस कर देते हैं। तब हमारी एक नहीं चलती है।

छह महीने बाद जफ़र को आना था। ईद का मौका था। दस दिन की छुट्टी लेकर आ रहा था।

लेकिन वह कभी घर नहीं पहुंचा। घरवाले इंतजार ही करते रहे। आंखें पथरा गईं। दिमाग शून्य हो गया, कहां गया जफ़र। धरती निगल गई? आसमान खा गया? हवाएं ले उड़ीं?

बहुत खोजा। पता चला चमोली से तो वह चल दिया था। सरकारी जीप काठगोदाम छोड़ गई थी।

मुरादाबाद तक तो आया था।

वहां पीसीओ से अम्मी को फोन भी किया था, बस वही उसका अंतिम स्वर था। कहीं कोई दुर्घटना होती, एक्सीडेंट होता, लाश तो मिलती। कोई निशान तो होता!

अब जितने मुंह, उतनी बातें।

किसी ने कहा, विदेश भाग गया। यहां कुछ चक्कर था। किसी ने तुक्का मारा, किसी लड़की के इश्क में पड़ गया था। ले उड़ा होगा उसे, ईरान-तूरान।

कुलसुम बेन को अर्से बाद आज देखा है। चादर लपेटे कोने में नमाज पढ़ते देखा तो था मैंने, लेकिन पहचान नहीं पाई।

मुंह में आते-आते रह गया—जफ़र का पता चला कुछ बेन, लेकिन होंठों पर ही बात रोक ली और रास्ता बदल दिया।

"हाय! कुलसुम बेन! कितने दिनों बाद, कितने दिनों बाद!!"

"हां राधा बेन।" गले से लग गई कुलसुम! "बस जिंदा हैं। दुआ करो आप।" सिर पर लपेटी चादर को ठीक करने लगी वह।

उस बरस तरबूज ख़ूब फला

उस बरस कुलसुम बेन का आठवीं में पढ़ने वाला जफ़र ही नहीं पगलाया। ज़मीन तो ज़मीन, पागलपन के काले बादलों ने जैसे पूरा आसमान ही छेक लिया था, और फिर बादल ऐसा बरसे कि जन-जंगल और ज़मीन सब लथपथ हो रिसते रहे। पूरा इतिहास दलदल बनकर धसकने लगा था।

दलदल! यह मत पूछिए कहां, कौन सा दलदल! आप कहेंगे कि शहर में, पक्की सीमेंट की सड़कों के बीच कच्चा मैदान तो हो सकता है, लेकिन दलदल? अब संभव न हो तो भी सोचने में क्या हर्ज है। कल्पना के गिद्धों ने अपने पंजों से उकेर दिया जनमानस की छाती पर एक विशालकाय दलदल! उसी पर आगे काम होना था। इतिहास लिखा जाना था।

नामचीन भव्य मेडिकल कॉलेज! विशाल इमारत कई खंडों में बंटी हुई। चारों ओर घास के मैदान। सभी रास्तों पर ऊंचे छायादार दरख्त। इमारत के हर खंड के सामने अच्छे रखरखाव वाले लॉन। क्या कीजे, हवाओं ने भी कैसी साजिश रची! सब एक स्वर में बोलने लगे। बाउंड्री के किनारे लगे यूक्लिप्टस के पेड़ों की पत्तियां जोर-जोर से हिलने लगीं और गूंजने लगा, "कॉलेज के पिछवाड़े दलदल

है। भयानक दलदल। वहां दफ़्न हो रही हैं जिंदगियां।'' दलदल बनाया अखबारों ने और अखबारों में खबर देने वालों ने...उसमें न सिर्फ सिर से पैर तक अलीगढ़ धंस गया, बल्कि पूरे मुल्क की आत्मा भी लथपथ हो गई। लोग कहते हैं झूठके पांव नहीं होते, आज हाइटेक सूचना क्रांति का ज़माना है। अब अफवाहों के न सिर्फ पंख होते हैं, बल्कि जेट की रफ्तार से सूचनाएं ब्रह्मांड में फैलती हैं। दो घंटे के भीतर पूरी दुनिया में गणेश दूध पीने लगते हैं। घोर अवैज्ञानिक घटना का घोर वैज्ञानिक प्रचार। ये है विरोधाभासों की दुनिया।

मेडिकल कॉलेज का प्रशासन चीख-चीखकर कहता रहा, ''आओ देखो! पूरा शहर आओ, हर गली-कूचा आओ यहां। देखो आकर। अपना मरीज देखो। डॉक्टर, नर्स, वार्डब्वाय, जमादार, स्टाफ सब देखो। क्यों मरीजों के साथ मज़ाक करते हो। क्यों खिलवाड़ करते हो इन बीमार शरीरों के साथ।''

मेडिकल कॉलेज की दीवारें जड़ खड़ी रिरिया रही थीं, ''मेरे यार, तुम सब तो यहां हमेशा से आते रहे हो, कितनी बार तुम गुजरे हो मेरे पास से। यहां बाहर लॉन में बिताए हैं प्रतीक्षा के पल, अपने मरीजों के साथ। मरीज के सहोदरों के साथ, कहां है दलदल! कहां, कहां? यह किला नहीं है मेरे भाई। ये जीवन देता है, जिंदगी संवारता है।''

जब आग लगी हो जंगल में तो किसी को रास्ता दिखाई नहीं देता। जिधर हवा बहाए, उधर ही भागते नजर आते हैं सब। हवा उलट गई तो उल्टे ही दौड़ पड़ेंगे और लपटों में कूद जाएंगे, जंगल के साथ-साथ खुद भी नष्ट हो जाएंगे।

तोहमत के ऐसे धब्बे पड़े कि डाक्टरों के सफेद लिबास शर्मसार हो गए!

उनके सिर झुके हुए थे। अस्पताल जंग का मैदान नहीं होता। यहां इन्सानियत के उसूल होते हैं। उनके लरजते होंठ बुदबुदा रहे थे, ''हम वचनबद्ध हैं अपने पेशे से। हम मरीज की जात नहीं पूछते। उसका धर्म नहीं बूझते। यहां सिर्फ एक रिश्ता है। डॉक्टर और मरीज का। सिर्फ दो इन्सान और एक रिश्ता।''

टी.वी. के पर्दे पर एक भगवाधारी नेता आंख मूंदकर बयान दे रहे थे—

''वह मेडिकल कालेज नहीं, कत्लगाह है वह। वहां हमारे मरीज सुरक्षित नहीं हैं।''

''हमारे मतलब?''

''हमारे समुदाय के मरीज। उन्हें मार डाला गया है!''

''यह तो नरसंहार हुआ-जीनोसाइड।''

“हां? नरसंहार हो रहा है। दलदल पट गया है लाशों से।”

“दलदल! कहां है दलदल!!”

“आपको नहीं मालूम! जाकर देखिए, मेडिकल कॉलेज के पीछे बड़ा दलदल है। लाशों से पटा हुआ है।”

“कितनी लाशें होंगी वहां?”

“होंगी करीब सत्तर-पिचहत्तर!”

“आर यू श्योर, अबाउट द नंबर?”

“हां! पिचहत्तर नहीं तो सत्तर-बहत्तर हो सकती हैं!”

“इतनी बड़ी संख्या, क्या वहां गया कोई? किसी ने जाकर देखा?”

जवाब नहीं था। बाबा मौन हो चुके थे, दृश्य फ्रीज हो गया था।

उस बरस इस शहर में, तरबूजों की खेती भी भरपूर हुई। गर्मी के दिन थे। पता नहीं आम-खरबूजे लोगों को मिले कि नहीं, तरबूज भरपूर मिले होंगे खाने के लिए।

अब क्या कहूं! उस बरस ऐसी सौगात मिली कि आज भी अगर तरबूज काटो तो वही हादसा याद आता है और मैं तरबूज किनारे रख देती हूं। बच्चों के बीच कभी चर्चा नहीं की इस बात की, वर्ना वे भी इस नायाब फल से किनारा कर लेते। इतना रंगीन फल, बदरंग हो गया है। रंगों का जीवन से कितना गहरा ताल्लुक होता है। हर जगह तो रंग बिखरे हैं। स्पंदित करते हैं जीवन को, लेकिन साजिशें भी झेलते हैं रंग, किसी का जीवन उजाड़ना हो, उसे रंगों से महरूम कर दीजिए। छीन लीजिए उससे आसमान के सतरंगी इंद्रधनुष।

मेरी एक ताई थीं। बेवा हो गई थीं छोटी उम्र में। उनके खाने-पीने के मामले में बहुत टंटाखोरी थी। वे क्या खाती हैं, क्या नहीं खातीं, बाकायदा जैसे लिस्ट बनी हुई थी। मसलन जब ताई हमारे यहां होतीं तो मसूर की दाल नहीं बनती। टमाटर का रसोई में प्रवेश वर्जित हो जाता। लहसुन, प्याज तो पहले ही कोने में डाल दिए जाते। चलो, लहसुन-प्याज तो एक जमाने में बहुत से घरों में नहीं खाया जाता था। हालांकि यह प्रतिबंध पुरुषों की जमात के लिए नहीं था। औरतों को ओढ़ाई जाने वाली ये खास चादरें थीं। खाने-पीने का निषेध औरतों के लिए ही तो रहता था। मर्द का छुट्टापन तो सहज स्वीकार्य है, चाहे धार्मिकता के मसले हों या सामाजिक नियमों के। पुरुष समूह मांसाहारी हो सकता है, लेकिन स्त्रियां।

वे कैसे मांसाहारी होंगी। उन पर इसका प्रतिबंध होना लाजमी था। कहते हैं कि मांसाहार ताकत देता है, गर्मी देता है, पुष्ट बनाता है। ताकत, गर्मी, पुष्ट स्वास्थ्य, स्त्रियों के लिए वर्जित होना ही हुआ। आखिर कहां ले जाएंगी वह इतना स्वस्थ शरीर! घर के अंदर रहो। सादा सात्विक भोजन लो। भोजन लो या न लो। व्रत-उपवास करो, अपना और परिवारीजनों का लोक-परलोक संवारो। भोजन और खानपीन की हमारी परंपरा बड़ी सूझबूझ के साथ बनाई गई है, स्त्री भोजन और पुरुष भोजन। दो अलग दुनिया के वासी। दो अलग सूचियां।

इसी स्त्री भोजन में एक नए आयाम से परिचय हुआ था ताई के जरिये। उनका परिवार में आना और परिवार के रस्मो रिवाज में बदलाव होना। तभी इस भारतीय भोजन परंपरा में स्त्री के स्थान का ज्ञान हुआ।

अब कौन दो तरह के भोजन बनाता। ताई हैं, इसलिए मसूर की दाल कैसे बनेगी। ताई हैं, इसलिए सब्जी में टमाटर नहीं पड़ेगा। बहुत पूछा सबसे कि ऐसा क्यों, लेकिन जवाब नहीं मिला। सिवा इसके, ''बेटा वे ऐसा ही खाना खाती हैं।''

''ऐसा खाना क्यों खाती हैं ताई?''

''वे विधवा हैं न इसीलिए।''

''विधवा कैसे होते हैं?''

''ताऊजी नहीं रहे न!''

''ताऊजी कैसे नहीं रहे?''

''वो बीमार हो गए थे, ठीक नहीं हुए।''

''फिर ताई ने क्या किया?''

''वो क्या करेंगी। अरे उन्हें जो सेवा करनी थी, करी। बाकी तो डाक्टर ही करेगा।''

''फिर ताई क्यों नहीं खातीं ये सब!''

''वो खातीं न खातीं, तू हमारा दिमाग मत खा।'' सचमुच मेरी खोपड़ी में यह बात घुस नहीं रही थी कि ताऊजी के न रहने में उनका मसूर की दाल, टमाटर आदि से क्या बैर हो गया।

ताई से पूछा, तो उन्होंने भी सहज रूप से यही कहा–

''बेटा-ईश्वर नहीं चाहता कि मैं यह सब चीजें खाऊं।''

"आपको पसंद नहीं है यह सब खाना?"

"पसंद-नापसंद क्या होता है बिटिया। शरीर को जिंदा रखना है, जब तक चले।" और उन्होंने ऊपर को देखकर हाथ जोड़ दिए, "जाहि विधि रखिये राम ताहि विधि रहना होय।"

आखिर अम्मा ने ही कुछ थोड़ा बहुत खुलासा किया।

"मसूर की दाल लाल होती है। होती है कि नहीं।"

"होती है। टमाटर भी लाल होता है। है न! इसीलिए नहीं खातीं।"

"फिर तो ताई तरबूज भी नहीं खा सकतीं।"

"लो! और पूछो! तरबूज कैसे खा लेंगी। लाल-लाल खून जैसा।"

मुझे बहुत दिनों तक यही सोच बनी रही कि ताई अब तरबूज नहीं खा सकेंगी, लेकिन उन्हें कौन देख रहा है। अरे खा लें चुपके से। मैं देकर आऊंगी। वह कह रही थीं कि उन्हें तरबूज बहुत पसंद था। बचपन में वह बहुत खाती थीं। मीठा-रसीला और बताते हुए उनकी आंखें चमकने लगी थीं।

इतने बरसों बाद फिर वही तरबूज का किस्सा। बात उठी है तो कहनी ही पड़ेगी। लाल तरबूज उस बरस हमारे शहर में खूब फूला-फला। खूब खाया गया। बिखेरा गया, रौंदा गया। आदमी का खून और तरबूज एक हो गए। समरसता इसी को कहते हैं। आदमी और प्रकृति, एक रूप! हमारे दर्शन शास्त्र में विस्तृत व्याख्या की है विद्वानों ने।

दलदल और तरबूज! दो बिल्कुल अलग स्वभाव की चीजें, कैसी गड्ड-मड्ड हो रही है जेहन में। यह समय ही ऐसा है। जिन्हें आपस में मिलना चाहिए, मसलन इन्सान-इन्सान को, वे एक-दूसरे से दूर होते जा रहे हैं। जिनका एक-दूसरे से कोई लेना-देना नहीं, वे गलबहियां डाले आपस में मिलकर एकरस हो रहे हैं।

मेडिकल कालेज फैंटेसी बन गया है। आज के जमाने के फैंटम जैसी गाथा का खलनायक, लेकिन यह फैंटेसी बहुत खतरनाक साबित हुई। कभी-कभी ताज्जुब होता है कि लोग आमतौर पर असंभव लगने वाले किस्सों पर कितनी आसानी से विश्वास करने लगते हैं। यह ठीक वैसा ही है कि सपने में देखी किसी कहानी पर भरोसा कर बैठना। उसे सच्चा समझ लेना और उस पर पूरा यकीन ले आना। ठीक वैसा ही कि गांव के अनपढ़ों को जाहिल-धूर्त विश्वास दिला देता है कि फलां के भीतर आत्मा है कि फलां डायन है कि प्रेतनी है। ऐसी डायन, ऐसी प्रेतनी, जो किसी की भी जान ले ले, लेकिन खुद मजबूर हो। अपनी खुद

की रक्षा भी न कर सके। यह ठीक वैसा ही है कि किसी अपने निकटतम के लिए भी विश्वास कर बैठना कि इसके अंदर बुरी आत्मा घर कर गई है और यह सोचते-सोचते उसका सिर धड़ से अलग कर देना। बुरी आत्मा निकल गई। शरीर शुद्ध हो गया। अब शरीर के दो टुकड़े हो गए, उसमें कत्ल करने वाले का क्या कसूर? फिर शरीर चोला है। वस्त्र है। फट गया, दूसरा धारण कर लो, अध्यात्म और दर्शन जाहिल और पढ़े-लिखे का भेद मिटा देता है। सब एक ही सुर में गाने-झूमने लगते हैं।

अचानक यह प्रसंग यूं ही नहीं आ गया। दरअसल पिछले दिनों रिश्ते की मेरी एक जीजी अलीगढ़ आईं थीं। बेटे को यहां इसी मेडिकल कालेज में दाखिला दिलाना था।

"अरे जवान बेटा है। डाक्टर बनने जा रहा है। अम्मा का पल्लू पकड़कर चलेगा?" मैंने हँसते हुए उसे छेड़ा।

"नहीं मौसी! मैंने तो कहा था कि मैं अकेला चला जाऊंगा। मम्मी मानी नहीं। बोली मैं चलती हूं तेरे साथ।"

"अरे राधा! इसी बहाने तुम्हारे साथ दो-एक दिन रह लूंगी। मैं तो इन दिनों बहुत परेशान हूं, दिमाग खराब हो रहा है मेरा। सोच रही थी कि कहां निकल भागूं। इसीलिए चली आई इसके साथ। चेंज, फॉर अ चेंज।"

"यह तो अच्छा किया तुमने, लेकिन हुआ क्या जीजी! क्या जीजाजी से फिर कोई झगड़ा, मैंने परिहास में कहा। जवाब दिया जीजी के बेटे ने।

"मौसी, हमारे जो पड़ोसी हैं मेहता साहब, उनके घर में एक अजीब किस्सा हुआ है, मम्मी तब से बहुत डिस्टर्ब हैं, डिस्टर्ब तो वैसे सभी हैं।

"राधा, मेरी आंखों में बस लाली भाभी की शक्ल घूमती है।"

"कौन लाली! तुम्हारे एक पड़ोसी तो सेल्स टैक्सवाले थे। दूसरी ओर कौन था?"

"अरे नहीं। ये मेहता फैमिली तो पीछे थी। ताज्जुब, आस-पड़ोस में किसी को पता ही नहीं चला, वहां क्या हो रहा है।"

"मौसी! अखबारों में भी तो आया था ये किस्सा। लाली आंटी के तीनों लड़के पकड़े गए।"

सचमुच भयानक था किस्सा। ढेरों सवाल उठाने वाला किस्सा। दो सौ साल पीछे ले जाने वाला किस्सा। लगा इतिहास फिर नए सिरे से निर्मित कर रहा है

औरत की नियति को। मध्यकाल कहां से आ बैठा कि आज और कल की टकराहट में बीता रक्तिम अतीत फिर जीत रहा है। जीजी ने बताया कि मेहता का अच्छा खासा शिक्षित, मध्यवर्गीय संपन्न परिवार। बड़ा बेटा इंजीनियर। मंझला एम.बी.ए. करके काम की तलाश में जुटा हुआ। छोटा मेडिकल की तैयारी में। ग्रेजुएट, शादीशुदा बहन।

इस बीच परिवार के मुखिया मेहता साहब चल बसे। रिटायरमेंट के बाद की जिंदगी का सुख भी नहीं उठा पाए। बमुश्किल साल भर ही तो हुआ था उन्हें रिटायर हुए, लेकिन एक काम समझदारी का किया। जिस दिन उनका रिटायरमेंट हुआ, उसी दिन उन्होंने अपनी वसीयत दाखिल कर पत्नी लाली के प्रति जिम्मेदारी पूरी कर दी थी। हमारे यहां तो अब बेसहारा औरतों की जगह घर से बाहर होने लगी है। बरामदा या छत या गैलरी, इसीलिए पहले ही सारा पैसा और मकान लाली मेहता के नाम कर गए। अब यही समझदारी जानलेवा हो गई। मां अड़ियल। मकान बेटों के नाम न करे। बेचने भी न दे। कहे कि जब तक मैं जिंदा हूं, तब तक कैसे बेचूंगी। मेरे बाद सब तुम्हारा है, जो चाहो करना।

नया जमाना। अब सबर किसको है। सब जैसे छोटी-छोटी जिंदगियां लेकर आए हैं। कोई प्रतीक्षा नहीं कर सकता। सबको जल्दी है। बड़े को शादी से पहले फ्लैट खरीदना है। मंझले को बिजनेस करना है। बेटी को ससुराल में साख बनानी है।

और फिर एक दिन एक हादसा हुआ! बेटी अपनी सास को लेकर मायके आई थी। न जाने कैसा इत्तिफाक कि भली-चंगी सास खाना खाते-खाते अचानक गिर पड़ी और बेहोश हो गई। तुरंत अस्पताल ले जाया गया, लेकिन रास्ते में ही दम तोड़ दिया उसने। जैसे प्राण त्यागने के लिए ही बहू के घर आई हो। लो, अनचाही सास से कितनी आसानी से बहू को मुक्ति मिल गई।

यह ठीक है कि सास-बहू की नहीं पटती थी। यह कोई नयी बात भी नहीं। अधिकतर मिडिल क्लास हिन्दुस्तानी परिवारों में ऐसा ही होता है। बहू के आने से पहले तक औरतें जमीन-आसमान के कुलाबे एक कर देती हैं, लड़का दो पैसे कमाने लग जाए कि तुरंत शादी की जल्दी। शायद लड़के की शादी का काम संपन्न कराना, सामाजिक प्रतिष्ठा की एक खास ऊंचाई तक पहुंच जाना होता है। घर-परिवार में रौनक, रिश्तेदारियां, पास-पड़ोस के बीच हलचल का केंद्र बना घर, गृहस्वामिनी का सम्मान दूसरों की नजरों में निश्चित रूप से बढ़ा देता है। शादी

न होने या देर से होने पर केवल लड़कियों पर ही नहीं, लड़कों के ऊपर भी उंगलियां उठती हैं, मां-बाप से सवाल-जवाब होते हैं।

यह अब अलग बात है कि दूसरे दिन से ही बहू की कमियों की तलाश शुरू हो जाए। नाक-भौं सिकोड़ने के लिए मौके निकाले जाएं जो अंततः ताने-बोलियों का रूप धारण कर लें। बहू तो पहले दिन से तैयार बैठी है। ससुराल की देहरी पर उतरने के साथ ही संकल्प दोहराती है कि हां! ऐसी-वैसी मत समझना मुझे! रसगुल्ला नहीं हूं मैं कि जब चाहा, मुंह में रखा और गप और पहले ही हवा में तलवार भांजने लगती है। ऐसे ही डांवाडोल होते, झकझोले खाते जिंदगी बीत जाती है। बहुओं की भी और सासों की भी। मुक्ति की आकांक्षा लिए बहुएं उम्रदराज होकर खुद भी सास बनने के लिए तैयार हो जाती हैं, लेकिन मेहता परिवार की बेटी ने ऐसी मुक्ति तो नहीं चाही थी। फिर उसके संबंध अपनी सास से ऊपरी तौर पर तो ठीक-ठाक ही थे। सास तो चली गई, लेकिन अपनी बहू के मन में अपराधबोध का बीज बो गई! सदमा तो लाली भाभी को भी बहुत पहुंचा। उन्होंने तो बैठे-बिठाए बदनामी अपने सिर मोल ले ली।

लोग उसकी नीयत पर ही शक करने लगे थे। बदनामी का बोझा उनके सिर पर बहुत भारी हो चला था। उनके बस में तो कुछ भी नहीं था। उन्होंने बेटी को और समधिन को न्यौता भेजा था। काल ने उसे अपना न्यौता दे डाला। अब किस-किस को वह जवाब देतीं, वह चुप लगा गईं। जवाब देना बंद कर दिया उन्होंने। एक ओर अवसाद में डूबी मां थी तो दूसरी ओर ससुराल में प्रताड़ना झेलती बेटी थी। वही तो सास की मौत का कारण बनी थी। वह क्यों ले गई अपने साथ। क्यों जिद की थी अपने मायके चलने के लिए। आखिर सासूजी ने ही तो इच्छा जताई थी कि कानपुर चलकर शॉपिंग करनी है। कपड़ा सस्ता मिलता है कि कुछ साड़ियां ले लें, बड़के की शादी की बात चल रही है। मायके वालों ने क्या षड्यंत्र किया। क्या साजिश थी। ससुराल वालों के बोली-ताने बेटी को सुनने ही थे।

पढ़ा-लिखा शहरी समाज। बिहार-झारखंड के सुदूर अंचल में होता तो बेटी डायन करार दे दी गई होती, लेकिन फांस तो गहरे धंसी थी। मां-बेटी के रोल आपस में गड्डमड्ड होने लगे थे। अपराधबोध रिसने लगा था और ऐसी ही उलझन भरी दिमागी हालत में बेटी ने सास को सपने में देखना

शुरू कर दिया। बेटी जब मायके में होती, रोज उसकी सास उसके सपनों में आती। उसकी ओर उंगली उठाती हुई। उसकी ओर आंखें तरेरती हुई। वह रोज सपने में ऐलान करती कि वह उसे नष्ट कर देगी। उसका सुख-चैन छीन लेगी, वगैरह, वगैरह।

"ओ मां! वह तो यहीं-इसी घर में जमी बैठी है, जब मैं यहां आती हूं, वह मेरे पीछे लग जाती है। वह जरूर घर को तबाह करेगी, बरबाद करेगी हमें।"

'क्या हालत बना दी है उसने हमारी मां की। कभी ऐसी चुप सी तो न थी हमारी मां।' बेटी सोच रही थी। बेटे भी धीरे-धीरे ऐसे ही सोचने लगे, 'ये तो हमारी मां नहीं है, बीमार? कौन कहता है बीमार है, भली-चंगी। इसके भीतर कुछ घुस गया है। अपने होश में नहीं है यह।' और तय हो गया कि सास की आत्मा उनकी मां के भीतर घर कर गई है। मां नहीं, मां के रूप में यह वही दुष्टात्मा है।

कितनी आसानी से सबने विश्वास कर लिया। सबकी समझ में आ गया। मां को दुष्टात्मा से मुक्त करने का तरीका भी समझ में आ गया।

ऐसे ही फंतासी के किस्से दलदल बनाया करते हैं। ये दलदल हमारे दिमागों में बनते हैं। हमारी इच्छा से ही फैलते, गहरे होते हैं। हम तय करके उस दलदल को निर्मित करते हैं और उसमें उतरते हैं, एक कदम, दो कदम और फिर धंसने लगते हैं। हमारे पास तब कोई और रास्ता नहीं होता। कोई दूसरा विकल्प नहीं होता, सिवाय इसके कि उस दलदल में उतरते जाएं। धंसते जाएं, धंसते जाएं भीतर। हमारा दिमाग वही सुनता है, जो वह सुनना चाहता है। वही धुन निर्मित करता है वह। उसी पर आस्था रखता है। हमारे भीतर के भय, हमारी आशंकाएं, हमारे स्वार्थ, हमारी इच्छाएं, उमड़ते-घुमड़ते हमारे भीतर एक मिथ्या संसार निर्मित करने लगती हैं। हमारा स्वार्थ जीवन तत्व बनने लगता है। वही हमारा नियंता बन बैठता है। हर आदमी के भीतर भय और अविश्वास का ऐसा ही दलदल निर्मित होता है, अगर वह सावधान नहीं होता, विवेक की खिड़कियां खुली नहीं रखता।

अभागी मां को सुगबुगाहट हो गई थी। वह अपने होशो-हवास में थी। वह मरना नहीं चाहती थी। वह भागना चाहती थी वहां से। उस साजिश से। उन आत्मा भेदती निगाहों से।

कहां? कहां ठौर ढूंढ़ेगी वह, जहां उसे चैन मिले। सुकून के दो क्षण हों। उसका दम घुटता है इस घर में, कहीं चली जाए घूमने। खुली हवा में, सवेरे की ठंडी हवा...और वह एक दिन मुंह अंधेरे चल दी बाहर। लंबी, न रुकने वाली सड़क पर चलने लगी तो बस, चलती चली गई।

उसे अच्छा लग रहा था। सवेरा धीरे-धीरे फूट रहा था। सवेरे की हवा, आसमान की लाली। खुली-खुली सड़कें, कब से वह इन पर नहीं चली है। कब से? जबसे वे स्वर्ग सिधारे हैं। चले गए अकेला छोड़कर।

कितनी जिम्मेदारी आ पड़ी उस पर। घर की, बाहर की। वे गए तो घर और बैंक अकाउंट उसके नाम कर गए। कितना भरोसा था उन्हें, सोच में डूबते-उतराते वह पालिका पार्क में टहलने लगीं। थक गईं तो वहीं बेंच पर बैठे-बैठे आंख लग गई।

अचानक शोर-गुल सुना। आंख खुली। सूरज माथे पर चढ़ आया था। बड़का और मंझला दोनों सामने खड़े चिल्ला रहे थे। वह आंख फाड़-फाड़कर देखने लगीं।

क्या हुआ। क्यों चिल्ला रहे हैं ये लोग, फटी-फटी आंखों से वह समझने की कोशिश करतीं, तब तक पता चला कि वह ठेलकर स्कूटर में पीछे बिठा दी गई हैं।

''ढूंढ़ते-ढूंढ़ते हैरान हो गए हम! क्यों घर से भाग निकलीं।''

क्या कह रहे हैं ये लोग, वह तो खुली हवा में रहना चाहती हैं। दम घुटता है घर में उनका और वह फिर अपने को छुड़ाने लगीं।

''मुहल्ला जान गया है कि बुढ़िया पागल हो गई है! तभी तो बार-बार भागने लगती है घर से।''

''देखो! दुष्टात्मा भागना चाहती है। बचना चाहती है। ऐसी तो नहीं थी हमारी मां कभी। निकालो इसके भीतर से इस दुष्टात्मा को, फिर आने न पाए ये हमारी मां पर, हमारे परिवार पर।'' और बेटों ने आकर मां के हाथ पकड़ लिए। गिरा लिया उसे तख्त पर। बेबस मां रोने लगी थी, ''छोड़ दो-छोड़ दो मुझे, मैं चली जाऊंगी यहां से, छोड़ दो।''

''देखा दुष्टात्मा को, अब रो रही है। बचना चाहती है, बहाने बना रही है बचने के लिए।'' और दोनों लड़के बढ़े उस ओर! इंजीनियर बेटा लाल कपड़े पहने, सिर पर पटका बांधे, आसन पर बैठा बुदबुद कर रहा था। मंत्रोच्चार!

दुष्टात्मा को खत्म करने के लिए, परिवार को अनिष्ट से बचाने के लिए। मां हताश हो चली। उसने अपना सिर पटकना शुरू कर दिया। वह तख्त पर हाथ टेके सिर झटक रही थी। सिर पटक रही थी, रो रही थी "बचाओ रे, कोई है-बचाओ।"

वे बेटे अब उस दुष्टात्मा को और मौका नहीं देना चाहते थे। मुहल्ला-पड़ोस के लोग आ गए तो वे अनुष्ठान में विघ्न डालेंगे, उन्होंने मार-मार कर उस दुष्टात्मा को निकालना शुरू कर दिया।

"घबरा मत मंझले, ये मां नहीं चिल्ला रही है। ये वही दुष्टात्मा है। प्रेत है, जो चिल्ला रही है, निकाल बाहर करना उसे।" मंझला शरीर से मजबूत था। यह पुण्य कार्य वही संपन्न कर रहा था।

बेटी शायद अपनी मां के शरीर से बहते हुए खून में अपनी सास का साया देखना चाहती थी। अब उसकी सास उसके सपनों में कभी नहीं आएगी, अब वह चैन की नींद सोएगी। उसका परिवार भी बच जाएगा।

"ये दुष्टात्मा ही तो मां को भड़का रही है। उसे सिखा-पढ़ा रही है, वर्ना मां भला कभी मना करती हमें? अरे ये घर, ये जायदाद हमारी तो होनी है, मां भला क्यों मना करेगी। वह तो खुशी-खुशी देती हमें, ये-ये प्रेतनी अड़ी बैठी है उसके भीतर, हमारी दुश्मन।" लहूलुहान मरी हुई मां के सामने बैठे बेटे खुश हो रहे थे अपनी सफलता पर। उन्हें उनका वांछित मिल गया था। उन्होंने अपने घर-परिवार को बरबाद होने से बचा लिया था।

लेकिन कमबख्त उस लालो-लाल बिखरे खून का क्या करते। यहां तो तरबूजों की ठेली भी नहीं थी कि ढांप देते। वे भी कह देते कि अबकी फसल खूब हुई है तरबूजों की। वह फसल, जिसके बीच में कई चीखें बिखरकर दफन हो गई थीं।

"चीखी तो होंगी लाली भाभी भी, सुनाई क्यों नहीं दिया कुछ?" जीजी अफसोस कर रही हैं। इतना सब कुछ हो गया। बगल में बाकायदा एक हत्या की गई और वह भी अपने जवान बेटों के हाथों, किसी को मालूम नहीं हुआ? किसी ने कुछ नहीं सुना?" यही तो कमाल है हमारे समय का। जितना बाहर से सात समुंदर पार तक फैलता है, सात आसमान तक की ऊंचाइयां नापता है, लेकिन अपने भीतर शापग्रस्त वामन है। सिकुड़कर बूंद में सिमट गया है। तीन पग तो क्या, तीन क्षण भी किसी को नहीं बख्शता! यह समय अंधा है और बहरा

भी है। अपने दिल की आवाज ही नहीं सुनाई देती, लाली मेहता की चीख कौन सुनता। वह चीख; जो अविश्वास की थी, रिश्तों के दफन होने की थी, भरोसे के अंधकार में बदलने की थी और जीवन जीने के अधिकार की मौत की थी। हसरतों के कत्ल की थी। हत्यारे समय की उस चीख को कौन सुनता। औरतों की चीख वैसे भी अनसुनी कर दी जाती है। चीखती ही रहती हैं औरतें। हजारों साल से औरतें चीखती रही हैं। घरों के भीतर। बाहर। सड़कों पर। रनिवास से लेकर झोंपड़ियों तक। अभागिन जो होती हैं। चीखना ही नियति है उनकी। अब कब तक सुने, कौन सुने, सबके अपने-अपने धंधे हैं। अपनी ज़िंदगी है।

चीखा तो मेडिकल कॉलेज भी था। लगातार आवाज़ें देता रहा। बुलाता रहा। नेताओं को, दलदल बनाने वाले लोगों को। तरबूज उगाने वाले कारीगरों को। समाज में उजाला फैलाने का दम भरने वाले कलमनवीसों को, शब्दों से खेलने वाले पत्रकारों को, लिक्खाड़ों को, सच्चाई का इमला बोलने वाले मास्टरों, प्रोफेसरों को। कोई नहीं आया। सबने कहा–

"हमें अपनी जान प्यारी है।"

"कोई फायदा नहीं वहां जाने का। हमें सच्चाई दूर से ही पता चल जाती है। हमें मालूम है, वहां क्या हो रहा है।"

"संजय ने हस्तिनापुर में बैठकर पांडव-कौरवों के बीच कुरुक्षेत्र के युद्ध का सारा हाल देख लिया था। हम इसी शहर में रहकर क्या कुछ नहीं देख सकते?"

मेडिकल कॉलेज ने तर्क का जवाब तर्क से देना चाहा–आप खुद आकर देखिए। रिकार्ड चेक करिए। मरीज जो डर कर अपने घर भाग गए हैं, उनके नाम-पते हमसे लीजिए और उन्हें चेक कीजिए।

"अरे कोई झूठ भी बोलेगा तो एक-दो-चार की बात कहेगा। एक साथ इतना बड़ा झूठ कैसे कोई बोल सकता है। 72-75 लोग कत्ल हुए हैं।"

यही तो झूठ की कलाकारी का इम्तिहान है। जो है, वह नहीं है। जो नहीं है, उसका होना, उसके होने का विश्वास पैदा करना ही कलाकारी है। मय दानव ने पांडवों के महल में ऐसा ही भ्रम पैदा किया था। जहां जल दिखा, वहां जल नहीं था। जहां जल था, वहां जल नहीं था, और इस होने, न होने के भ्रम ने कुरुक्षेत्र पैदा कर दिया। भाई लोग आपस में लड़ मरे। मय दानव की राजनीति सफल हुई। कोई न बचा। न कौरव-न पांडव और न उनकी राजनीति के प्रणेता

भगवान कहलाए जाने वाले कृष्ण। वंश के वंश निपूते हो गए। एक भरी-पूरी सभ्यता नष्ट हो इतिहास बनकर रह गई।

मय दानव आज अकेला नहीं है। उसके समूह आज भी कलाकारी दिखा रहे हैं। मतिभ्रम की चादर आसमान में फैल जाती है और अचानक घंटे-घड़ियालों के बीच उद्घोष होने लगता है—वहां जो मेडिकल कॉलेज है, वह अड्डा है साजिशों का। अलगाव का। विदेशी षड्यंत्रों का, हमारे पचहत्तर लोग, पचहत्तर मरीज मारे गए हैं।

"छिः-छिः। वहां जीवनदान दिया जाता है या जीवन भक्षण किया जाता है। एक साथ आपने पिचहत्तर कहा और लोगों ने मान लिया। यही झूठ की, अफवाह की सफलता है। झूठ को जनमानस के आकाश में प्रक्षेपित करने का परीक्षण पहले ही हो चुका है।

"आजकल सब कुछ संभव है। अगर हमसे कहा जाता कि एक हजार आदमी वहां एक साथ मर गया है तो हम उस पर भी भरोसा करेंगे। मेडिकल कॉलेज के पिछवाड़े रातोंरात नहर खुद गई है और हजारों की तादाद में लाशें बह रही हैं, हम उस पर भी भरोसा करेंगे, हम भरोसा करना चाहते हैं। ऐसी बातें हमें उत्तेजना देती हैं, जिंदगी को सक्रिय करती हैं और हमें सुनकर मजा आने लगता है।

मेडिकल कॉलेज की दरो-दीवार रो-पीटकर चुप हो गई और मातम मनाने लगी। उसके खाली पलंग भूतों का डेरा बनने लगे। गलियारे लरजने लगे। लैब और आई.सी.यू. ऊंघने लगे। क्या हुआ! क्या रामराज्य आ गया! क्या अब लोग बीमार होना बंद हो गए हैं। क्या सरकार जनता के स्वास्थ्य के लिए इतनी जागरूक हो गई है। क्या अब औरतों को जलाया जाना बंद हो गया है। क्या अब कुपोषण से गर्भवती जनानियां उबरने लगी हैं और मौत को धता बता दी है।

नहीं, ऐसा नहीं था। तेजी से उठने वाली आंधी का कालापन संक्रामक रोग की तरह फैल रहा था। यह काली आंधी यहां से शुरू होकर निश्चित ही आगे बढ़ती और वह आगे बढ़ी, फैली। अलीगढ़ से कानपुर, लखनऊ तक। इलाहाबाद-बनारस तक। मऊ से लेकर आजमगढ़ गोरखपुर तक, गोरखपुर से आगे-आगे और आगे तक।

अब मेडिकल कॉलेज तो तरबूज नहीं उगा पाया। वहां सचमुच का दलदल होता, तब न!

और तब, भांय-भांय करते, बिसूरते मेडिकल कॉलेज के गलियारे, वार्ड, उसके भीतर पड़े पलंग सब अचानक भर गए थे। जैसे जीवन आ गया हो। स्थिति बदल गई हो। शहर के भीतर से लहूलुहान लोगों से भरी गाड़ियां वहां पहुंचने लगीं। गाड़ियों ने चिल्लाकर कहा—

''तुम्हारे यहां पिचहत्तर-छियहत्तर हुए थे। अब देखना। इसका दस गुना तुम्हें न लौटाया तो!''

वहां के वार्ड और पलंग फिर चीखे।

''झूठ। सरासर झूठ! यह राजनीति है। यहां सब महफ़ूज़ थे। तुम्हें मालूम है, किसी को कोई खरोंच तक नहीं आई। यह अस्पताल है, बूचड़खाना नहीं।''

''कल शाम तुमने एक तिलक वाले को शहर के सिविल लाइन अस्पताल में पहुंचाया था।''

''कहां!'' अस्पताल का चौड़ा, शीशों वाला दरवाजा भोंदू की तरह बोला।

''यहां से एक किलोमीटर आगे, दूधपुर मोड़ पर।''

''मत इल्ज़ाम लगाओ। वह लुटेरों का काम था। तुम्हें मालूम है दूधपुर के आखिरी छोर पर अक्सर लूट होती है। राहगीर लूट लिए जाते हैं।''

''अखबार में देखा नहीं। उस राहगीर की तस्वीर आई है और उसके पीछे एक मैदान की तस्वीर है, जो इन्सानी खोपड़ियों से भरी है।''

''हैं! तो सात दिन में छिहत्तर लाशें दलदल में धंसा दी हमने और उनकी साफ-सुथरी खोपड़ियां भी तस्वीर खिंचाने आ गईं। सैकड़ों और खोपड़ियों के साथ, क्या अब मुर्दे भी हाईटेक होने लगे हैं।''

गाड़ी का इंजन भरभराता हुआ हँसा।

''बेवकूफ! अब समझ में आया तुम्हें? तुलसीदास चित्रकूट के घाट पर चंदन घिसते रहे, हमने अयोध्या को घिस-घिसकर चमकदार सिक्का बना दिया है। अब यही चलेगा, राज भी देगा और खजाना भी भरेगा, अब तो दौड़ रहा है यह रिक्शा।'' और फिर अचानक गंभीर होकर इंजन पड़पड़ाने लगा।

''जब तुम जानते हो कि राजनीति है तो क्यों चीख रहे हो। तुम भी करो राजनीति! बुजदिल!'' और लौट पड़ी गाड़ियां शहर की ओर।

शहर से मरे-अधमरे लोगों को ढो-ढोकर लाने वाली गाड़ियों में जलाली से आ रही रेहड़ी के लोगों की शिनाख्त नहीं हो सकी। शिनाख्त होती कहां से। उन्हें

तो कोई ढोकर मेडिकल कॉलेज लाया ही नहीं। जलाली नहर के किनारे-किनारे आ रही सड़क, जो आगे चलकर सासनी गेट के चौक पर पहुंचती है, वे तो वहीं रोक लिए गए थे। उनका तो वारा-न्यारा वहीं कर दिया गया था।

ये किस्सा बाद का है। बिला वजह इसे शुरुआती दौर के किस्सों के साथ नहीं मिलाना चाहिए। दरअसल गर्दन झुकाए मायूस खड़े, बदनामी झेलते मेडिकल कॉलेज को तोहफों के रूप में भेजी जा रही थीं ये अधबनी लाशें। इनके ऊपर मानो अदृश्य चिट लगी हो कि तुमने हमारे बहत्तर मारे, हम तुम्हारे पिचहत्तर मारेंगे। ब्याज समेत ले जाओ।

पंद्रह दिन के तांडव के बाद स्थिति कुछ काबू में आई थी। सरकार नाराज थी। सारे अफसर बदल दिए गए थे। मरने वालों का आंकड़ा मोटे तौर पर दो हजार था। इसके कारण प्रदेश सरकार हिलती नजर आ रही थी। उसका वोट बैंक खिसकता दिखाई दे रहा था। अल्पसंख्यक आयोग के चैयरमेन दो बार यहां दौरा करने आए, लेकिन उन्हें दोनों बार शहर के बाहर से ही लौटा दिया गया था। वे रोज अखबारों में बयान दे रहे थे। कमिश्नर साहब सख्त हिदायत दे गए थे।

''अगर किसी भी रूप में सामूहिक नरसंहार की खबर मिलती है तो न सिर्फ क्षेत्रीय पुलिसकर्मी निलंबित किए जाएंगे, वरन् उनके खिलाफ सख्त कार्रवाई भी की जाएगी।''

नतीज़ा, पी.ए.सी. के सिपाहियों ने अब मुहल्लों में, जहां उनकी तैनाती थी, मंदिरों का प्रसाद खाना बंद तो नहीं किया था, लेकिन अब वे सावधानी जरूर बरतने लगे थे। ये प्रसाद उनके लिए खासतौर पर जनता द्वारा तैयार किया जाता था, जो उनका नाश्ता होता था। वे बेचारे भी क्या करते। शैतान की आंत की तरह ड्यूटी के घंटे बढ़ते ही जाते। कभी-कभी तो लगता कि उनकी जगह दूसरा आने वाला शायद क़हीं खो गया है। बारह घंटे तो क्या अक्सर बीस-बाइस घंटे की ड्यूटी हो जाती। उनके अफसर भूल जाते कि सिपाही को भी भोजन-पानी और थोड़ा आराम चाहिए। ऐसे में लोग अगर उन्हें दीवानजी-दीवानजी कहकर मान बढ़ाते, चाय-नाश्ता और बैठने को कुर्सी दे देते तो वह मना क्यों करते?

माइनॉरिटी परिषद के अध्यक्ष के कई बार बयान आ चुके थे कि मुस्लिम क्षेत्रों में पी.ए.सी. कतई न लगाई जाए। वहां सी.आर.पी.एफ. के जवान ही तैनात किए जाएं।

''क्यों भई, सी.आर.पी.एफ. के सिपाही क्या उनके दामाद हैं?'' किसी ने जलकर कहा।

''पता नहीं सी.आर.पी.एफ. उनकी है या पी.ए.सी. हमारी दामाद है, लेकिन क्या अजीब बात है कि एक फोर्स हिन्दू ब्रांड हो गई है और दूसरी मुस्लिम ब्रांड।''

''बात विश्वास की है। आप पत्थर पर भरोसा कर लो, उसे मददगार साबित कर दो।''

बहरहाल ये बातें तो चलती रहती थीं। असल बात यह कि अधिकारी सतर्क थे और थानेदारों को भी सख्त हिदायत थी कि अगर कोई ऐसी घटना होती है तो पूरा थाना नप जाएगा।

इसका असर भी पड़ा। पक्की सराय से रात में सराय रहमान की ओर चलने वाले, मिट्टी के तेल में भीगे और प्रज्ज्वलित होते अग्नि बाण आने बंद हो गए थे। बदले में उधर से होने वाली गुम्मों की बौछार और तेजाब का झिड़काव भी थमने लगा था। कमिश्नर साहब द्वारा बनाई गई शांति सेना में अब सचमुच कुछ वास्तविक अमनपसंद लोगों के नाम जुड़ने लगे थे, वरना पहले जिला प्रशासन द्वारा बनाई गई शांति कमेटी ऐसी थी, जिसके कुछेक सदस्य बाकायदा बदफैली मचाते पकड़े गए थे।

लेकिन वो रणबांकुरे कैसे, जो इन बाधाओं से डर जाएं। धर्म और संस्कृति की रक्षा का भार जिन्होंने अपने कंधों पर लिया हो, वे कहीं न कहीं से रास्ता निकाल ही लेते हैं कि अश्वमेध या नरमेध जो भी हो, उनके यज्ञ में आहुति निर्द्वंद्व होकर दी जा सके। अब, सबै भूमि गोपाल की, उन्होंने शहर के भीतर आनेवाले सभी रास्तों पर अपनी धर्म ध्वजा फहरा दी यानी अब रोजमर्रा के रास्तों पर लोगों का चलना आसान नहीं था। उनकी इच्छा के विरुद्ध उन रास्तों पर आदमी तो क्या, पत्ता भी नहीं हिल सकता था।

हां, तो उसी रास्ते पर, वही सड़क जो जलाली की नहर के किनारे-किनारे आते हुए सासनी गेट के चौक पर पहुंचती है, वहीं रेहड़ी पर लदे सात लोग पहुंचे थे। जाना तो था उन्हें हाथरस, लेकिन कर्फ्यू के चक्कर में उन्हें रास्ता बदलना पड़ा। सभी धुर गांव-देहात के! धोती-कुर्ता पहने! सिर पे टोपी। एक के सिर पर गमछा लिपटा था। बोली-ठोली से भी ठेठ ब्रज के वासी। कृष्ण-कन्हैया की ब्रजभूमि। रसखान के करील कुंजों वाली ब्रज भूमि। दही बिलोती गोपियों के संग

वाली ब्रज भूमि, जहां सब का एक ही रंग। पता ही न चले कि कौन रहीम, कौन राम। कौन वल्लभ, कौन रसखान।

जलाली के पास हैवतपुर गांव। शन्नो का बालक दस दिन से बीमार था। पहले लगा कि पीलिया हुआ है। बुखार ही नहीं उतरा। दस्त बंद नहीं हुए। गांव-जवार के वैदजी बोले; लगता है पीलिया बिगड़ गया है। अस्पताल में भर्ती कराओ, ऐसे में टाइफॉइड ना होनौ चइये।

अस्पताल!

अस्पताल तो खुद अपनी किस्मत को रो रहा था। जलाली से बीस किलोमीटर दूर वह भव्य मेडिकल कॉलेज भूतों का डेरा बना हुआ। अफवाहों के प्रेतों से घिरा हुआ।

''फिर! हाथरस ले चलौ। वहां ना हैरो ऐसो खून-खराबा।''

''ताऊ, हाथरस का हैलीकॉप्टर से चले जांगे, अलीगढ़ होके ही तो जानौ पड़ेगो।''

''लल्लू सब्बीरा। तू रेहड़ी तैयार कर। हम नहर की पट्टी पर होके निकल जांगे, सासनी गेट से आगे आगरा-मथुरा, कोई सी सड़क पकड़ लेंगे, बस दो-तीन किलोमीटर की बात है, फिर ये जा, वो जा, जानौ तो पड़ैगो।''

''अब अपनी दीठ के सामने कैसे मरन दें शन्नो के बालक कूं।''

''ताऊ! दो चार लोगन ते और कह दो, जरूरत पड़े तो...''

सात जने रेहड़ी पर निकल पड़े। बीच में बैठी शन्नो। गोद में दुबका उसका बालक। अधसोता-अधजागता-सा। ''कमजोरी के मारे मुंह से आवाज ऊ न निकरे।'' ताऊ कह रहे थे।

घोड़ी दौड़ाते हुए वे अलीगढ़ के भीतर आ चुके थे। सासनी गेट चौराहा रह गया होगा कोई दो किलोमीटर दूर।

''बस, जे सासनी गेट पार करो! सोई चौराहा मूर्ति वारौ, उसके आगे एक दो किलोमीटर, बस। समझ लो गंगा पार कर लई।'' शन्नो का ससुर बोला।

शन्नो मोटी चुन्नी के भीतर अपने बालक को दुबकाए बैठी थी। वह कुनमुनाता तो वह थपक देती। टपर-टपर घोड़ी दौड़ रही थी और उसके साथ ही उसका डर भी भीतर से खदक रहा था।

''दो किलोमीटर, चच्चा कै रये बस दो किलोमीटर।'' वह बुदबुदाई।

खेत खत्म होने लगे थे। कच्ची झोपड़ियों के साथ, बने-अधबने छोटे-छोटे मकान दिखाई देने लगे थे। कहने को पक्की सड़क, लेकिन संकरी, उबड़-खाबड़। धूल उड़ रही थी। उसने चेहरा ढांप लिया चुन्नी से।

तभी खेतों से निकलकर साये जैसी आकृतियां एकाएक निकल आईं।

एक-दो-तीन-चार और पांच-छह की संख्या में जाने कैसे वहां दिखने लगे थे वे लोग। पता नहीं पीछे सरसों के खेत से निकल आए थे या इन इक्का-दुक्का बने मकान तो क्या, ईंट की दीवारों के पीछे छिपे थे। वे सड़क पर आ गए और रास्ता रोककर खडे हो गए।

सर्द सिहरन दौड़ गई उन सबके बदन में। सिर से पैर तक कांप उठे किसी अनहोनी की आशंका में। फिर भी सामान्य दिखने की कोशिश करते हुए उन लोगों की ओर नजर न डालना ही ठीक लगा।

आगे खड़ा नौजवान। पैंट-बुश्शर्ट पहने। माथे पर लाल पटका। जैसे अभी तीर्थ करके आया हो। वैष्णो देवी के दरबार से लौटा हो। उसके पीछे चार-पांच जने और खड़े। सख्त चेहरों पर किंचित खिलंदड़ा भाव।

"रोक् क्! रोक्क!!"

"चौं! का हैगो?" घोड़ी की लगाम थामे भोलेपन से बोला रफीक।

"कहां जा रहे हो।"

"भय्या, जे बालक भौतई बीमार है। हस्पताल ना ले जांगे तो बचेगा नाय! हमें जान देयो, हाथरस जा रहे हम।"

सबके बीच दुबकी शन्नो ने आंख उठाकर देखा और ऊपर पड़ी चादर में और कस कर लपेट लिया बच्चे को।

"दिखाओ-कहां है बालक! देखें तो?"

"हां, और क्या! क्या पता कुछ हथियार-वथियार..."

"कछु नांय, लल्लू। जे बालक बुखार में हते। सोई दुबका लई उसे।"

कमबख्त चादर हटाते-हटाते बालक दीख गया और शलवार-कमीज पहने उसकी मां भी दीख गई।

उन पहरेदारों की आंखों में ऐसी चमक आई जैसे मनवांछित शिकार बहुत दिनों बाद मिला हो।

और फिर, उनमें से एक ने घोड़ी की लगाम रफीक के हाथ से ली। घोड़ी खोलकर दूसरे को पकड़ा दी। अचानक व्यवधान। हवा में असहजता। वातावरण

का तनाव और परिचित मालिकों के प्रतिकूल हावभाव। अजनबी लोगों द्वारा घिराव, मालिकों की आंख से रिसता भय और वातावरण में भरते खतरे को सूंघ घोड़ी भी बैचेन होकर हिनहिनाने लगी। पैर पटकने लगी।

"अबे ले जा इसे और बांध दे उधर। पहले इनकी जनमपत्री ही बांच लें..."

इसके बाद क्या हुआ। कैसे हुआ। यह तो किसी को भी नहीं मालूम। दृश्य का पटापेक्ष कर दिया था, बताते-बताते उमेश मुकादम ने!

हां, उमेश मुकादम ने ही कुछ समय बाद, अच्छे दिनों में यह किस्सा सुनाया था।

उमेश कभी यहां राम मंदिर समिति का कोषाध्यक्ष हुआ करता था। पहले युवा वाहिनी का नगर अध्यक्ष रह चुका था। सीने पर लटका उसका सबसे बड़ा तमगा था, सन् पिचहत्तर में आपातकाल लगने पर पूरे ढाई साल की जेल।

उमेश का एक परिचय हमारे परिवार में यह है कि वह प्रो. भारद्वाज के बेटे विशाल का दोस्त ठहरा।

एक बार प्रो. भारद्वाज ने ही उसे अतुल के पास भेजा था। उसके भतीजे के सिटी हाईस्कूल में एडमिशन का मामला था। सिटी स्कूल भी विश्वविद्यालय का हिस्सा है। यूनिवर्सिटी ही उसे संचालित करती है। उसके भतीजे का छठी क्लास में दाखिला होना था। वेटिंग लिस्ट में नाम था। उसकी सूचना थी कि भतीजे का नंबर आना चाहिए, लेकिन उनके पास कोई सूचना नहीं थी।

इस सिलसिले में प्रो. भारद्वाज ने उसे विशाल के साथ अतुल के पास भेजा था।

"अंकल, देखिए, न्याय होना चाहिए। मेरे भतीजे का चांस है तो उसे मिलना चाहिए।"

"पहली नजर में ही क्यों सोच लिया कि तुम्हारे साथ बेईमानी हो रही है। तुम तो जानते हो दफ्तरों का हाल! क्लर्कों की लापरवाही तो जगजाहिर है माई डियर। तुम अपने कागज छोड़ जाओ, देखते हैं। रियाजुर्रहमान हैं वहां के प्रिंसिपल। वे दोस्त हैं मेरे! उनको यह कागज भिजवा देता हूं।"

उमेश की इत्तिला सही थी। भतीजे का एडमीशन हो गया।

उमेश हरफनमौला किस्म का आदमी। हर जगह दिखने वाला। हर किसी के काम आने वाला। मैं अक्सर उससे कहती।

"उमेश तुम्हारे लिए तो एक कहावत सही है। जहां न पहुंचे रवि, वहां भी पहुंचे उमेश।"

"आंटी। आप तो बस यूं ही खींचती हैं।"

आपके घर की, बाहर की कोई समस्या हो, उमेश के हाथों में आप सौंप दीजिए। समाधान खुद-ब-खुद निकल आता। घर-बाहर की छोड़ो, देश-विदेश की भी कोई समस्या होगी तो उमेश ही याद किए जाएंगे।

इसके अलावा उमेश की एक तारीफ और भी है। उसका बोलना। वह इतना बोलता, इतना बोलता कि दूसरे लोगों के पास चुप रहने के अलावा कोई दूसरा विकल्प ही नहीं बचता। वह खुद सवाल प्रस्तुत करता और खुद ही उनके जवाब बन जाता।

घर वालों की नजर में वह खासा नाकारा था। उसे राजनीति विरासत में मिली थी। अक्सर वह कहता—

"आंटी, मैं तो बचपन से इसी राजनीति से जुड़ा था, क्योंकि पापा भी राजनीति में थे।"

"भाई तुम्हारे पापा तो ईमानदार आदमी थे। दो बार एम.एल.ए. रहे। कितना काम किया उन्होंने।"

"इसीलिए तो तीसरी बार उनकी पार्टी ने ही उन्हें हरा दिया। भितरघात! आंटी भितरघात। जिला-प्रदेश, सारे नेता मिल गए उनके खिलाफ।"

"क्यों?"

"इसलिए कि वह ईमानदार आदमी थे। कहते थे कि मैं अगर जनप्रतिनिधि हूं तो सबका प्रतिनिधि हूं। मामला अकाउंटबिलिटी का था आंटी। उनके काम की हैसियत उनके कद को बहुत ऊंचा कर रही थी। लोग डरते हैं ऊंचे कद वालों से, बड़े नेता लोगों को बौने लोग चाहिए।"

"फिर तुम क्यों गए उसी पार्टी में। उन्हीं लोगों के साथ।"

हँसा जोर से वह।

"गले पड़ जाती है विरासत। पापा तो खामोश घर बैठ गए। मैं खींच लिया गया उनकी जगह।" फिर गंभीर हो गया वह।

"मुझसे कोई खतरा नहीं था न! मैं ठहरा बच्चा, उनकी निगाहों में। हां, विरासत का फायदा मुझसे मिल सकता था।"

मुझे लगा, आजकल के बच्चे छोटी उम्र में ही कितने अनुभवी हो जाते हैं! कितनी आगे है यह नयी पीढ़ी। मुश्किल से अठारह-बीस साल का होगा जब देश में इमरजेंसी लगी थी। युवा मोर्चे का अध्यक्ष होने के नाते जेल जाने वालों में वह भी था। वह अक्सर कहता।

"आपका अतीत कभी-कभी चाहे-अनचाहे ही आपका वर्तमान बन जाता है आंटी।"

"और भविष्य?"

"वर्तमान को बदलने की कोशिश करनी पड़ेगी। तभी भविष्य बदलेगा।" और जोर से फिर हँसा वह, जैसे समझदारी की बात करना उसके लिए ठीक नहीं है।

उसने भविष्य तो बदला। अपने बारे में घरवालों की राय भी बदली।

"आंटी? जब तक मैं अपने पैरों पर नहीं खड़ा होता, चार पैसे घरवालों के हाथ में नहीं रखता, मैं निकम्मा ही कहलाऊंगा। दंगा-राजनीति मैं कर नहीं सकता। कब तक अपना कंधा अपने नेताओं की सवारी के लिए दूंगा। मैं अब कोई बिजनेस करने की सोच रहा हूं।"

"भई तुम और जो चाहे करो, जल्दी चार पैसे कमाना शुरू करो तो फिर शादी-ब्याह कराएं तुम्हारा। कब तक ऐसे छड़े से घूमते रहोगे। जिधर कौल मिली, पहुंच गए तारनहार बनकर।"

सचमुच, उसने तय कर लिया था कि अब कुछ करना है। अपने मित्रों-संगी साथियों के साथ मिलकर उसने ऐलानिया कहा कि वह अपना बिजनेस शुरू कर रहा है। राजनीति को नमस्कार।

अब आप राजनीति को छोड़ दें, राजनीति आपको छोड़े तब न और फिर अपना स्वभाव। शहर के लोगों को आपकी जो आदत ठहरी, वह कैसे आसानी से छूटेगी।

अब सासनी गेट बाइपास रोड पर जो हादसा हुआ, उस समय कहने को तो शहर की स्थिति सामान्य होने लगी थी। कर्फ्यू पांच-छह घंटे के लिए हट रहा था, लेकिन दरी के नीचे की धूल की तह का क्या किया जाता। वह तो कुलबुलाती रहती। इधर-उधर निकल भागने को तैयार।

यही कुलबुलाहट जितेन्द्रभाई को ले गई सासनी गेट बाईपास वाली सड़क के पास। धूल के बगूले जब आत्मा को ढक लेते हैं, तब ऐसे ही अंधेरे पल जन्म लेते हैं। कायरता शौर्य का नाम धारण कर समय के चेहरे काले करने लगती है। ऐसे में जितेन्द्रभाई को वहीं पहुंचना था, वहीं, जहां सरसों के खेत धीरे-धीरे खत्म हो रहे थे। बने-अधबने मकान दिखाई देने लगे थे।

एक साथ सात लाशें। बच्चा अब भी शन्नो की छाती से चिपका पड़ा था। इधर-उधर, गमछे, चादर और मर्दानी धोतियां खुली पड़ी थीं, रेहड़ी और घोड़ी वहां से हांकी जा चुकी थीं।

जाने कैसे कुछ लोगों को सुगबुगाहट लग गई, आहटें और फुसफुसाहटें चुगली खाती थाने में प्रवेश कर गईं। थानेदार पहुंच चुका था वहां, इससे पहले वहां मौजूद जितेन्द्र और उसके साथी वहां से रफूचक्कर होते। फिर तो पुलिसिया डंडा धरती पर ऐसा ठोंका गया मानो धरती को फोड़कर ही वहां से कुछ नया निकलेगा। खास पुलिसिया गालियों का खज़ाना बरसने लगा, मां-बहन से लेकर सात पुश्त तक किसी रिश्ते को न छोड़ा गया।

''हरामजादो! जल्दी ठिकाने लगाओ इन्हें। यह सारी सड़क तो लालोलाल करी है तुमने, तुम्हारा बाप यहां आकर रगड़ेगा क्या इसे।''

और घंटे भर का समय देकर चले गए दरोगाजी कि अगर सब ठीक-ठाक नहीं हुआ तो सबकी...में ऐसा डंडा करेंगे कि जिंदगी सड़ जाएगी उसे ढोते-ढोते। साले! नौकरी लेंगे ये हमारी और आंटी! भागे-भागे आए वे मेरे पास। मैंने पहले तो दो हाथ मारे जितेन्द्र को! जी भर कर गालियां दी। पैर पकड़ लिए उन्होंने।

''उमेश भाई। कुछ करो। गलती हो गई। साला दरोगा, हथकड़ी लगाने पर तुला है हमें।''

''हथकड़ी नहीं, फांसी लगवानी है तुम्हें।'' मैंने कहा।

''उमेश भय्या। ऐसे हत्यारों की क्या मदद करनी थी?'' मैं अचंभित थी। यह वाकया तो मेरा खून सर्द कर रहा था।

''आंटी अब वया करें। पुराने साथी ठहरे। मानते हैं हमें, बहरहाल, मैंने कहा कि जा, आजकल तरबूज आना शुरू हो गए हैं। लेकर आ एक ठेली भरकर तरबूज, जल्दी। पूरी ठेली भरी हो।''

''फिर?''

"फिर क्या। ठेली भर तरबूज वहां गिरवाये गए। फोड़े गए। पास ही कुछ कुम्हारों के पास गधे थे मिट्टी ढोने के लिए। उनके पैरों तले रौंदवाए गए।

"और वे सात-सात मुर्दा शरीर?"

"नहर! सब नहर में डालकर बहा दिए।"

"तो तुम भी भागीदार हुए भई इस क्राइम में।"

"आंटी! दंगों में क्या क्राइम! आजतक कोई सजा हुई किसी को? कोई पकड़ा गया दंगा करने वाला? वो मेडिकल कालेज का फोर्थ इयर का लड़का-वो।

विजय भारती।

"हां विजय भारती। उसे उसके मुहल्ले के लोगों ने ही पकड़ कर मार डाला था। पता ही नहीं चला उसका। स्कूटर वहीं जानेआलम की फैक्ट्री के पास मिला। सब जानते थे कि किन लोगों ने मारा है, कुछ हुआ उसके केस में।

"मैं चुप थी। क्या बोलूं।"

"आपको मालूम नहीं, ऊपर कहां से हुकुम आते हैं, कहां से हथियार। कौन लोगों के हाथों में हथियार पकड़ाता है, किसका चेहरा दीखता है और किसके हाथ चलते हैं आंटी। सियासत बहुत कुत्ती चीज है। यह कुर्सी पहचानती है सिर्फ! खून लगा है उसके मुंह पर।"

उमेश ने सचमुच मेरा बहुत ज्ञान बढ़ाया। उसने तरबूज से तौबा कर ली। मैंने भी कर ली और बेहतर समझा कि चुप रहूं। जो कबीर के सुखिया संसार का वासी होगा, वह इसे सुनकर हँसेगा। विश्वास ही नहीं करेगा। दंगा और तरबूज! ब्लडी तरबूज और ब्लडी ऐपीसोड का ऐसा शेक, अगर विश्वास किया (जो अंततः करना ही होगा) तो जो सुनेगा, जरूर वह इस फल को कभी सम्मान नहीं दे सकेगा।

"अच्छा। तुम तो बड़े ज्ञानी-ध्यानी हो। इतने बरस बाद इस हादसे को बता रहे हो। अब एक किस्सा मुझसे सुनो।"

मेरे सीने में कुलसुम और उसका बेटा जफ़र हमेशा एक रुकी हुई रुलाई की तरह अटके हुए हैं। इससे डिसकस कर लूं, देखूं ये इस समस्या को कैसे देखता है और जफ़र का किस्सा मैंने उसे सुनाया।

"बताओ तो! जफ़र कहां गायब हुआ होगा। कैसे गायब हुआ होगा, उसकी मां को तो आज भी इंतजार है।

''आंटी! मैं लाल बुझक्कड़ थोड़े ही हूं, हर बात का हल मेरे पास हो।''

''तुम्हारे मुरादाबाद के मित्र, क्या पता, उसे गायब करने वालों के साथ कोई संपर्क हो उनका।''

वह गंभीर हो गया।

''आंटी! मैं गैंगस्टर नहीं हूं, आप क्या समझती हैं मुझे।''

''अरे तुम तो बुरा मान गए। मैं सिर्फ तुम्हारी सलाह ले रही हूं। तुम बताओ। आखिर क्या हो सकता है।''

''आंटी। कोई सड़क दुर्घटना। किसी से सड़क पर या कहीं और, कोई कहा-सुनी। रोज अखबार बयान करते हैं। तुम्हारी गाड़ी मेरी गाड़ी से आगे कैसे निकली, धक्का कैसे लगा, तुम मेरे रास्ते पर कैसे आ गए, किसी की जान लेने के लिए क्या ये काफी नहीं है। जरा-सा कहना-सुनना किसी के मन को इतनी चोट पहुंचा दे कि सिर्फ दूसरे की जान लेकर ही अपना आत्म सम्मान बचाया जा सके, आंटी। जान लेने के लिए आज किसी बड़े कारण की जरूरत नहीं होती।''

''और कोई कारण! और भी बहुत कुछ हो सकता है?

''जैसे!'' उसने मेरे चेहरे पर नजर गड़ा दी।

''जैसे, जैसे कोई, मसलन उसका हुलिया।'' मेरी समझ में नहीं आया कि ये बात कहूं कि नहीं। हालांकि अब हालात सामान्य हैं। किसी की दाढ़ी या टोपी देखकर कोई तरबूज कांड नहीं करेगा। मैं चुप हो गई। जाने क्या मतलब लगाए ये मेरी बात का। वह उठ खड़ा हुआ।

''आज आपके तरबूज ने बहुत कुछ ताजा कर दिया। दो रातों की नींद अब आपके हवाले।''

मैं उसे जाता देखती रही।

रशीदुन्नीसां मेमोरियल स्कूल

साज़िदा नकवी जैसा उनसे कहा गया था, मुस्लिम लड़कियों की तालीम के ऊपर बोलीं। कोई कुछ कहे, कम से कम हमारे इस शहर में मुस्लिम लड़कियां जो पढ़ने जाती हैं, उनकी तादाद 40 प्रतिशत से भी कम है। एक बार स्कूल का मुंह देखकर दो-तीन साल बाद घर-गृहस्थी संभालने में मदद करने वाली लड़कियों की संख्या भी अस्सी प्रतिशत है।

इन्हीं बातों के मद्‌देनज़र अब साज़िदा आपा ने अपने कंपाउंड में लड़कियों के लिए एक स्कूल चालू किया है। एक स्कूल हमारा लेडीज़ क्लब भी चलाता है।

आखिर में मेरी बारी थी। मैं महिलाओं के बीच अपने काम के अनुभव बता रही थी। मैं कह रही थी कि औरत की कोई जाति नहीं होती। औरत अलीगढ़ की नयी बस्ती की हो या अहमदाबाद में नरोदा पाटिया की। बंबई में धारावी की हो या बिहार में भागलपुर की, सबका एक ही धर्म है, एक जाति है, एक जैसी नियति है। घर के अंदर दरवाजे की ओट में हर औरत किसी न किसी रूप में प्रताड़ित होती! है। घर के बाहर बड़ी से बड़ी जिम्मेदारी निभाने वाली औरत को

भी घर में हर वक्त बताया जाता है कि वह कितनी मूर्ख है। वह क्यों इतनी गलतियां करती है। हम औरतें ही हैं, जो कभी हिन्दू औरत के नाम पर उदासीन हो जाती हैं। कभी दलित औरत के नाम पर होने वाले बलात्कारों को रणवीर सेना के बांकुरों की शौर्य गाथा के रूप में लेती हैं। नरौदा पाटिया में मुस्लिम औरतों को दरिंदों के हवाले कर देते हैं और भागलपुर के खेतों में उनको बीज की तरह गाड़ देते हैं।

मेयर साहिबा के सामने मेरा यह सब कहना और उनका सुनना, लेडीज़ क्लब की कुछ महिलाओं को दुविधा में डाल रहा था। ऐसा कुछ उनके चेहरे पर उग आया था। शायद उन्हें लगता हो कि कहीं वे नाराज न हो जाएं। आखिर शशिबाला दुर्गावाहिनी की ब्रज मंडल की प्रभारी रह चुकी हैं, यह उनके परिचय में भी कहा गया था। मैंने गौर नहीं किया। हो सकता है शशिबाला ने भी इस पर अटपटा महसूस किया हो।

बहरहाल, औरतों की जमात में औरतों की एकता की बात नहीं की जाएगी तो और क्या कहा जाएगा।

खासा ताली पिटाऊ भाषण देने के बाद मैं पीछे कुलसुम के पास आकर बैठ गई।

कुलसुम मेरी ओर देखकर मुस्कराई।

"बेन आप तो बहुत अच्छा बोलती हैं।"

मैंने उसका हाथ अपने हाथ में ले लिया। कोमल नरम हाथ। हथेलियां गर्म।

"गर्म क्यों है तुम्हारा हाथ? बुखार है क्या।" मैंने धीरे से पूछा।

"नहीं! नहीं!!" और जल्दी से उसने अपना हाथ छुड़ा लिया।

"हां बेन, आपने औरतों की एकता की बात कही है। यही तो जरूरी है। एक-दूसरे का सुख-दुःख तो समझना होगा न!"

"आपको अच्छा लगा! थैंक्स!!"

शशिबाला और सिकंदर उठ रही थीं। शशिबाला को जल्दी थी। सबको स्नेहभरी मुस्कान के साथ नमस्ते करते हुए बोली।

"मेरी चाय ड्यूू रही। आशा है आप लोग फिर अपने बीच आने का मौका देंगी।"

सिकंदर की ड्यूटी मेयर साहिबा को घर तक पहुंचाने की थी। दोनों तेज-तेज कदमों से बाहर निकल गईं।

और लोग भी चाय के लिए उठकर चाहते थे कि अनवरजहां सामने आकर खड़ी हो गईं और हाथ के इशारे से सबको बैठने के लिए कहा।

"अब क्या है भई, देर हो रही है।" सदस्यों का सब्र टूटने लगा था।

"प्लीज! एक जरूरी अनाउंसमेंट।"

और वो शुरू हो गईं स्कूल के चंदे की बात कहने के लिए। हर महीने मीटिंग में याद दिलाने के बाद भी कुछ मेंबरों का चंदा रह गया है, अनवरजहां कह रही थीं।

"जिन लोगों का चंदा रह गया है प्लीज-प्लीज, आज देकर जाइए। आखिर स्कूल का चंदा ही आप लोग क्यों भूलते हैं, देखिए मैं नाम नहीं पढ़ना चाहती।"

उनकी हल्की-पतली आवाज बेअसर साबित हो रही थी। दरअसल उन्हें यह घोषणा शुरू में ही कर देनी चाहिए थी। लोगों ने उठना शुरू कर दिया था।

"सात बजने वाले हैं, घर पहुंचते-पहुंचते आठ बजेंगे।" कोई कह रहा था।

"हो गया वीमेंस डे! अब घर-गृहस्थी भी देखेंगे कि नहीं, मियां चिल्ला रहे होंगे घर में।" भारी भरकम ज़बीं आलम बुर्का संभाल रही थीं।

लगभग दो साल पहले गरीब बच्चों के लिए एक स्कूल खोलने का विचार क्लब के बीच रखा गया था। ज़हरा के साथ शाहिदा और शहनाज़ आपा बहुत दिनों से इस तरह का एक प्रस्ताव बना-बिगाड़ रही थीं और अब उसे एक शक्ल देना चाहती थीं। दरअसल इन लोगों का यूनिवर्सिटी के अलावा बाहर भी सामाजिक जीवन में सबके साथ मेल-जोल रहता है। दुनिया-जहान में क्या हो रहा है और लोग क्या कर रहे हैं, उन्हें मालूम है। फिर हमेशा कुछ नया करने का उत्साह। अपने दड़बे से बाहर निकलकर कुछ कर गुजरने की तमन्ना। दूसरे संगठनों में आना-जाना। उनके साथ काम करने के मौके, लेकिन एक बात और जो मन को सालती थी, अक्सर इधर-उधर कभी किसी मौके पर लेडीज़ क्लब की चर्चा होने पर एक खास तरह की टिप्पणी भी सुनने को मिलती।

"लेडीज़ क्लब में क्या करते हैं आप लोग।

"अरे! आप के क्लब में क्या होना! दावतें कर लो, त्योहार मना लो! म्यूजिक, डांस।"

"अरे नहीं! डांस नहीं। कुछ मेंबर्स को ऐतराज हो सकता है इस पर।"

''भई आजकल के कमर और छाती मटकाऊ नाचों से तो अच्छा है न हों ऐसे नाच।''

''मटकना, झटकना तो चलो यार, किसी नाच के हिस्से होते ही हैं, लेकिन अब तो कमरतोड़ू और छाती निचोड़ू डांस और वह भी पब्लिक में।''

''गाना, बजाना तो चल जाएगा, लेकिन डांस, ना, बाबा ना!'' शहनाज़ आपा अब इस उम्र में नए खतरे उठाने को तैयार नहीं। पब्लिक में पंगा लेने से बचने लगी हैं वह। बहुत लड़ाई लड़ ली भाई। अब बुढ़ापा चैन से काटने दो। इसके बावजूद अभी दो साल पहले उनकी भतीजी फ़रहा ड्रामा क्लब के म्यूजिक कंपीटशन में इनाम जीतकर लाई। वह नन्हीं सी जान फ़रहा! ड्रामा क्लब के इंचार्ज को धमका आई थी।

''सर, आप लोग अगर इजाजत नहीं देंगे तो मैं कोर्ट चली जाऊंगी। ड्रामा क्लब की मेंबरशिप जब आपने दी है तो आप कैसे रोक सकते हैं मुझे कंपटीशन में हिस्सा लेने से।''

सलमान साहब मुंह ताकते रह गए उसका। सिर्फ इतना ही निकला उनके मुंह से—

''यही तो गलती हुई बीबी, हमसे।'' बात आगे न बढ़े, उसे म्यूजिक कंपटीशन में हिस्सा लेने की इजाजत मिल गई।

क्या ग़ज़ब! अकेली लड़की। दस लड़कों के बीच अकेली लड़की।

वह स्टेज पर आई। कैनेडी हॉल भरा हुआ था। खूब शोर किया लड़कों ने। ऊपर बालकनी से कागज के हवाई जहाज उड़ाए गए जो स्टेज पर और आसपास गिरते रहे। हूट करते रहे, लेकिन वह बंदी आंख बंदकर गाती रही। श्रोता छात्रों की तसल्ली के लिए सिर पर दुपट्टा डाल लिया था उसने। वह गाती रही, बिना हिले-डुले, विचलित हुए। उसे मालूम था, कोई सुने न सुने, निर्णायक तो सुन रहे हैं। म्यूजिक क्लब के उस्ताद शफी के अलावा दोनों दूसरे जज बाहर के थे। दोनों जाने-माने लोग। इस शोरगुल से वे लोग भी कुछ परेशान, कुछ नाराज।

फ़रहा फ़ैज़ की ग़ज़ल गा रही थी, सेमी क्लासिकल धुन में, रंग पैराहन का खुशबू जुल्फ लहराने का नाम, मौसमे गुल है तुम्हारे बाम पे आने का नाम।

क्लासिकल म्यूजिक की उसकी ट्रेनिंग रही है। उसके पापा जब लखनऊ में नियुक्त थे, तो चार साल तक भातखंडे म्यूजिक कालेज की वह छात्रा रही। यहां भी म्यूजिक क्लब में उस्ताद शफी उसे रियाज़ कराते रहे हैं।

जब नतीजा घोषित किया गया तो आश्चर्य। इतना हो-हल्ला। इतना व्यवधान। जब उसे पहला इनाम घोषित किया गया तो शोरगुल गायब हो चुका था। हवाई जहाज नीचे कुचले हुए थे और हूटिंग की जगह तालियों की गड़गड़ाहट थी। सामने की पंक्ति में बैठा उसका मित्र नदीम खड़ा होकर हाथ-फैलाए बल्ले-बल्ले करने लगा। उसे थोड़ी कोई मनाही थी नाचने की।

''कैसे अचानक मंज़र बदल जाता है। आप डटे रहिए तो माहौल को ठीक होते देर नहीं लगती!'' शहनाज़ आपा ने लोगों से कहा था। इसीलिए लेडीज़ क्लब में होने वाले कार्यक्रमों के बारे में वह लोगों को तफ़सील से बताती हैं।

''ऐसी बात नहीं। हमारे यहां हर साल शामे-ग़ज़ल का प्रोग्राम जरूर होता है।'' अब यह कोई बताने वाली बात नहीं। कुछ सीधी-सादी, घर-गृहस्थी कर रही मेंबर भी अपना लिखा हुआ कुछ ले आती हैं और सबके सामने पढ़ती हैं। कोई कविता, कोई नज़्म! किसी की कविता मार्चिंग सांग की तरह होती है। नज़्म ऐसी मानो अपनी व्यथा-कथा को बातचीत के टुकड़ों में तोड़ कर कहा जा रहा हो, लेकिन क्या इस हिम्मत की दाद नहीं दी जानी चाहिए। ज़हरा ऐसे मौकों पर जरूर सख्त चेहरा होकर बैठी रहती हैं। जानी-मानी शायरा जो ठहरीं, लेकिन क्लब का एक तरीका है-चार लाइन भी अगर किसी ने लिखकर सुना दीं तो सब लोग खुलकर दाद देते हैं, ताली बजाते हैं। चाय के समय उस सदस्य की तारीफ़ करना एक अनकहा नियम जैसा है।

''लेडीज़ क्लब के किसी जलसे में शामिल होकर तो देखिए। यहां हर साल शामे-ग़ज़ल का प्रोग्राम जरूर होता है। बैंतबाजी देखिए आकर, अभी तक क्लासिकल शायरी बची हुई है हमारे यहां।

मुझसे अगर कोई पूछे तो सबसे जीवंत कार्यक्रम यही है हमारे क्लब में। गुजरे जमाने की चैंपियन ज़ेबा रहमान और शाइस्ता अंसारी जरूर इस कार्यक्रम में बुलाई जाती रही हैं। अपने कालेज के दिनों में ये धुरंधर खिलाड़ी थीं बैंतबाजी की। इत्तिफाक से अब दोनों ही डॉक्टर हैं मेडिकल कालेज में। शादीशुदा, बाल बच्चों वाली। शाइस्ता तो नानी भी बन चुकी हैं, लेकिन क्या स्मरण शक्ति पाई है।

अबकी साल दोनों मौजूद थीं। उन्हें खासतौर से बुलाया गया था। बेहद आग्रह के साथ। आमने-सामने दो टीमें। ज़ेबा और शाइस्ता अपनी-अपनी टीम की लीडर। फैज़, मजाज़, जिगर, फ़िराक, कैफ़ी आज़मी और आज के जज़्बी तथा

शहरयार से लेकर पुराने क्लासिकल शायर ग़ालिब, मीर, दाग आदि के कलाम आज भी सुनने को मिल जाएं तो यह कैसा अद्‌भुत अनुभव होगा। बचपन में हम भी अंत्याक्षरी खेलने के लिए कविताओं के रट्टे लगाया करते थे। अब तो इसमें सिर्फ फिल्मी गाने ही शेष रह गए हैं। कविता से लय-सुर-ताल क्या गायब हुए, जीवन से भी कविता अलोप हो गई। सिर्फ शोर-शराबा और फूहड़पन ही शेष बचा है।

अबकी इस कार्यक्रम का सबसे दिलचस्प पहलू यह रहा है कि बैंतबाजी में शाइस्ता और ज़ेबा की बेटियां भी मौजूद थीं और अपनी मांओं का हौसला बढ़ा रही थीं, दाद दे रही थीं। मां-बेटी के अंतरंग रिश्ते ऐसे ही मौकों पर देखने को मिलते हैं और आंखें नम कर जाते हैं।

अनवरजहां की बात सुनी-अनसुनी सी रह गई। वह अब चाय की मेज के पास अपनी डायरी खोलकर नाम पढ़ रही थीं और चंदा न देने वालों को पकड़ रही थीं।

"निकालिए, निकालिए, सौ रुपये भी न होंगे क्या आपके पर्स में।"

"अरे बहन! सौ-पचास तो छोड़ो। रिक्शा भाड़ा, साग-सब्जी ले जाने के लिए।" मिसेज अख्तर पर्स टटोलते हुए हँस रही थीं।

अनवर को अपनी ओर बढ़ते देख मैं समझ गई कि अब मेरी बारी है। हो सकता है मेरा चंदा रह गया हो। पिछले तीन महीने से मैं लगातार गैरहाजिर रही हूं। वर्ना तो क्लब की मेंबरशिप के साथ ही स्कूल का चंदा देने की बात तय हुई थी।

"राधाजी, यू स्पोक वेरी वेल। अच्छा बोलीं आप।"

"थैंक्स़ अनवर आपा।"

"और राधाजी, आपको स्कूल के सौ रुपये भी देने हैं।" और वह डायरी में कुछ निशान लगाने लगीं।

मुझे हँसी आ गई। बिना इस तारीफ के भी मैं चंदा दे देती, मैंने पर्स खोलकर दो सौ रुपये उनकी ओर बढ़ा दिए।

"अनवर आपा दो साल का ले लीजिए। वन इयर एडवांस।"

"यू आर ग्रेट, राधा।"

शुरू में इस स्कूल के लिए सदस्यों में बहुत उत्साह था। कुछ सार्थक काम करने का भाव जगा दिया गया सबके मन में। 'औरतों जैसी बातें' का अजीब

मुहावरा बन गया है हमारे यहां पढ़े लिखे लोगों में। भद्र, कुलीन लोगों में औरतों जैसी बातें मानो स्तर से नीचे की बात हो। अब औरतें हैं तो औरतों जैसी बातें होंगी। बच्चों के बीच बच्चों जैसी बातें। क्या आदमियों में आपस में जो गुफ़्तगू होती है, कोई कहता है मर्दों जैसी बातें। सिकंदर बेगम उस मीटिंग में बिफर पड़ी थी, जब स्कूल का प्रस्ताव रखा गया। औरतों के फालतूपन तथा औरतों जैसी बातों में मशगूल रहने की बात पर उन्हें गुस्सा आ गया था, गुस्से में ज़हरा और शहनाज़ आपा पर आक्षेप करते-करते वह संभल गई।

"आप लोग, आई मीन कुछ लोग मर्दों के साथ अपनी नजदीकियों को ही फैशन समझ लेते हैं, बड़े इंटलेक्चुअल हो जाते हैं, तो हम इसमें क्या कर सकते हैं।"

इशारा सब समझ रहे थे। ज़हरा थोड़ा कसमसाई थीं। उनकी उंगलियों के बीच फंसी सिगरेट तेजी से ऊपर नीचे होने लगी थी। शहनाज़ आपा मुस्कराती रहीं। जिस बात की भूमिका उन्होंने बांधी थी, दरअसल ज़हरा ने उसे धड़ाक से दो टूक कह दिया था। सिकंदर की बात पर बिना किसी तरह से रिएक्ट किए शाहिदा ने पुरसुकून अंदाज में तफसील से स्कूल का ब्यौरा दिया। पढ़े-लिखे लोगों के सामाजिक दायित्व के बारे में बात की। उन्होंने जब कहा कि आखिर सोशल सर्विस के बारे में सोचना क्या सिर्फ मर्दों की बपौती है और तामझाम वाले किसी एन.जी.ओ. के नाम के बिना गरीब, बेसहारा लड़कियों को तालीम देने का काम हम लोग नहीं कर सकते, तो इस पर सबने ताली बजाई। जाहिर है प्रस्ताव सर्व सम्मति से पास हो गया।

फिर सवाल उठा जगह का। लेडीज़ क्लब के नियमों में वाइस चांसलर की बेगम को संरक्षक बनाना फिर काम आया। दो बार बातचीत करनी पड़ी पदाधिकारियों को वाइस चांसलर के साथ।

"सर, क्या ये शर्म की बात नहीं कि इतनी बड़ी नामी-गिरामी यूनिवर्सिटी। तालीम का जगमगाता इदारा और उसके आसपास की पूरी बस्ती जाहिलों और अनपढ़ों की।"

"उनके लिए यूनियन के स्कूल तो हैं। लड़के-लड़की दोनों की तालीम का इंतजाम है। हमारे मुलाजिमों के बच्चे तो अनपढ़ नहीं रहते।"

"सर, यूनिवर्सिटी के मुलाजिम नहीं। इसके आसपास के मुहल्लों के लोग। वहीं से लोग हमारे घरों में आते हैं, काम करते हैं।

"आपके घरों में प्राइवेट काम करने वाले लोग हैं, उनके बच्चे हैं। इसमें यूनिवर्सिटी का क्या लेना-देना।" उनका दो टूक जवाब था। वे अपनी राय जताकर बात खत्म कर चुके थे और फिर दीवार पर लगी पेंटिंग को घूरने लगे जैसे वहां पर कुछ लिखा था, जिसे वे पढ़ने की कोशिश कर रहे थे।

"सर।" अज़रा ने धीमे से कहा, "चार परसेंट, सिर्फ चार परसेंट लड़कियां हैं पढ़ी-लिखी, "सर! क्या ये हम पढ़े लिखे लोगों के सोचने की बात नहीं है। कुछ पल खामोशी में बीते। बात का असर शायद हुआ था। वाइस चांसलर खामोश, सिर झुकाए कुछ सोचने लगे। उनका चेहरा कुछ नर्म पड़ा। विचारमग्न हो गए वह कुछ देर के लिए, फिर धीरे से बोले—

"ऐसे तो इस शहर में हजारों बच्चे हैं अनपढ़। यूनिवर्सिटी इसमें क्या कर सकती है?"

शहनाज़ आपा ने फौरन उनकी बात लपकी।

"सर, बहुत कुछ कर सकती है। बस थोड़ी सी जगह दे दीजिए आप।" वे अचकचाकर मुंह ताकने लगे शहनाज़ आपा का। बहरहाल, वे खुश हैं कि नाराज हैं, बिना इसकी परवाह किए शहनाज़ आपा ने जगह भी सुझा दी।

कैंपस के भीतर उजाड़ पड़ी एक निर्जन कोठी। कभी इसमें डेपुटेशन पर आए भारत सरकार के एक अधिकारी, फाइनेंस आफिसर रहा करते थे। उनके जाने के बाद यह खाली पड़ी थी। अलग-थलग पड़ी इस कोठी में कोई रहना भी नहीं चाहता था। बाद में जब तक नयी बिल्डिंग नहीं तैयार हुई, लॉ कॉलेज की कुछ क्लासें लगने लगीं। कुछ समय बाद पूरा विभाग नयी बिल्डिंग में चला गया। कोठी फिर वीरान हो गई। बाद में इसके दो कमरे पेंशनर्स एसोसिएशन के दफ्तर को दे दिए गए।

इस तरह इस कोठी का बचा हुआ हिस्सा लेडीज़ क्लब के स्कूल के नाम हो गया। सर्वे करने की योजना बनी। सर्वे का तरीका बहुत आसान। सबके घरों में काम करने वालियों की पड़ताल शुरू हुई। गरीबी की मारी किसी बंदी के चार-पांच से कम बच्चे नहीं। ज्यादातर के शौहर निकम्मे। कुछ लोग कभी-कभार मेहनत-मजदूरी कर लेते। रिक्शा चलाते। ये औरतें मालिक-मालिकान की खुशामद करती रहतीं कि उनके शौहर को या किसी बच्चे को यूनिवर्सिटी की मुलाज़िमत मिल जाए। कभी-कभार अस्थायी रूप से, एवजी में काम मिल

भी जाता। इनमें से कुछेक परिवारों के ही बच्चे थे, जो स्कूल जाते। महीना दो महीना, कभी-कभी साल, दो साल। कोई भाग्यशाली होता तो चार-पांच साल तक स्कूल की आबोहवा में रह पाता। बाकी छोटे भाई-बहनों को संभालते। उन्हें कमर पर लादे रहते। कंचे, गुल्ली-डंडा खेलते। आवारागर्दी में, मौज-मस्ती में खुश। लड़कियां अपने घरों में चूल्हा-चौका संभालती, रोटी पकातीं। मांएं घरों में काम करतीं, इधर-उधर डोलती फिरतीं।

बहरहाल स्कूल शुरू हुआ। सबने शुरुआती पूंजी के लिए सौ-सौ रुपये डाले। अपने घरों में काम करने वाली बुआओं की लड़कियों, पोतियों को धकेल-धकेल कर वहां भेजा जाने लगा। कई मेंबरान ने वहां पढ़ाना, सिलाई-बुनाई सिखाना शुरू कर दिया। शुरुआती आठ-दस लड़कियों से चल निकला स्कूल। इंचार्ज बनी अनवरजहां।

असल समस्या शुरू हुई जब अचानक स्कूल का नामकरण कर दिया गया, हालांकि पहली मीटिंग में रश्मि ने सवाल उछाल दिया था।

"अनवर आपा, क्या सभी के लिए यह स्कूल अपने दरवाजे खोलेगा।" सवाल करते समय वह अपना पर्स खोल रही थीं। सौ रुपये निकालने के लिए उनकी उंगलियां देर तक पर्स के भीतर गोताखोरी करती रहीं।

"क्या मतलब!"

सब सतर्क हो गए। रश्मि की मसखरी कभी-कभी गंभीर हो जाती है।

"मतलब कि मैं अपनी मेड सर्वेंट के बच्चों को भेज सकती हूं इस स्कूल में।"

मैं चौंकी! इसकी उर्मिला के तो चारों बच्चे पढ़ने के लिए स्कूल जाते हैं। उसका आदमी रामऔतार चुंगी में चपरासी है। रश्मि के मायके की तरफ का ही है वह। खासी-अच्छी कमाई करता है।

"उर्मिला के तो बच्चे पढ़ने जाते हैं।" मैंने रश्मि का हाथ दबाकर फुसफुसाया।

जवाब में उसने मेरा हाथ दबा दिया और पलक झपकाई। इशारा था कि मैं चुप रहूं। सौ का नोट उसकी उंगलियों के बीच दबा हुआ था।

"रश्मि बहन, ये कोई पूछने की बात है। स्कूल तो स्कूल है। सब चंदा दे रहे हैं। सभी के घरों में आने वाले बच्चे पढ़ेंगे।" बात आई-गई हो गई।

फिर हुआ यह कि तीन महीने बाद वहां एक बोर्ड लग गया, जिस पर लिखा था, 'इशरत जहां मेमोरियल स्कूल।' इससे पहले जब स्कूल के नाम पर बात हुई तो जो नाम निकलकर आए, वे थे—सर सैयद स्कूल, पापा मियां चिल्ड्रेन स्कूल, बीबी फ़ातिमा प्राइमरी स्कूल आदि-आदि।

अब सर सैयद की तो पूरी यूनीवर्सिटी ठहरी। उन्हें एक और ऐसे छोटे स्कूल की क्या जरूरत। पापा मियां यानी शेख अब्दुल्ला ने इतना बड़ा गर्ल्स कालेज बना दिया। फिर उनके नाम पर यूनिवर्सिटी का ही नर्सरी स्कूल पहले से मौजूद। ज़हरा जैदी जैसे लोग बीबी फ़ातिमा के नाम पर तैयार नहीं हुए। उनका विचार था कि कोई सेक्यूलर नाम होना चाहिए। इस पर महात्मा गांधी, इंदिरा गांधी गर्ल्स स्कूल जैसे नाम आए। एक मेंबर ने सरोजिनी नायडू नाम सुझाया। सब खारिज हो गए। इंदिरा गांधी के नाम पर नया गर्ल्स हॉस्टल बना है। सरोजिनी नायडू के नाम पर पुराना गर्ल्स हॉस्टल है। नाम दुहराने से क्या फायदा।

"क्या मुसीबत है, कोई नाम ही नहीं मिल रहा।" लोगों का धैर्य चुकने लगा था।

"बीबी फ़ातिमा क्या बुरा था।" ज़बीं आलम बुड़बुड़ा रही थीं। उसे ज़हरा ज़ैदी की बातों में हमेशा कोई खोट नजर आने लगता था।

इस मीटिंग में स्कूल के नाम पर कोई फैसला नहीं हो पा रहा था। तय हुआ कि मेंबरान सोच-विचार कर कुछ और नाम अनवर आपा को सुझाएंगे। फोन करके बता देंगे। बाद में फिर विचार-विमर्श करके कोई अच्छा सा नाम तय कर लिया जाएगा।

सदस्यों की लापरवाही कही जाएगी कि मीटिंग खत्म होने के बाद शायद सबके ज़ेहन से बात उतर गई। दरअसल यहां भी सोचने का काम चार-छः लोग ही करते हैं। वही फैसले लेते हैं। ज्यादातर लोग पीछे चलने वाले होते हैं, हालांकि इसमें आसानी ये है कि सही सोचने-विचारने वाले लोग आगे रहें तो काम करने की राह आसान हो जाती है।

हां, तो हुआ यह कि किसी ने कोई नाम नहीं सुझाया। यूं कहें कि किसी नाम पर सहमति नहीं बन पाई। नाम की भी बड़ी महिमा है। लोगों को लगता है कि नाम से ही सब कुछ हो जाएगा। काम तो कहीं दूर जैसे नाम का पिछलग्गू हो गया है। काम हो न हो, नाम बने रहना चाहिए। नाम से आदमी का ईमान बनता है। जाति और धर्म का ताला खुलता है। पुराने समय में

गांव-देहात में मंगलू, बुधिया, इतवारी, भूरा जैसे नामों से ही पता चल जाता था कि ये गांव की मुख्य आबादी से बाहर के लोग हैं। पंडित इन नामों के लिए पत्रा नहीं बांचता था। सूर्य और चंद्रमा अपनी राशि का उजाला इन मंगलुओं, इतवारियों के पास तक पहुंचने से पहले ही समेट लिया करते थे। खैर, अब तो स्थितियां बहुत बदल गई हैं। नाम के आगे और पीछे सब वैश्विक हो गया है। पहचान नहीं होती कि कौन अगड़ा है, कौन पिछड़ा। कौन ऊंचा है, कौन नीचा। ग्लोब सभी को समेट कर गोल-गोल घुमा रहा है। नाम की पहचानें मिट रही हैं। इसीलिए कभी टोपी तो कभी दाढ़ी, तो कभी मूंछ, लोग अपनी पहचानों के परचम मजबूती से थाम रहे हैं।

इसी नाम की महिमा ने लेडीज़ क्लब में हंगामा करा दिया। कुछ महीने के बाद किसी ने बताया कि वहां बोर्ड लग गया है, 'इशरतजहां मेमोरियल स्कूल'। शुरू में तो लोगों ने नाम की जरूरत ही महसूस नहीं की। लेडीज़ क्लब स्कूल के नाम से ही उसे पुकारा जाता रहा। अब बोर्ड टंग गया तो मालूम हुआ कि अनवर आपा ने अपनी मरहूम मां के नाम पर स्कूल का नामकरण कर दिया है।

जब फिर चंदा इकट्ठा करने की बात चली तो सवाल उठने लगे थे।

"क्या यही नाम तय हुआ था?"

"ये इशरतजहां कौन हैं भाई। क्या हमारे यहां की कोई मेंबर थीं।" किसी ने मासूमियत से पूछा।

"जब अनवर आपा को ही सब कुछ तय करना है तो चलाएं वो। हमसे क़ाहे को चंदा मांगा जा रहा है, एक बीबी ने पीछे से कह भी दिया।

"हम नहीं दे रहे जी चंदा। जिसका स्कूल है, वही चलाएं।" साथ दिया किसी और ने।

अनवरजहां सुन रही थीं। उनका चेहरा लाल हो गया। रुआंसी हो गईं वह। पूरा दिन वो स्कूल में खपाती हैं। अकेली जान। अभी हाल में रिटायर हुई हैं। एजुकेशन डिपार्टमेंट में तीस-पैंतीस साल तक पढ़ाया। सोचा कि अपनी आगे की जिंदगी इसी स्कूल में खपा देंगी। घर परिवार नहीं जोड़ा तो यही एक परिवार बनेगा।

मेंबरान ने उन्हें रुलाकर ही छोड़ा। उनकी आंखें गीली हुईं और फिर झरने लगीं। दूसरों का गुस्सा भी ठंडा पड़ने लगा। वे खामोशी से उठीं, रजिस्टर और एक डायरी, जिसमें पैसों का हिसाब लिखा था, मेज पर रखा और बाहर जाने लगीं।

अब तक चुप बैठी शहनाज़ आपा उठीं और पकड़कर उन्हें वापस लाईं। बहुत प्यार से गले में हाथ डालकर अपने पास बिठा लिया और उनके आंसू पोछे। गले लगाकर बोलीं।

"अनवर, ये तो लेडीज़ क्लब का स्कूल है न!

"शहनाज़ आपा, आप लोगों ने मुझे जिम्मेदारी सौंपी तो क्या मैं अपने मन से नाम भी तय नहीं कर सकती? पूछिए, पूछिए जरा सबसे। कोई झांकने भी नहीं आता वहां, मदद की कौन कहे।"

"जरूर तुम्हें हक है। क्यों नहीं, लेकिन यहां सबसे मशवरा तो कर लेना चाहिए था न! आखिर सभी इसमें भागीदार हैं।" शहनाज़ आपा अपनी मद्धिम आवाज को और नरम बनाकर समझाने लगीं।

आखिरकार, अनवर आपा ने खुद वह नाम वापस ले लिया। नया नाम तय हुआ 'रशीदुन्निसां मेमोरियल स्कूल।' इसी बात पर ज़हरा ने एक छोटा-मोटा भाषण रशीदुन्निसां बेगम पर दे डाला। आखिर में यह पुछल्ला और जोड़ दिया कि अजीब बात है। मेंबरान को यह नाम पहले क्यों याद नहीं आया।

अज़रा ने अचकचाकर पास बैठी शहनाज़ आपा की ओर देखा। मानो उन पर ही यह बाण चलाया गया हो।

"बट हाऊ, एटलीस्ट आय डोंट नो अबाउट रशीदुन्निसां बेगम।"

शहनाज़ आपा ने ज़हरा की ओर इशारा किया कि वो खामखा में बात आगे न बढ़ाएं और खड़ी हो गईं।

"मेरा ख्याल है अगली किसी मीटिंग में इस पर ही एक लेक्चर हो जाए।"

शहनाज़ आपा ने इसके बाद अनवर की तारीफों के पुल बांध दिए। अनवर-जहां ने गलत थोड़े कहा था। उन्होंने तो अब आगे की जिंदगी इसी स्कूल के हवाले कर दी है। "अनवर की अब आगे की जिंदगी का मकसद यही बच्चियां हैं और बच्चियों का यह स्कूल है। लेडीज़ क्लब जिंदाबाद, इंशाअल्लाह स्कूल चलता रहेगा।"

अनवर की आंखें एक बार फिर छलछला उठी थीं, लेकिन अबकी बार आंखें खुशी से भरी थीं। कहते हैं न, इन्सान का मूल स्वभाव बच्चों जैसा ही होता है। उम्र के साथ अपने भावों को प्रकट करने के तरीकों में फर्क आ सकता है, लेकिन स्वभावगत मनोभावों का प्रगटीकरण वैसा ही बना रहता है। बात जब शुरू हुई थी तो कितनी आहत थी, दुखी थी अनवर! आंसुओं ने सब धो-पोंछकर दिल साफ

कर दिए, यही तो ख़ासियत है औरतों के समाज की। रेशम की लच्छी में गांठें बहुत देर तक नहीं रहतीं।

साज़िदा आपा ने आज अपने भाषण में मानो अपना रिपोर्ट कार्ड पेश कर दिया। उनका इतना बड़ा घर। तबीयत से सजाया गया ड्राइंगरूम! मोटा, पैर धंसने वाला कालीन। अपने भीतर समा लेने वाले गुदगुदे काउच। दुनिया के बाज़ारों से इकट्ठा किए क्रिस्टल ग्लास के नायाब नमूने। पर्दे हमारे घरों जैसे नहीं। जैसे थियेटर में लगे रहते हैं। मखमल के, डबल पर्दे, ऊपर से लंबी झालरें। ड्राइंग रूम में प्रवेश करते भी डर लगे। पहले बाहरी कमरे से गुजरे, फिर वहां प्रवेश। ड्राइंग रूम के बाहर हमेशा एक जोड़ी स्लीपर रखी रहती, जो इस बात का संकेत करती कि वहां जूते-चप्पल उतारने हैं। एक बड़े कालेज की गरिमा और प्रतिष्ठा के अनुरूप ही है उनका सुसज्जित और सुवासित घर, जहां उन्होंने गरीब बच्चियों को पढ़ाने की बात कही।

कुछेक साल पहले का वाकया है। कश्मीर में सुरक्षाबलों द्वारा आतंकवादियों के साथ मुठभेड़ में कुछ लोगों के मारे जाने का समाचार अखबारों में आया था। बाद में पता चला कि वह फर्जी मुठभेड़ थी। दरअसल गंदरबल के पास आतंकवादियों ने एक फौजी कैंप पर हमला किया था और उसमें सेना के चार जवान मारे गए थे। उसके एक हफ्ते बाद यह कार्रवाई हुई थी। कुछ दिन अखबारों में यह खबर सुर्खियों में रही। फिर धीरे-धीरे धूल बैठ गई और सब कुछ यथावत चलने लगा। आतंक की राजनीति ने न सिर्फ घर उजाड़े हैं, बल्कि पूरी की पूरी पीढ़ियां नष्ट कर दी हैं। एक भरी-पूरी संस्कृति को मटियामेट कर दिया है।

कुछ दिनों बाद खबर आई कि इस फर्जी मुठभेड़ में हमारी यूनिवर्सिटी का एम.बी.ए. का एक छात्र मारा गया है। मुईन नाम का यह छात्र और उसका भाई मुख्तार सर्दी की छुट्टियों में घर गए हुए थे। गंदरबल की घटना के बाद सेना के जवान कई दिन वहां घेरा डाले पड़े रहे। तलाशियां होती रहीं। फिर एक दिन तलाशी के नाम पर इलाके के नौजवानों को इकट्ठा करके पास के मैदान में बिठा लिया गया। दिन भर भूख, प्यास और थकान से लथपथ इन लोगों ने वापस घरों को जाना चाहा तो सुरक्षा बल के सिपाहियों ने उनकी पिटाई की। फिर नौजवान लड़कों को मुर्गा बनाकर उनकी पीठ पर पैर रखकर वे अपनी वैन में चढ़ने लगे थे। जाहिर है यह उन नौजवानों को तन से नहीं, बल्कि मन से तोड़ने की कोशिश

थी। उनको भीतर से बरबाद करके मुर्दा मन बनाने की कोशिश थी। नहीं मालूम कि ये तरीके स्थिति को संभालने के लिए थे या समस्याग्रस्त क्षेत्र को और अंधेरे में धकेल दूसरी मुसीबतों को दावत देना था। मुसीबतें भी ऐसी कि जिसका हर सिरा अंधी गलियों की ओर ले जाने वाला था। मुईन अलीगढ़ यूनिवर्सिटी में पढ़ने वाला लड़का। छह फुट-लंबाई, गोरा, दमकता चेहरा। अलीगढ़ में अपनी क्लास की लड़कियों के बीच बेहद लोकप्रिय, लेडी किलर के नाम से मशहूर। शायद यह अपमानजनक स्थिति उससे बरदाश्त नहीं हुई होगी। उसने विरोध किया होगा। हां! उसने कहा था कि वह अलीगढ़ यूनिवर्सिटी में पढ़ता है। अभी हफ्ताभर पहले ही यहां आया है। जो कुछ यहां हो रहा है, उसका उससे कोई लेना-देना नहीं। उसने विरोध किया, बदले में उसे गाली मिली। वह ऐसे व्यवहार का आदी नहीं था। वह भड़क गया। दरअसल उसे भूलना न चाहिए था कि विश्वविद्यालय में उसका स्टेटस है, जो उसकी पहचान बनाता है। अपने क्लास के लड़के-लड़कियों के बीच वह हीरो जानी कहलाता है। कहां आ फंसा वह! किस कुघड़ी में आया वह यहां, डैम इट, डैम वेकेशंस, यहां तो न जाने कैसे-कैसे आतंक पल-बढ़ रहे हैं। इनके बीच फंसकर निहत्थे चक्रव्यूह से निकलना अभिमन्यु की तरह बलिदान होना था। मुईन के पिता यूनिवर्सिटी में आकर सबसे मिले थे। वाइस चांसलर से, उसके टीचर्स से, हॉस्टल के प्रोवोस्ट और वार्डन से। वह सामान लेने आए थे। छोटा मुख्तार जो बी.ए. में पढ़ रहा था, उसकी दिमागी हालत ठीक नहीं है, उसके पिता ने बताया।

विश्वविद्यालय में मुईन के लिए यूनियन ने शोकसभा की। जुलूस निकाला। फैकल्टी से विश्वविद्यालय के फ़ैज़गेट तक जुलूस था।

यहां जब भी छात्र किसी तरह का विरोध प्रकट करते हैं, जुलूस निकालते हैं, वह आधे किलोमीटर का ही होता है। फ़ैज़गेट से आगे विश्वविद्यालय की सीमा समाप्त हो जाती है। यहां फ़ैज़गेट पर जीने-मरने की कसमें खाई जाती हैं। खून की नदियां बहाई जाती हैं। सरकारों को उलट-पुलट कर दिया जाता है। काली शेरवानी और टोपी पहने छात्र-नेता दुनिया हिलाने लगते हैं।

लेकिन फ़ैज़गेट से बाहर आते-आते उनकी मुखमुद्रा बदल जाती है, आवाज धीमी होने लगती है और कठपुला से नीचे पहुंचते-पहुंचते वे आम अलीगढ़ी हो जाते हैं। कठपुला वह पुराना ऐतिहासिक काठ का पुल है, जो यूनिवर्सिटी की ओर जाने वाली सड़क को शहर से जोड़ता है। फ़ैज़गेट से आगे की राजनीति जिसे

करनी है, वह फिर सीधे दिल्ली पहुंचता है। बसों में भरकर जुलूस अब जंतर-मंतर जाते हैं, जहां बैठकर फोटो खिंचवाए जाते हैं, टी.वी. कैमरों के आगे अपने बैनर लगाकर कसे तेवर दिखाए जाते हैं।

लेकिन अबकी स्थिति कुछ अलग थी। वह चुनावी वर्ष ठहरा, इसलिए हर घटना के अलग मंतव्य और अलग रूप थे। दिल्ली में गैर कांग्रेसी सरकार गद्दी नशीन थी। बाबरी मस्जिद के मलबे के ढेर पर बैठे हुए कश्मीरी नेता भी उस गर्द को बटोर रहे थे और सरकार के बगलगीर थे। पूरी आतंक की राजनीति। कश्मीर की सियासत में कौन नकाबपोशों के साथ है और कौन नहीं, कहना मुश्किल। सियासत में बयान यूं बदले जाते जैसे हम-आप सबेरे-शाम के कपड़े बदलते हैं।

अलीगढ़ तो पूरे देश की सियासत का मिनिएचर है। अठारह करोड़ जनता की नब्ज है। यहां कश्मीर से लेकर कन्याकुमारी तक, पंजाब से लेकर गुजरात, हैदराबाद तक और लखनऊ से लेकर दिल्ली तक की सियासत का दिल धड़कता है। मुस्लिम जनता के वोट हों या कट्टर हिन्दूवाद के दांव हों, अलीगढ़ की मिट्टी ने हमेशा कुरुक्षेत्र के मैदान का निर्माण किया है। सियासतदां फौरन इधर ही लपकता है। जैसे सब कुछ यहां से ही तय होना है। राजनीति चाहे विश्वविद्यालय और कॉलेज स्तर की हो या देश की, तरीका नहीं बदला है। हमारे कॉलेज के दिनों में भी तो ऐसा ही होता था। मुझे अपनी पढ़ाई के दिन, अपने विश्वविद्यालय के दिन याद आ गए। कहां लखनऊ और कहां अलीगढ़, एकदम विपरीत माहौल, फिर भी बहुत कुछ एक जैसा।

याद आता है। लखनऊ विश्वविद्यालय में हड़ताल होती। छात्र नेता हड़ताल का बिगुल बजा देते। इससे पहले कि उनका जुलूस सड़कों पर नारेबाजी करे, वह निकलकर तुरंत महिला विद्यालयों में आते, बहनों से ताकत लेने। बहनें भी भाइयों के रक्षार्थ घंटा बजा देती थीं। ऐसा ही नज़ारा यहां भी देखने को मिला। कालेज के छात्रों ने हड़ताल की। यह पूछना बेमानी है कि हड़ताल क्यों की, किस मुद्दे पर की, लेकिन पहले दौड़ लगाकर छात्रनेता एकमात्र वीमेंस कॉलेज में छुट्टी कराने पहुंच जाएंगे। सो यह सार्वभौमिक प्रक्रिया है। जलधारा शिखर से प्रवाहित होकर तलहटी में जमा हो जाती है। अब जमा हुआ पानी या तो भाप बनकर उड़ेगा और सूख जाएगा या नदी बनकर आगे बढ़ेगा, वर्ना सड़कर बदबू पैदा करेगा।

तलहटी में जमा हुए पानी को सड़ने से रोकने के लिए ही मुईन के मसले पर शहर में मीटिंग करने का प्रस्ताव हुआ था। मानवाधिकार संरक्षण पर मीटिंग

होनी थी। सियासत में पिछले पचास सालों से सक्रिय रहे और सत्ता उपभोग करने वाले एक पुराने नेता उन दिनों खाली थे। पिछला विधानसभा चुनाव हार चुके थे। इस वक्त मुईन का मसला आया तो फौरन एक मानवाधिकार संरक्षण संस्था बना डाली। अलीगढ़ फिर केंद्र में आ गया। स्टूडेंट यूनियन के एक पुराने नेता को जिम्मेदारी दे दी। ये यूनियन नेता भी इन दिनों खाली थे। लखनऊ, दिल्ली के चक्कर लगा रहे थे कि कहीं से राजनीति के उघड़े तंबू से अंदर पैर घुसाने की जगह मिल जाए। सो कश्मीर के मुईन और मुस्तफा के नाम पर मीटिंग तय कर ली। फिलवक्त हैसियतरहित थे, लेकिन साज़िदा आपा से पुराना परिचय था। छात्र नेता होने के नाते उन्हें पटाया और उनके घर पर मीटिंग रख ली। बड़ा आंदोलन शुरू करने से पहले की यह तैयारी बैठक थी। साज़िदा आपा ने सहर्ष स्वीकृति दी। उनके घर में मीटिंग रखने का फायदा यह था कि एक तो बड़ा, सुसज्जित ड्राइंग रूम और फिर चाय-पानी मुफ्त! स्थानीय विधायक, सांसद, उनके साथ अनिवार्य रूप से चिपके हुए चपरकनाती, स्थानीय कालेजों के प्रिंसिपल, प्रमुख अध्यापक, वकील और प्रबुद्ध जन आमंत्रित थे।

काफी लोग समय से आ चुके थे। संयोजक महोदय बात शुरू कर चुके थे। मानवाधिकार का मुद्दा और मुईन के साथ कश्मीर का परिचय दिया जा रहा था। तभी विधायक महोदय अपने तीन साथियों समेत धड़धड़ाते हुए ड्रांइग रूम में घुसे। वे संभवतः अपने क्षेत्र का दौरा करके वहां पहुंचे थे। उन्होंने ध्यान ही नहीं दिया या नहीं दिया होगा कि ड्राइंग रूम के बाहर वाले कमरे में जूते-चप्पलों का हुजूम लगा हुआ है। ये इस बात की ओर संकेत कर रहा था कि वहां जूते उतार कर जाना है।

साज़िदा आपा के गद्देदार ईरानी कालीन का तो कचूमर ही निकल गया। बड़ा शर्मसार हुआ होगा वह। साज़िदा आपा का चेहरा निचुड़ सा गया, हालांकि वह भरसक कोशिश कर रही थीं कि बिल्कुल सामान्य नजर आएं। कुछ लोग उनकी कमजोरी को पहचान कर मुस्कुरा रहे थे। इससे पहले बार एसोसिएशन के सिंह साहब भीतर आते समय कह चुके थे–

''मैडम, आपने तो विलक्षण इंतजाम कर रखा है अपने ड्राइंग रूम में। क्या मुसीबत है। दस मिनट लगे जूता-मोजा उतारने में, फिर चढ़ाने में लगेगा समय।''

''सिंह साहब, समझ लीजिए मंदिर जा रहे हैं आप।'' परिहास किया किसी ने।

“साहब मैं तो इसीलिए कभी मंदिर नहीं जाता। आज तो मैडम के ही दर्शन करने आया हूं इस मंदिर में।” सब लोग हँसने लगे। साज़िदा आपा ने पता नहीं बुरा माना कि नहीं। बहरहाल ऊपर से तो वे मुस्कुराती रहीं, मानो ये बात उनकी शान में कही जा रही है। सिंह साहब ट्रेड यूनियन के आदमी ठहरे। जनता के बीच काम करने वाले। उन्होंने तनिक भी तकल्लुफ नहीं किया।

हम लोग भी कभी उनके घर जाया करते तो बाहर वाले कमरे में ही बैठ जाते, या फिर बरामदे में। गर्मियों की शाम में दिल चाहा तो लॉन में बैठ गए। उनका निहायत खूबसूरत, बेहद रखरखाव वाला लॉन। इतनी हरियाली। इतनी रंगीनी। फेंस के पास दो छतरियां, कुकुरमुत्ता की शक्ल वाली। अपने लॉन की तारीफ सुन करके बहुत खुश होतीं साज़िदा आपा। उस जमाने में उनके अपने नौकरों के अलावा कालेज के चपरासी, माली भी सेवाएं उपलब्ध कराते।

रिटायरमेंट के बाद अब हालात बदल गए हैं। ऐसा ज्यादातर लोगों के साथ होता है। एक बेटा अमरीका में, दूसरा दिल्ली में। वे भी अब यायावरी का जीवन बिता रही हैं। कभी यहां हैं तो कभी दिल्ली तो कभी अमरीका। कभी दुनिया की सैर को निकले हैं। आउटहाउस में उनकी बावर्चिन का परिवार रहता है। कई सालों से वह उनकी सेवा में है। अब तो हालात बदल गए हैं। उदारीकरण का माहौल है। एक जमाने में उसके बच्चों को सख्त हिदायत थी कि वे मुख्य घर के सामने की ओर नहीं आएंगे। अक्सर बातों-बातों में वह शिकायत करने लगतीं—

“बताओ, नंग-धड़ंग से चले आते हैं। बीस बार समझाया है कि यतीमों सी शक्ल लेकर न आएं सबके सामने।”

सचमुच उनके लॉन की मखमली, चमकती, संवारी हुई घास। रंग-बिरंगे डहेलिया, सूरजमुखी, क्रायसिन्थमम और पॉपी की रंगीनियों के बीच वे फटेहाल बच्चे उन्हें बदनुमा दाग लगते, लेकिन मजबूरी थी उन्हें झेलना। बच्चों की मां उनके यहां खाना पकाती। वक्त, बेवक्त कभी कुछ जरूरत पड़ी, हाजिर रहती। आदमी उसका रिक्शा चलाता और रात में चौकीदारी करता। दरअसल यही काम सबसे बड़ा था। परिवार के साथ रहने से हर वक्त घर की पहरेदारी रहती। इतना बड़ा घर। कब कौन, कहां से घुस जाए। चोरी-डकैती अब आम हो गई है। अब तो अकेला जानकर सीधे जान ही ले लेते हैं, लेकिन उससे भी बड़ा एक और डर,

जो भीतर धंसा था, जिसे साज़िदा आपा कभी जबान पर नहीं लाईं—अलीगढ़ जैसी जगह। कब दंगा हो जाए। बाढ़ और सूखे की तरह दंगा भी तो अचानक महामारी की तरह आता है। एक परिवार सामने रहेगा तो अपनी भी सुरक्षा बनी रहेगी। इसलिए लाख नापसंदगी के बावजूद साज़िदा आपा ने हमेशा अपने आउट हाउस में कामवालों को परिवार सहित ही बसाया है।

महिला दिवस के इस आयोजन में साज़िदा आपा ने अपना भाषण गरीब लड़कियों की शिक्षा पर दिया। इस दौरान उन्होंने बहुत फख्र से ऐलान किया कि उन्होंने अपने घर के लॉन के पड़ोस में जो लंबा-चौड़ा मैदाननुमा ड्राइव वे है, वहां अंदर की ओर टिनशेड पड़वा दिया है। बेंच रखवा दी हैं। एक मेज, कुर्सी और एक ब्लैक बोर्ड। फिलहाल यहीं से एक स्कूल शुरू हो गया है। आस-पड़ोस की आठ-दस बच्चियां पढ़ने के लिए आने लगी हैं।

बहुत ताली बजी उनकी इस बात पर। उन जैसी संभ्रांत-कुलीन महिला अपना घर खोल दे। घर नहीं, घर के दरवाजे खोल दे, लॉन ही खोल दे गरीब बच्चों के लिए। साज़िदा आपा का शालीन-सुसंस्कृत व्यक्तित्व। आप-जनाब के बिना बात ही नहीं करतीं। न ऊंचा बोलें और न ऊंची आवाज में बात सुनने की आदी। बहुत पहले की बात है, तब रिटायर नहीं हुई थीं। वे अपनी नौकरानी को डांट रही थीं। उसके बच्चे उन्हें लॉन में खेलते हुए दीख गए। पता नहीं शायद एकाध फूल भी तोड़ लिया हो। फूलों से ज्यादा उन्हें पैरों तले कुचली जाने वाली घास की फिक्र थी।

उनकी डांट से बच्चे सहम गए थे। उनकी मां की पेशी हुई। उसको भी उन्होंने धमकाया। जब बहुत हो गया तो नौकरानी ने धीरे से कह दिया—

"मेम साहब, बच्चे हैं। इधर-उधर दौड़ेंगे, भागेंगे। रस्सी से बांधकर तो रखा नहीं जा सकता।"

नतीजा, खड़े-खड़े वह परिवार जगह और नौकरी दोनों से बेदखल कर दिया गया, लेकिन जाते-जाते भी उस औरत की जबान नहीं रुकी। सबसे बड़ी सजा तो मिल ही चुकी थी। सो दीठ की शर्म भी न रही—

"मेम साहब, अल्लाह ने हाथ-पैर दिए हैं। जहां मेहनत करेंगे, रोटी खा लेंगे, घर से निकाल दो, दुनिया से थोड़े ही निकाल दोगी।"

साज़िदा आपा ने यह किस्सा अपने स्टाफ की टीचर्स को बहुत दुखी होकर सुनाया था। उन्हें अफसोस था कि आजकल की ये नौकरानियां कितनी हेकड़ और

बदज़बान हो गई हैं। कालेज हॉस्टल के बावर्ची को हफ्ताभर उनके घर खाना पकाना पड़ा, जब तक कोई दूसरा माकूल इंतजाम नहीं हो गया।

बहरहाल, ये गुजरे जमाने की बातें हैं। आदमी अगर परिस्थितियों को बदल देता है तो परिस्थितियां भी आदमी को बदल देती हैं। साज़िदा आपा की पुरानी नौकरानी अगर होती तो उसके बच्चे भी अब उनके लॉन के पास ही बैठकर पढ़ते। अब कोई उनसे नहीं कह सकेगा कि खाली-पीली नसीहत देती हैं।

उनका भाषण खत्म हुआ तो ज़हरा ने उन्हें गले लगा लिया। शाहिदा ने जोर-जोर से ताली बजाना शुरू किया।

''वंडरफुल साज़िदा। इस काम की बहुत जरूरत है यार।''

''लेकिन साज़िदा आपा, आपका तो एक पैर लंदन तो दूसरा अमरीका में रहता है। आपका स्कूल, पढ़ाएगा कौन? किसी ने मानों रंग में भंग करने की कोशिश की।

साज़िदा आपा उत्साह में थीं, सहज स्वाभाविक रूप से बोलीं।

''एक लड़की है पड़ोस में। प्राइवेट बी.ए. कर रही है। वही पढ़ा रही है। उसकी भी मदद हो जाती है, जरूरतमंद है वह।'' सचमुच यह काम उनको जैसे दिली खुशी दे रहा था। उनका चेहरा चमक रहा था। फिर जैसे कुछ याद आया हो, बोलीं, ''क्रेडिट गोज़ टू अस्मां! अबकी ईद पर हमारी बहू अस्मां यहीं थी। उसी का यह मशविरा था। बोली, मम्मी आप हमेशा एजुकेशन में रही हैं। बच्चियों को पढ़वाने का काम शुरू कीजिए। आपकी सोशल सर्विस होगी, घर की देखभाल भी होती रहेगी और किसी का भला हो जाएगा।''

अब जब साज़िदा आपा इतना कर सकती हैं तो अनवरजहां तो सीधी-सादी समर्पित महिला हैं। ऐसी नोक-झोंक तो होती रहती है। हम औरतों की आदत होती है भिड़ने-भिड़ाने की और फिर सामान्य हो जाने की। सास-बहू की संस्कृति से इतनी आसानी से पल्ला थोड़े ही छूटेगा। औरतों की जिंदगी में कोई एक पेंच है? पढ़-लिख गए, देहरी लांघकर बाहर निकल आए तो पेंच और बढ़ गए। रोज न जाने कितनी बाधा-दौड़ पार करनी पड़ती हैं। ऐसी कहासुनी तो लगी रहती है। कौन मुंह फुलाकर बैठ जाएगा, काम-धाम बंद कर देगा! ये उठा-पटक, झोंटा-झोंटी तो जिंदगी का हिस्सा बनते रहे हैं। फिर चार दिन बाद सिर जोड़कर बहनापा दिखाई देने लगता है। मुसीबत पड़े तो सब दौड़े चले आते हैं। पिछली मीटिंग में शहनाज़ आपा ने सचमुच दिल खोलकर उनकी तारीफ की थी। उन्हें गले से

लगा लिया था। बेहद गंभीर स्वभाव की और अमूमन चुप रहने वाली अनवर शरमा गईं। सार्वजनिक रूप से ऐसा अंतरंग स्नेह प्रदर्शन, मुंह पर कभी किसी ने उनकी ऐसी प्रशंसा भी तो नहीं की थी, रिटायर हो चुकी अनवर जैसे किशोरी बन गई हों, चेहरा चमकने लगा था उनका।

मैंने एकबार अतुल को साज़िदा आपा के मकान और उनके ड्राइंगरूम की शानदार सजावट के बारे में बताया। उनके मोटे-मोटे गद्‌देनुमा कालीनों का किस्सा भी बताया और यह भी कि अपने लॉन के प्रति कितना लगाव है उन्हें।

अतुल के हाथ में किसी होने वाली मीटिंग को मोटा एजेंडा था। वे मीटिंग की तैयारी कर रहे थे और एजेंडा पढ़ने में मशगूल थे। बिना सिर उठाए उनकी प्रतिक्रिया थी–

''अरे, एक अकेले घर के भीतर लॉन सजाने से क्या होगा?'' मैंने चुटकी ली और कहा।

''तुम अगर अपने घर के दरवाजे-चौखट खोलकर रखो सबके लिए तो कोई क्या करे। सब तुम्हारी तरह थोड़ी होते हैं। तुम्हारी फोर्थ क्लास यूनियन के लोग मिट्टी-कीचड़ से सने पैर लेकर आते हैं और पसर जाते हैं सोफों पर। निरे बीड़ी सिगरेट के टुर्रे मिलते हैं वहां!'' मैंने उलाहना देते हुए कहा।

''अब वे हमारे तुम्हारे स्टेटस के लोग तो हैं नहीं, अपनी आदतों के मुताबिक ही तो व्यवहार करेंगे मैडम।'' अतुल ने किंचित हास्य के साथ बात उड़ा दी।

मजाक से शुरू हुई बात थी। पता नहीं क्यों मुझे गुस्सा आने लगा था।

''माई डियर, तुमने यह जानने की कोशिश भी तो नहीं की कभी कि मुझे यह सब अच्छा लगता है या नहीं। आखिर घर तो मेरा भी है न।'' मेरा नारी विमर्श जाग्रत होने लगा था।

''मेरी बात पर अभी तक शायद अतुल ने ध्यान नहीं दिया था, लेकिन अब मेरा स्वर सुनकर उन्होंने अपने कागज एक ओर सरका दिए। गंभीर होकर बोले–

''जमीनी लोग हैं वे। मेहनत करने वाले लोग हैं। ड्राइंग रूम मैनर्स नहीं जानते। तुम्हें अच्छा नहीं लगता तो मैं उन्हें घर में आने से मना कर दूंगा।''

अतुल तो कुछ ज्यादा ही सीरियस हो गए। मैंने बात को फिर परिहास में बदलने की कोशिश की।

''मैं तो तुम्हें साज़िदा आपा के ड्राइंग रूम के कालीन का किस्सा सुना रही थी। इसीलिए तो मैंने अपने ड्राइंग रूम में कालीन जैसी कोई चीज नहीं बिछाई, ताकि जमीनी हकीकत दिखाई देती रहे।''

मुझे हँसता हुआ देखकर शायद अतुल सहज हुए। फिर कुछ सोचते हुए बोले।

''मैडम, पूरा मुहल्ला, समाज खूबसूरत लॉन जैसा महके, तब तो उसमें हमारा सजा-सजाया घर अच्छा लगेगा। बाहर पानी भरा हो, कीच हो, बदबू हो, उसके बीच में हमारा महल बना हो, निर्जन टापू जैसा, कैसा लगेगा, ''अतुल की आंखें फिर मुस्कराने लगीं, कोई शरारत जैसे सूझ रही हो। धीरे से बोले–

''कैसी औरतों जैसी बातें करने लगी हो तुम।''

मैं फिर भड़क गई।

''ये क्या बात हुई। तुम भी टिपिकल मर्दों जैसी बातें कर रहे हो। घटिया बातें, औरतों जैसी। दुनिया-जहान की बातें, आदर्श संहिता की बातें हैं, मर्दों जैसी।'' मेरा नारीवाद फिर आहत होने लगा था।

अतुल हँस दिए। फिर अचानक गंभीर होकर बोले–

''आय'म थैंकफुल टु यू राधा। आज एक बात कहता हूं। मर्द हो या औरत, कोई कुछ नहीं कर सकता। न कोई बड़ा काम और न छोटा काम, अगर उसे घर से सपोर्ट न मिले। घर की मदद, बहुत मायने रखती है माई डियर। अच्छे-अच्छे लोगों की जिंदगी नरक बन जाती है, अगर घर में कलह हो। फिर, या तो आप सरेंडर कर दें या सबसे छिटककर दूर हो जाएं, अजनबी बनकर रहने लगें।'' कुछ क्षण की चुप्पी, फिर सहज होकर हँसने लगे।

मैं क्या कहती। चुप रही। खामखा बात उठा बैठी।

''अच्छा, चाय पिलाओ बढ़िया सी। इस मामले में तो मैं कट्टर पुरुषवादी हूं न। चाय के लिए तुमसे ही कहता हूं, कभी नहीं उठता खुद बनाने के लिए।'' और फिर कागजों के बीच सिर धंसा लिया।

मैं सचमुच शरमा गई थी और चुपचाप चल दी थी चाय बनाने। ऐसा लगा था जैसे समय पीछे लौट चला हो। ऐसी रोमांटिक बातें करने को अब फुर्सत कहां है किसी को, सारी जिंदगी जैसे दौड़ते-दौड़ते निकली जा रही है। ऐसी ही दौड़-भाग में अंतरंग क्षण, हृदय की अतल गहराइयों से निकली भावभीनी आत्मस्वीकृतियां, जैसे जेठ की दुपहरी में ठंडी बयार, गर्मी के बाद बारिश की ठंडी फुहार।

''अनवर आपा, अब आप चाय पियो और डायरी पर्स में डालो।'' पीछे से आती नाहीद ने उनकी डायरी बंद कर दी और अनवर के गले में हाथ डालकर हँसने लगी।

''तुम! तुम कहां से आ गईं।'' आंखे तरेरीं अनवर ने। पिछली मीटिंग में स्कूल के नाम पर जब निरे सवाल खड़े किए जा रहे थे तो नाहीद भी तो सुर में सुर मिला रही थी, अनवरजहां ने क्या देखा नहीं था?

लेकिन नाहीद बिल्कुल सहज-स्वाभाविक थी। हमेशा की तरह चटर-पटर बतियाने वाली।

''इसलिए कि आज मैं आपके साथ चलूंगी। देर हो गई है न! जीवनगढ़ के लिए तो रिक्शे वाले भी आसानी से तैयार नहीं होते।''

''तैयार हो जाएं तो भी एहतियात रखो भई। वो एरिया जरा ठीक नहीं, आए दिन वारदातें होती रहती हैं।''

अनवर जैसी सीरियस इन्सान। हँसते-खिलखिलाते शायद ही देखा हो किसी ने। बेतकल्लुफ नाहीद इतनी लिबर्टी ले रही है।

नाक पर रखे अपने चश्मे से झांकती हुई नजरों से घूरा उन्होंने नाहीद को। फिर धीरे से मुस्कुराई, ''ठीक है, चलना।''

गेस्टहाउस के बैरे सबके सामने प्लेटें ले जा रहे थे, लेकिन गज़ाला शायद इससे संतुष्ट नहीं थी। कबाब की प्लेट शहनाज़ आपा के पास ले गई।

''शहनाज़ आपा! आपने कबाब नहीं लिया।'' और कांटे से एक कबाब उठा कर उनकी प्लेट में डालने लगी।

''अरे नहीं! तुम्हें नहीं मालूम बिटिया, शहनाज़ आपा वेजीटेरियन हैं। हंड्रेड परसेंट वेजीटेरियन।''

''सच!''

विमलेश मेरे पीछे सिकुड़ी बैठी कुनकुना रही थी। मुझे मालूम था उसे देर हो रही है। अचानक बोल उठी–

''अरे! मैं तो समझी थी सभी मियां भाई गोश्त खाते हैं।''

हम सब अचकचा गए। एकदम क्या बोल बैठी वह? संस्कारों के भीतर से निकली आवाज! साफ शफ्फाक झील में तैरते कमल और उन पर अचानक पत्थर मारा हो किसी ने। सब हतप्रभ! विमलेश को अहसास हुआ कि कुछ गड़बड़ बोल गई है वह, तो खिसिया गई। शहनाज़ आपा का चेहरा अजीब हो गया। सिकुड़ गईं वह! दो सेकेंड का सन्नाटा! थोड़ा समय लगा उन्हें सहज होने में। फिर धीरे से मुस्कराकर बोलीं।

"हां, कसाई होते हैं न मुसलमान।" और हँसकर बात को उड़ा दिया।

गज़ाला चुप थी। धीरे-से बोली।

"आ'म सॉरी, तो आप आलू की टिक्की लीजिए, मैं अभी लाई।"

मुझे अंदर आती हुई नीलम दिखाई दी। वह अपनी अम्मी को लेने आई थी। मुझे अचानक कौंधा, मैं तुरंत उसके पास गई।

"अरे नीलम सुनो!"

"नमस्ते आंटी।"

"खुश रहो बेटे, अम्मी को लेने आई हो न!"

"हां, आंटी! कहां हैं अम्मी!"

"देखो वो बैठी हैं।" मैंने कोने की ओर इशारा किया। जरीना झुंड में बैठी बतिया रही थीं।

"और तो कोई नहीं है तुम्हारी गाड़ी में, नहीं तो विमलेशजी को साथ लेती जाओ, छोड़ देना सनातन कालेज के पास।"

मैंने राहत की सांस ली। बेचारी विमलेश? देर होने की वजह से परेशान हो रही है। शाम के वक्त इस तरफ शहर के इलाके के लिए रिक्शे भी नहीं मिलते। ज्यादा देर हो गई तो घरवाले चिंतित हो जाएंगे। यूं भी शहर के लोगों के लिए यूनिवर्सिटी का इलाका निरापद नहीं है। दिन-सबेरे की बात अलग है। सूरज डूबने के बाद एक महिला और वह भी अकेले। जब रिक्शे वाले शाम के बाद अपने इलाके से दूसरे के इलाके में नहीं जाते तो फिर औरों की तो बात ही अलग है। इस शहर के भीतर कितने और छोटे-छोटे शहर बसे हैं, इसका अंदाजा लगाना मुश्किल है।

अचानक बहादुरी का कारनामा कर दिखाना और बहादुरी का माहौल बनाना शायद दो अलग-अलग बातें हैं।

यह इतना सोचने का मसला नहीं, मैंने सिर झटका और अपना चाय का प्याला लेकर वहीं बैठ गई। घड़ी पर नजर गई। सात बज रहे हैं। अतुल ने कहा था वह मुझे ले लेंगे। यहीं कैंपस में कहीं मीटिंग है उनकी। थोड़ा इंतजार करने में क्या हर्ज है, मैंने सोचा।

नीलम और उसकी अम्मां

''भेज दिया अपनी सखी को।''

''जी शहनाज़ आपा! वो बेचारी बिना बात सूख रही थी। नीलम दिख गई। छोड़ देगी वह विमलेशजी को घर तक।''

''यार, ये नीलम शादी क्यों नहीं करती, अच्छी-खासी उम्र हो रही है।''

''आप भी शहनाज़ आपा, यूं वीमेंस डे पर औरतों की आजादी की बात करेंगी, फैसले लेने की आजादी की बात करेंगी और फिर ये सवाल!'' मैंने टोका उन्हें। क्या मुसीबत है। लड़की का मसला हो तो घूम-फिर कर बात फिर शादी पर ही आ टिकती है।

''नहीं, ऐसा नहीं, लेकिन राधा, हर काम की एक उम्र होती है न।'' शहनाज़ आपा जैसे कुछ सोच में पड़ गईं। मैंने सोचा कि अब कहीं यह न कहने लगें कि देखो मैंने भी वक्त रहते फैसला नहीं लिया और ट्रेन निकल गई, शायद इसीलिए नीलम के लिए सोच रही हों।

''हो सकता है उसने किसी को पसंद कर रखा हो, सही मौके का इंतजार कर रही होगी।'' मैंने सुझाया। ''शहनाज़ आपा आजकल हर कोई पहले जिंदगी का मजा लेना चाहता है। फिर सोचता है वह घर गृहस्थी में फंसने की!''

"हो सकता है।" वह उसी तरह सोच में खोई यूं ही प्याले में चम्मच घुमाती रहीं। "हो सकता है, तुम्हारी बात ही ठीक हो।"

मैंने भी कह तो दिया। नीलम की बात को हल्के से उड़ा दिया, लेकिन मुझे मालूम है शहनाज़ आपा का दिमाग किधर है, क्या सोच रही होंगी वह। तो क्या उन्हें अंदाजा है पिछली गर्मियों में क्या हुआ था! दिलचस्प बात ये है कि जिसे भी उस घटना के बारे में मालूम हुआ, वो दूसरों से इसी तरह छिपाता रहा। बात वही कही जा रही थी जो नीलम के घरवालों ने सबसे कही थी। नीलम के पापा बिजेन्द्र सिंह और ज़रीना ने कहा था कि उसे जुकाम हुआ था। ऐंटी वाइरल ली थी और वह रिएक्ट कर गई। सभी ने बिना सवाल किए मान लिया। जिन लोगों को दूसरों के फटे में पैर डालने की आदत होती है, उन्हें भी ज्यादा शोर मचाने की हिम्मत नहीं हुई। बात फुसफुसाहटों तक ही रह गई।

नीलम के साथ सभी की हमदर्दी है। ज़रीना की इकलौती संतान है वह। कब से उसे देख रहे हैं। सबके सामने पली-बढ़ी है। यूनिवर्सिटी में पढ़ी और अब यहीं पढ़ा रही है अंग्रेजी। दुबली-पतली सांवली सी नीलम। चेहरे पर स्निग्धता, जो इस उम्र की, उम्र की ताजगी की खास पहचान होती है। बातचीत में बेहद शालीन। कुछ कहो तो फिक्क से हँस देगी दांत दिखाते हुए। भला ऐसी खुश मिजाज, समझदार लड़की क्यों खुदकुशी की कोशिश करेगी, क्या कमी है उसमें। ज़रीना ठहरीं जनता की सेवक। कभी लड़कियों के लिए सिलाई सेंटर खोल रही हैं तो कभी कोआपरेटिव स्टोर बनवा रही हैं। कई मुहल्लों में सिलाई सेंटर खोले गए। दो सेंटर तो जमालपुर में ही थे। वहां अपने निकट के दो नौजवान डाक्टरों की मदद से एक छोटा-मोटा क्लीनिक भी खुलवा दिया। एक रुपये में कार्ड बनवा कर कोई भी वहां सवेरे के वक्त डाक्टर को दिखा सकता था। कच्चे, पक्के, झुग्गी-झोंपड़ी वाले इलाके के लोगों के लिए बड़ी नेमत।

नीलम अपनी अम्मां के साथ हर जगह दीख जाती है। कभी स्कूल-कालेजों में सिलाई सेंटर में तैयार कपड़ों की सेल लगानी हो। कभी बड़े स्टोर, जो अपना पुराना गर्म कपड़ों का स्टाक औने-पौने दामों में निकाल देते, उनके ढेर लगाकर झुग्गी-झोंपड़ियों में बांटे जा रहे हैं। कोआपरेटिव स्टोर खोलने के लिए शुरुआती पूंजी जमा करने के लिए यूनिवर्सिटी में पढ़ने-पढ़ाने वालों से चंदा जमा करना हो, नीलम हर जगह दीख जाएगी।

"आप तो जानती हैं आंटी! दौड़-भाग किए बिना अम्मां मानेंगी नहीं और अब बीमारी की वजह से उनसे होता नहीं है ज्यादा।" नीलम सफाई देती फिरेगी सबको। अच्छा लगता है देखकर। घाटे के सौदे की विरासत संभालना और वह भी आज के जमाने में।

ज़रीना ने भी तो अपने अब्बू के नक्शे कदम पर पैर जमाए हैं। अब्बू ने आज़ादी से पहले की जंग लड़ी थी। ज़रीना आजाद हिन्दुस्तान में दूसरी लड़ाई के मोर्चे पर जुटी हैं। जरीना का परिवार जंगे आज़ादी का गवाह रहा है। जंग में अपने पूरे वजूद के साथ शामिल रहा है। सिर पर कफन लपेटकर किसी भी शहादत के लिए तैयार।

उसके अब्बू गांव के स्कूल में मुदर्रिस। चुपचाप नौकरी बजाते रहते तो चैन से जिंदगी कटती, लेकिन चैन! वह तो दुर्लभ था। वह समय चैन से बैठने का था ही नहीं। हर पल कुछ नया घट रहा था। वक्त के नगाड़े पर पड़ने वाली हर चोट एक तूफान का संदेश दे जाती। यह तूफान उस गांव में भी लहक रहा था। सुराजियों के जत्थे निकलकर जाते। उनके कदमों की चाप, लंबे समय तक हवाओं में गूंजती रहती। सुना था कि एक समय अलीगढ़ से कुछ किलोमीटर की दूरी पर बसे हरदुआगंज कस्बे में हजारों किसान जुट आए थे। किसान सभा का ऑल इंडिया सम्मेलन वहां हुआ था। पंडित जवाहरलाल नेहरू बुलाए गए थे। 1936 में कांग्रेस के अधिवेशन में किसानों का आंदोलन मुख्य चर्चा का विषय बना था। वर्ना हिन्दुस्तान का किसान तो ब्रिटिश राज में अपनी जमीन की लड़ाई लड़ता हुआ अपनी पहचान खोता जा रहा था। अपनी जमीन से चिपका, जमींदोज होता, फिर दूब की तरह उगता, खड़ा हो जाता था। अब उसकी लड़ाई राष्ट्रीय आंदोलन की मुख्यधारा में शामिल हो रही थी, उसका हौसला बढ़ा था। अब किसान भी कांग्रेस के एजेंडे में शामिल कर लिया गया था। इतिहास में ऐसा भी वक्त आता है जब जनता आगे होती है और उसकी छड़ी से नेताओं को अपना रास्ता तय करना पड़ता है। कस्बा हरदुआगंज में भी फटेहाल किसानों का, लुटे-पिटे बदहाल काश्तकारों का समुद्र लहरा रहा था। पंडितजी यह देखकर चकित थे। अभिभूत थे। बिना किसी गांधी बाबा के आह्वान के इतनी ताकत! इतना बड़ा सैलाब!!

अधिवेशन शुरू हुआ। पंडितजी बोलने के लिए खड़े हुए। बेतरह शोर। बैठ गए। इलाके के किसान नेता मूढ़ और नागर मौजूद। मुंशी गजाधर सिंह मौजूद। हजारों की भीड़ में हर एक को नाम से जानने वाले, घर-घर को पहचानने वाले उनके ये नेता। दुबारा फिर पंडितजी खड़े हुए। हाथ हिलाया। कांग्रेस के इतने बड़े नेता। किसान सम्मेलन के लिए पूरे आदर सम्मान से बुलाए गए थे कि उनके शामिल होने से किसान और उत्साहित होंगे। आंदोलन आगे बढ़ेगा, लेकिन फिर वही ढाक के तीन पात। जैसे कोई पंडितजी को पहचानता ही नहीं। उन्होंने गुस्से से मूढ़जी की ओर देखा। मुंशी जी भी परेशान।

आखिर में मूढ़जी उठे। भीड़ की ओर मुखातिब होकर हाथ हिलाया।

''अरे करम कूटाओ! बैठो। ये पंडितजी, बहुत बड़े नेता हैं। पंडित जवाहर लाल नेहरू हैं ये। गांधी बाबा ने भेजे हैं। इनकी बात सुनो।''

भीड़ ने हाथ हिला दिया, जैसे लहरें झूमने लगीं और समवेत स्वर गूंजा—

''भजन-भजन! पहले भजन! मूढ़जी, भजन सुनाओ मूढ़जी।'' भीड़ भी चिल्ला रही थी। यह चिल्लाहट भी एक लय लिए हुए थी। वह खाली-पीली भाषण सुनने की आदी नहीं थी। किसान सभा के लोग गांव-गांव जाते। चौपाल पर बैठते। भजन होते, बारहमासा होते, ये नए तरह के भजन थे। नए बनाए बारहमासा थे। इनमें किसानों के दुःख-दर्द बयां होते। लगान की बात। जमींदार की बात, उसके कारिन्दे-हरकारों की बात और फिर लामबंदी की बात होती। संगठन की बात होती। एकजुट होकर मुकाबिले की बात होती। खंजड़ी और मंजीरा बजाते, गाते-बतियाते ऐसे घूमते जैसे अपना कोई घरबार ही न हो और दूसरा कोई काम ही न हो। अजब हाल था इन लोगों का। कहीं भी रोटी खा ली। कहीं गुड़-चने का चबेना कर लिया। किसी के घेर पर रात बिता दी। सबेरे अपनी खंजड़ी संभालकर आगे के गांव की ओर चल दिए। ये किसान जनता ऐसी ही मीटिंग की आदी थी। बिना गीत-भजन के कैसी बातचीत, कैसी मीटिंग?

इससे पहले कि पंडितजी का गुस्सा बेकाबू होता, मूढ़जी ने पंडितजी के सामने से माइक अपने आगे कर लिया। तखत के किनारे रखी खंजड़ी हवा में लहराई झनन, झनन-झन झनन-झन। चेले नागर ने हरमोनियम का सुर दबाया और आवाज गूंजी।

मूढ़जी जैसे भीड़ की आंखों में आंखें डालकर सुर लगा रहे थे और एक हाथ गर्दन पर रखे जैसे वहां पड़े फंदे को हटा रहे थे। दोनों ने फिर एक साथ सुर खींचा।

''चाहे वृन्दावन रहो, बसो चाहे मथुरा-काशी।''

''चाहे वृन्दावन जाओ, बसो चाहे मथुरा-काशी।'' सप्तम स्वर में मूढ़जी की आवाज़ गूंजने लगी, शोर बैठने लगा। आगे सहारा देते हुए नागरजी की आवाज़ ने भी सुर मिलाया–

''चाहे वृंदावन जाओ, बसो चाहे मथुरा-काशी, अरे बिना मेल ना कटै किसानन के गले की फांसी।''

समुद्र की लहरें थम गईं थीं। अब खुसर-पुसर भी बंद हो गई थी और मूढ़जी की आवाज़ समुद्र की लहरों पर तैरती-बहने लगी थी। हारमोनियम का सुर तेज हुआ और दोनों जैसे लय में झूमने लगे, ''एक मंच पर आव किसानौ, एक मंच पर आव।'' पूरी भीड़ उनके साथ सुर मिला रही थी, ताली दे रही थी।

''एक मंच पर आवो किसानों एक मंच पर आव'' कीर्तन शुरू हो गया। मूढ़ ने गीत खत्म किया। आसमान की ओर हाथ उठाकर खंजड़ी का झनाकेदार समापन किया और नीचे रखकर पंडितजी की ओर देखकर हाथ जोड़ दिए–

''आओ पंडितजी, अब संभालो अपनी गद्दी, सब आपहि की जनता है।''

पंडितजी हतप्रभ, दूसरी ओर अपार भीड़ देखकर मुग्ध भी। उस जन समूह को संबोधित कर पंडितजी बोलते रहे। किसानों की बात। लगानबंदी। सत्याग्रह। गांधी बाबा की बात। कांग्रेस की बात। देश की बात। बहुत सारी बातें और बातें।

कब मीटिंग खत्म हुई, सम्मेलन पूरा हुआ, पता नहीं, लेकिन लगता था कि पूरा इलाका हिलने लगा है। हरदुआगंज से उठती लहरों ने दूर-दूर तक लोगों के दिमागों को अपने में समेट लिया था। दिल धड़कने लगे थे। बांहें फड़कने लगी थीं। नौजवानों के सीनों में तूफान मचलने लगे थे।

ज़रीना के अब्बू का गांव कौन बहुत दूर था वहां से। अबकी जब सुराजी उस गांव में आए तो उनका स्वागत करने वालों में मौलाना ताहिर भी आगे-आगे थे। मौलाना के गांव में भी किसान सभा थी। उनके गांव से भी लोग हरदुआगंज में सभा करके आए थे। पंडितजी के किस्से छतारी की चौपालों

पर भी बैठकर सुनाए गए थे, तो फिर। ठीक है, मौलाना काश्तकार न सही, मुदर्रिस ही सही, सबके दुःख-दर्द में शामिल तो थे। नवाब खान बहादुर जलील खां से आतंकित भी तो थे। ये वही नवाब साहब थे, जिन्होंने एक बार अपने दिल का दर्द एक लंबे ख़त में ज़ाहिर किया था। गवर्नर साहब को लिखे ख़त में उनसे मिन्नत की गई थी कि अंग्रेज साहब बहादुर को हिन्दुस्तान छोड़कर कभी नहीं जाना चाहिए। वर्ना उन जैसे अंग्रेज बहादुर के वफ़ादारों का क्या होगा। जाहिल सुराजिए उन्हें जीने नहीं देंगे, लेकिन यह वाकया तो 1946 का है। द्वितीय विश्वयुद्ध के खत्म होने के बाद का है, जब इंग्लैंड की पार्लियामेंट बिल पास कर हिन्दुस्तान जैसे उपनिवेशों से अपनी सत्ता समेटने का निर्णय ले रही थी।

मौलाना ताहिर और उन जैसे कई नौजवान बेचैन थे, जो कुछ कर गुजरना चाहते थे और रास्तों पर निगाहें जमाए हुए थे, शायद किसी रहनुमा के इंतजार में। तभी गांधी का फरमान पूरे देश में गूंजा था 'करो या मरो'। उन जैसे बहुत लोगों ने समझा कि करो और मरो और इसी का शायद इंतजार था उन्हें।

अबकी हाथरस, सासनी, अलीगढ़ होता हुआ किसान सभा का जत्था जब छतारी के पास से गुजरा तो वहीं स्कूल के मैदान में मौलाना ने उनकी बड़ी सभा करा डाली। अंग्रेजो वापस जाओ, अंग्रेजो भारत छोड़ो, जैसे नारों से हवाएं गूंजने लगीं। खेत-खलिहानों से होती हुई ये आवाजें नवाब की गढ़ी तक पहुंचीं और टकरा-टकराकर चक्कर काटने लगीं।

'अंग्रेजो-भारत छोड़ो' जैसे नारे के साथ-साथ खतरनाक बात ये थी कि 'अंग्रेजों के पिट्ठू भारत छोड़ो' जैसे नारे भी हवा में तैरने लगे थे।

नवाब साहब के कान खड़े हो गए। उनकी लंबी मूंछें और ऐंठ गईं। दूसरे दिन उनके हरकारे जब मौलाना को बुलाने उनके घर पहुंचे तो वहां वे थे ही नहीं। मौलाना उन सुराजियों के साथ ही अगले पड़ाव के लिए निकल चुके थे। कच्ची गृहस्थी, अकेली बीवी, एक छोटी बच्ची, कोई भी मोह-बंधन नहीं रोक सका उन्हें। मौलाना ही क्या, पड़ोस की ओमवती बुआ का पंद्रह-सोलह साल का छोटा सूरज पाल भी तो साथ लग लिया था। उन्होंने सूरजपाल को बहुत समझाया कि कौन है उसके आगे-पीछे। अकेली मां। उसे मत छोड़। सूरजपाल रहा होगा सात-आठ साल का, जब उसका बाप चौधरी रामपाल खेतों में पानी लगाते-लगाते जाने कैसे

मर गया। शायद किसी सांप ने काट लिया था उसे। लोगों का ऐसा ही खयाल था। चौधरी के जाने के बाद बहुतेरी कोशिश की उसकी सास ने ओमवती को देवर के साथ बैठाने की, लेकिन वह पट्ठी नहीं मानी।

"अब और किसी के नाम के बिदिए-सिंदूर ना पहन सकूं मैं, ऐसेई काट लूंगी ये जनम।" उसने हाथ जोड़ दिए थे और नन्हें सूरज को छाती से लगा लिया था।

मौलाना ताहिर अली के साथ वही सूरजपाल भी सुराजियों के साथ चला गया।

मौलाना और सूरज और उन जैसे सैकड़ों-हजारों लोग थे, जो अपना घर-बार, मां-बाप, बीवी-बच्चे छोड़कर आ रहे थे, कारवां बढ़ रहा था। अद्भुत समय था वह। जमी हुई धुंध के बीच रौशन कलम से उजाले की रेखाएं उकेरी जा रही थीं। समय अपना इतिहास लिख रहा था। इन्हीं उजले क्षणों का साक्षी एक और नौजवान था बिजेन्द्र सिंह। अलीगढ़ के टप्पल गांव के चौधरी देवेन्दर सिंह का इकलौता बेटा!

जिला मुख्यालय पर कलक्टर के दफ्तर के सामने सत्याग्रहियों का धरना चल रहा था। हर रोज एक जत्था आता। धरने पर बैठता, जैसे ही मीटिंग शुरू होती, सब गिरफ्तार कर लिए जाते। दूसरे दिन फिर दूसरा जत्था आता। 'जेल भरो' आंदोलन को चलते हुए एक हफ्ता हो चुका था। कांग्रेसी नेता घूम-घूमकर स्वयंसेवकों की भर्ती कर रहे थे और धरने को लगातार चलाए हुए थे, जिसकी बागडोर किसान सभा के हाथों में थी।

टप्पल में अबकी जब स्वयंसेवक सत्याग्रहियों की खोज में आए तो वहां से कोई नहीं था उनके साथ जाने वाला। दरअसल गांव के छत्तरपाल का जवान छोरा दो दिन पहले ही चल बसा था। पिछले साल ब्याह हुआ था और गौना भी नहीं हुआ था। रातभर उल्टी-दस्त हुए, सबेरे गांव के वैदजी को बुला भेजा। पता चला कि वह एक दिन पहले ही अलीगढ़ चले गए हैं। किसी मुकदमे की तारीख थी उनकी। जब तक बैलगाड़ी में डालकर शहर के डाक्टर के पास ले जाते, वह इतना निढाल हो चुका था कि रास्ते में ही उसने दम तोड़ दिया।

इस जवान मौत से सभी दुखी थे। इसीलिए अबकी खद्दर का बाना पहने और गांधी टोपी लगाए दो सुराजिए आए तो पहले की तरह फूलमालाओं से भव्य

स्वागत तो नहीं हुआ, हां बौहरेजी अपने घर ले गए। शरबत पिलाया। खाना खिलाया, लेकिन साथ जाने वाले लोग मुश्किल से जुटे। छोरा छत्तरपाल के बिलखते मां-बाप और चुपचाप घूंघट काढ़े बैठी नन्ही मुन्नी बहू के दुःख से कोई अलग नहीं हो पा रहा था। सो इस बार मास्टर कंछीलाल शर्मा और राजवीर सिंह के अलावा तीसरा नाम नहीं आया।

बिजेन्दर, छोटा चौधरी। मुश्किल से सोलह-सत्तरह की उम्र। अपनी खेती के काम में संलग्न। बाप ने पिछले पांच महीने से खाट पकड़ी हुई थी। अलीगढ़ के धर्मसमाज कालेज से दसवीं पास कर ली थी बिजेन्द्र ने। आगे और पढ़ता, लेकिन घर का काम कंधे पर आन पड़ा। किशोर बिजेन्द्र खेत पर था। दो स्वयंसेवकों के साथ मास्टर कंछीलाल और ठाकुर राजवीर को गांव के बाहर जाते देखा तो लगा कि यह ठीक नहीं हो रहा। इतना बड़ा गांव और सिर्फ दो स्वयंसेवक मिले गांव से? शर्म-शर्म-शर्म। बहुत देर तक सोचता रहा, सोचता रहा वह, ''पगड़ी संभाल जट्टा पगड़ी संभाल रे, पगड़ी संभाल।'' जैसी पंक्तियां कान में गूंजने लगी थीं, मन उहापोह में था। एक ओर बीमार बाप, अकेली मां। दूसरी ओर फड़कता मन, खून में उठती हिलोरें। नजर सामने ही लगी थी, दिमाग कहीं और दौड़ रहा था। चारों आकृतियां धीरे-धीरे दृष्टि से ओझल होने लगी थीं। अचानक कुछ सोचकर आवाज दी।

''मास्टरजी। मास्टरजी।''

वे चारों आकृतियां गांव से बाहर जाने के रास्ते पर बढ़ती रहीं।

लगा कि उन्हें सुनाई नहीं दिया। बिजेन्द्र ने तुरंत उसी दिशा की ओर दौड़ लगा दी और आखिरकार उन्हें पकड़ ही लिया। उनसे रुकने की कहकर खेत पर खड़े बैल हल से खोले और घेर पर जाकर बांध आया और चल दिया उनके साथ। अब चार से पांच हो गए थे लोग। पंच परमेश्वर। गांव का नाम तो बदनाम नहीं होगा। क्या निपूती हो गई है गांव की धरती, ''चलो मास्टरजी।'' बिजेन्द्र सिंह ने सिर पर अंगोछा फेंटे की तरह बांध लिया।

अलीगढ़ जेल में एक नया परिवार बना। वहां मास्टर कंछीलाल और राजवीर तो थे ही, छतारी के मास्टर मौलाना ताहिर अली और छोटे भाई जैसा सूरजपाल भी मिला था। यहीं मुलाकातियों में अपनी मां शबनम के साथ ज़रीना आई थी तो

बिजेन्द्र की मां शांति भी आई थी। बाप नाराज था, इसलिए मिलनी के लिए नहीं आया, लेकिन मां ने लल्लू बिजेन्दर को छाती से लगा लिया। सूरजपाल की मां तो कभी नहीं आई मुलाकात के लिए, लेकिन क्या हुआ। मौलाना जैसा संरक्षक था वहां। बिजेन्द्र जैसा बड़ा भाई। शांति और शबनम जैसी मौसी थीं मिलने के लिए तो ज़रीना जैसी छोटी बहन थी। सभी गांव-रिश्ते से बंधे थे। आजादी मिलेगी-जैसी भावना की डोर से बंधे थे। एक परिवार था। एक कुटुंब था। इसीलिए रोती-कलपती शबनम के आंसू शांति बहन ने पोंछे थे। कहा, ''अकेली नहीं हो तुम बहन।'' और जरीना को गोद में लेकर छाती से लगा लिया था।

मास्टरजी, राजवीर और मौलाना धर लिए गए साल भर के लिए। सूरजपाल, बिजेन्द्र जैसे अनेक लोगों को छह महीने की सजा हुई। उम्र देखकर सजा मिली थी। दो महीने बाद मौलाना वगैरह आगरा जेल भेज दिए गए। कलक्टर को शायद वह ज्यादा खतरनाक बंदी नजर आए थे।

अगली मिलनी के लिए जब वहां मुलाकाती इकट्ठा हुए तो शबनम के तो होश उड़ गए। कम से कम देखकर, दो बातें करके तसल्ली तो हो जाती थी। आगरा कितनी दूर है? कौन जाएगा वहां? कैसे? शबनम बिलखने लगी थी। अब तक की शांत जिंदगी। कोई पेंच नहीं। मौलाना स्कूल में पढ़ाते। शाम को स्कूल के चबूतरे पर उन बच्चों को इकट्ठा करके पढ़ाते, जो स्कूल नहीं आ पाते थे। उनके घरवाले भी मास्टरजी का खयाल करते और सम्मान करते। जिंदगी आराम से ही गुजर रही थी। अब तो कोई उम्मीद नहीं रही मौलाना के जल्दी लौटने की। क्या होगा अब परिवार का। अब मां-बेटी का क्या होगा, कहां जाएं! क्या करें, कैसे करें?

ऐसे वक्त पर शांति देवी ने उन्हें गले से लगा लिया और सरपरस्त बनीं। शांति देवी ने शबनम के सिर पर हाथ रखा था तो निभाया भी। वे उन्हें छतारी से टप्पल ले आईं। वे अब शांति के परिवार के नए सदस्य थे। छह महीने बाद जब बिजेन्द्र लौटा तो दो बातें हुई थीं। एक तो बिजेन्द्र के बाप गुजर चुके थे और दूसरा, उनके साथ एक नया परिवार जुड़ गया था।

अब ज़रीना को भी स्कूल भेजा जाने लगा। छह साल बाद ज़रीना ने मिडिल पास कर लिया। खासी बड़ी हो रही थी वह। चौधरी परिवार की सबसे

छोटी सदस्य, लेकिन लोग तो लोग हैं। कौन किसकी जुबान रोकेगा, इससे पहले कि लोग तरह-तरह की बातें करते, एक नया रिश्ता कायम कर लिया शांति और शबनम ने। ज़रीना अब शांति की बहू थी। बेटी जैसी ज़रीना अब बहू बन गई थी उसकी। बहू का पूरा मान दिया शांति ने उसे। यह रिश्ता कायम हुआ तो ऐसा नहीं कि हंगामा न हुआ हो, लेकिन वह जमाना दूसरा था। धार्मिक भेदभाव तो था, लेकिन सियासत नहीं थी। सियासत थी तो हुक्मरानों के बीच थी। लोगों के दिलों में नहीं थी। भाईचारा बना हुआ था। दुख-दर्द और हमदर्दी का बंटवारा धर्म के नाम पर नहीं हुआ था। लोगों के बीच कहन-सुनन सिर्फ फुसफुसाहटों तक होकर रह गई। शांति देवी ने बहुत सफाई से छोरा बिजेन्दर से ऐलानिया कहा–

''इस कान से सुन बेट्टा और दूसरी से निकार। जब तक यह पचास बीग्घा सोना उगलती जमीन हमारे पास है, समझ कि ईश्वर का साया हमारे ऊपर है।'' शांति ने मानो जीवन रहस्य समझाया। बिजेन्द्र के पिता चार साल खाप पंचायत के मुखिया रहे थे। खासा प्रभावशाली परिवार। दूर-दूर तक चौधरियों में मान था। रिश्ते के चचा-ताऊ ने भी समझा दिया सबको।

''अरे, हमन्ने लड़की ली है। छोरी को ब्याह करौ है अपने बेटा के साथ। तो हमारे में मिल गई ना वह तो। मुसलमानिन है तो क्या। बहू है अब। चौधरियों के खानदान की बहू। दावत खाऔ और मूंछ चिकनी करौ।'' शानदार दावत की थी बेटे के ब्याह पर शांति ने।

मौलाना ताहिर अली आगरा भेज दिए गए। वहां कुछ ऐसा सिलसिला बना कि आए दिन जेल वालों से झगड़ा। पहला मोर्चा खुला जब उन्हें सी ग्रेड दिया गया। वे पढ़े-लिखे, पेशे से मास्टर। कोई चोर-उचक्के नहीं। आजादी की लड़ाई के सिपाही, राजनीतिक बंदी, सो हड़ताल शुरू कर दी, हंगामा शुरू हो गया। आमतौर पर शांत और शालीन मौलाना अब उग्र होने लगे। भला हो जेल अधिकारियों का, मामला तीन-चार दिन में ही सुलझ गया। बी-ग्रेड बंदी माने गए। खैर ये मोर्चा फतह किया। कुछ दिन ठीक बीते, लेकिन फिर डिप्टी जेलर की गाली-गलौज के खिलाफ खड़े हुए। बात नहीं सुनी गई तो फिर अनशन पर बैठ गए। गांधी बाबा ने यही तो सत्याग्रह का पाठ पढ़ाया था। दस दिन के अनशन के बाद मुख्य जेलर ने आश्वासन दिया कि अब गाली-गलौज नहीं

होगी और अनशन तुड़वा दिया। वहां आम खबर थी कि डिप्टी जेलर का तबादला होने वाला है। इसलिए अनशन टूट गया। मौलाना धीरे-धीरे स्वास्थ्य लाभ भी करने लगे, लेकिन डिप्टी साहब का तबादला नहीं हुआ। वो रोज की तरह वहीं पर बना रहा, हँसता, मुस्कुराता, गालियां देता, ऐसा लगा कि अनशन तुड़वाने की यह चालभर थी।

कुछ सदमा, कुछ शर्म, कुछ डिप्टी जेलर की आए दिन तंग करने वाली हरकतें। एक दिन ताहिर अली अपनी बैरक के लोगों को इकट्ठा करके गांधी बाबा के हिन्द स्वराज का मतलब समझा रहे थे। डिप्टी पीछे से आया और एक डंडा रसीद किया उनके सिर पर और चिल्लाया, "ऐ मौलाना! क्या करता है। बगावत की बात फैला रहा है?"

मौलाना डंडे की चोट से आहत हुए, लेकिन साथ ही साथ अपमान के दंश से तिलमिला उठे। आखिर ठहरे वे मास्टरजी, सबके सामने डंडा? पहले धोखा, फिर ये हतक! मौलाना के दिल में सदमा बैठ गया। गुमसुम से खो गए कहीं। खाना-पीना भी छूट गया। बीमार पड़ गए वह। जब अस्पताल में भरती कराए गए, तब तक बहुत देर हो चुकी थी। पता चला कि उन्हें तपेदिक हो गई है। उस जमाने में तपेदिक जैसा राजरोग और वह भी एक कैदी के रूप में बंदी आदमी को। आजादी का सपना आंखों में संजोए हुए मौलाना सीखचों के भीतर ही चल बसे, छतारी से देश के लिए शहीद होने वाला पहला नाम मौलाना ताहिर अली का था।

किसान सभा की एक मीटिंग में मौलाना के नाम को लेकर आधे घंटे तक मुंशीजी ने भाषण दिया था। उस समय तक कांग्रेस पार्टी के मलखान सिंह किसान नेता के रूप में उभर चुके थे। वो मलखान सिंह कांग्रेसी हों या लाल झंडा वाले मुंशीजी, अभी किसान सभा साझा थी। एक मंच था। एक आवाज थी—आजादी मुल्क की, आजादी जनता की, आजादी किसानों की, आजादी भूख से, बदहाली से, बेदखली से, पलायन से।

मौलाना को शहीद के रूप में याद किया गया। उस सभा में नम आंखें लिए नौजवान चौधरी बिजेन्द्र सिंह मौजूद था तो घर पर झरती आंखें लिए शबनम मौसी थी। उसके खामोश बहते आंसू थे और भाव विह्वल ज़रीना थी, उसकी नम आंखें थीं, लेकिन गर्व से उठा हुआ सिर भी था। इसके साथ ही

ढेर सारी तमन्नाएं थीं कुछ करने के लिए। अब्बू की तरह, अब्बू जैसा कुछ कारनामा कर दिखाने के लिए।

आजाद हिन्दुस्तान में गांव की शक्ल बदलने लगी थी। अब जमींदार का खौफ नहीं रहा। अब ऊंचा उठने के लिए हर एक के सामने ढेर सारे रास्ते थे। जायज भी, नाजायज भी। इसलिए अब दुःख-दर्द भी साझा नहीं रहे। किसान सभा सिमट कर गेंद बन गई, जो सिर्फ चुनाव के वक्त एक पाले से दूसरे पाले में लुढ़काई जाती रही। नौजवान शहर भाग रहे थे। जो नहीं जाते, वे कभी-कभार खेतों पर दीखते, वर्ना इधर-उधर ताश की गड्डी फेंटते नजर आते। अब लुटेरों, डाकुओं के आने पर सब मिलकर मुकाबला नहीं करते। अब ढाठा बांधकर खुद ही अपने पड़ोसी के घर डकैती डलवा देते। अब जमींदार, उसका कारिंदा, सीन से गायब थे, लेकिन अब सियासी नेता नए जमींदार थे, जो सत्ता की कुर्सी तक पहुंचने के लिए हर गलियारा पार करते और अपनी नयी बनी जमींदारी में खुद की फौज लिए घूमते और जनता को आतंकित करते।

मौलाना की मौत के बाद शबनम बेगम ज्यादा दिन जिंदा न रह सकी। उसकी आशाएं मौलाना के साथ ही खत्म हो गईं। शांति देवी भाग्यशाली थी कि आजाद भारत में अपनी आंखें मूंदीं। बिजेन्द्र और ज़रीना की गृहस्थी ठीक थी। शांत-सुलझी हुई, लेकिन मां के मरने के बाद दोनों अकेले रह गए। खानदान में बढ़ोत्तरी नहीं हुई। एक-एक करके तीन लड़कों को जन्म दिया ज़रीना ने। एक भी न बचा। डेढ़-दो साल का होते-होते जाने क्या होता। कभी सर्दी-बुखार तो कभी उल्टी-दस्त के बहाने से। शहर में जाकर बड़ी डाक्टरनी को दिखाया। उन्होंने पूरी जांच की। खून की जांच की और कहा कि अबकी जब पेट से हो तो शहर आकर रहो, पूरे नौ महीने इलाज चलेगा।

आजादी के दस साल बाद बिजेन्द्र और ज़रीना को भी लगता कि अब लोगों का, समाज का एजेंडा बदल गया है। लोग बदल गए हैं। उनकी जिंदगी में अब अकेलापन घिरने लगा था। खेती में भी मन न लगता। दोस्तों से ज्यादा दुश्मन ज्यादा नजर आते। इसलिए आखिर में सोचा कि चलो अब अलीगढ़ ही सही। अम्मां भी अब नहीं रहीं, जिन्हें अपनी जमीन से, पुरखों के घर-दुआर से मोह होता। तो एक दिन बिजेन्द्र और ज़रीना सब बेच-बाचकर अलीगढ़ चले आए।

जमापूंजी से यूनिवर्सिटी के पास ही एक छोटा मकान लिया और नीचे किताबों की एक दुकान खोल ली। खद्दरधारी चौधरी बिजेन्द्र सिंह, पुराने कांग्रेसी, स्वतंत्रता सेनानी, उस वक़्त तक यह शोहरत कुछ मायने रखती थी, किताबें बेचते, किताबें पढ़ते और किताबें पढ़वाते।

यूनिवर्सिटी धीरे-धीरे फैल रही थी। नए-नए विभाग बन रहे थे। तभी मेडिकल कालेज की शुरुआत हुई। वहां हॉस्पीटल तैयार होने लगा। मेडिकल की किताबें अब उनके किताब महल का नया आकर्षण थीं। पांच साल में भव्य मेडिकल कालेज तैयार हो गया था।

ज़रीना ने अपने को व्यस्त रखने के ढेर सारे काम ढूंढ़ लिए। पहले दूसरी संस्थाओं से जुड़ी। फिर अपने बलबूते पर काम शुरू किए। शहीद मौलाना ताहिर अली की बेटी, यह परिचय काफी था उसके लिए।

शहर में ज़रीना और बिजेन्द्र ने नयी जिंदगी शुरू की तो यहीं उन्हें नीलम भी मिली। उनकी तो जिंदगी की मुराद पूरी हुई। किसी ने कहा—

"बुढ़ापे की औलाद।" तो किसी ने यह भी कहा—

"अरे भाई! कर भला तो अपना भी हो भला।"

सचमुच भला तो भरसक किया ज़रीना ने सबका। एक जमाने में शहर में छाई हुई थीं। उनके महिला सेंटर सही मायने में स्लम कहे जाने वाले इलाकों में चल रहे थे। शहर की इंदिरा गांधी कहलाई जाने लगीं थी वह। सामाजिक जीवन में बेतरह व्यस्त। उन्हीं की बेटी की शादी को लेकर फिक्रमंद हैं शहनाज़ आपा। फिक्र तो उसकी अम्मां को भी है और निश्चय ही उसके पापा को भी होगी।

"अरे भई, पढ़ी-लिखी लड़की है। लायक है। यूनिवर्सिटी में पढ़ा रही है। इसके लिए लड़कों की कोई कमी होगी।" शहनाज़ आपा की फिक्र को दूर करने की कोशिश की मैंने।

"ये किसी से इश्क-विश्क भी नहीं कर सकती है क्या! मॉडर्न लड़की है। इतना मूव करती है। समझदार है, अपने लिए अब तक कोई लड़का पसंद ही नहीं किया?"

मैंने अब चुप रहना बेहतर समझा। मैं क्या बताती कि पिछले दो साल से मेडिकल कालेज के डाक्टर गौड़ के साथ घूम-फिरकर चुप क्यों बैठ गई नीलम!

अचानक जैसे कि ड्रामा के उस सीन पर पर्दा पड़ गया हो। शहनाज़ आपा को सचमुच कुछ मालूम नहीं या टोह लेना चाह रही हैं, मैं सोचने लगी।

मेडिकल कालेज में हर साल होने वाले 'मैडी फेस्ट' में राजीव गौड़ उत्साही कर्ता-धर्ताओं में था। हर साल की तरह पूरी सजधज और जोशो-खरोश के साथ लगा था मेला। वीमेंस कालेज की सीनियर छात्राओं को लेकर तीन-चार टीचर्स उस मेले में गई थीं। नीलम भी गई थी उस बार। वहीं मुलाकात हुई थी राजीव से। मेडिसन विभाग का रेजीडेंट डॉक्टर राजीव गौड़!

कुछ दिन बाद नीलम अपने पापा के साथ मेडिकल कालेज गई। उसके पापा को कई दिन से बुखार आ रहा था, जो उतर ही नहीं रहा था। शक हुआ कि कहीं टाइफाइड न हो। नीलम पकड़कर ले गई कि ठीक से सारे टेस्ट हो जाएंगे और जांच हो जाएगी। वहां ओपीडी में फिर मुलाकात हुई डा. राजीव से। उसकी वजह से फटाफट चेकअप हो गया। खून का नमूना जांच के लिए ले लिया गया। यहीं से दोस्ती का सिलसिला शुरू हुआ था। एक ही जगह सम्मानजनक नौकरी करने वाली, पढ़ी-लिखी बीवी मिल जाए या पति मिल जाए, यही ख्वाहिश नौजवान लड़के-लड़कियों की रहती है। ज्यादातर समझदार पति अब कामकाजी पत्नी चाहते हैं। ऐसी कामकाजी हो कि नौकरी भी चलती रहे उसकी और घर के सारे फर्ज भी पूरे होते रहें। ऐसे में एक ही जगह दोनों जनों की नौकरी, अध्यापन जैसा सुविधाजनक काम। राजीव और नीलम दोनों ही उम्र और समय के उस मोड़ पर थे कि यह खोज स्वाभाविक थी।

राजीव के घरवालों का तो पता नहीं, लेकिन नीलम के घर के लोग बहुत खुश थे। पूरी उम्मीद थी कि मेडिकल कालेज में राजीव को स्थायी जगह मिल जाएगी। राजीव का उनके घर आना-जाना भी हो गया था। फिर एक दिन ज़रीना ने मुंह खोलकर उससे पूछा कि वह क्या चाहता है। अगर शादी के बारे में वह गंभीर है तो उसे अपने घर पर बात करनी चाहिए।

और गर्मी की पंद्रह दिन की छुट्टी पर वह पटना चला गया अपने घर, बात करने। जैसा कि तय हुआ था, उसे अपनी मॉम और डैड को साथ लेकर आना था। नीलम ने उनके आने की तारीखों में एक हफ़्ते के लिए यूनिवर्सिटी गेस्ट हाउस में विशिष्ट मेहमानों वाला एक स्पेशल कमरा बुक करा लिया था। खासी

तैयारी घर पर हो रही थी। उम्मीद थी कि कोई रस्म पूरी करके जाएंगी उसकी मॉम, लेकिन राजीव तो लौटकर ही नहीं आया। कोई खबर नहीं। कोई टेलीफोन नहीं, नीलम परेशान हो गई। अम्मा और आपा भी हैरान-परेशान। क्या हुआ। कोई दुर्घटना। कोई अनहोनी, एक्सीडेंट—आखिरकार एक दिन वह मेडिकल कालेज गई। डॉ. अब्बास अली से मिली। मेडिसन विभाग के अध्यक्ष। पापा साथ में थे। घुमा-फिराकर पूछा। राजीव के पिता के दोस्त की हैसियत से पूछा कि आखिर डा. गौड़ को क्या हुआ! कोई खबर?

डा. अब्बास अली अविश्वसनीय नजरों से देखते रहे उन दोनों को और फिर धीरे से बोले—डा. राजीव गौड़, रिज़ाइन करके गए हैं वह।

बिजेन्द्र सिंह के चेहरे पर तो जैसे राख पुत गई। ऐसा लगा जैसे सीने में शूल उठा हो। झूठ बोलना पड़ा था और वह भी झूठा निकला! नीलम का चेहरा तो सफेद पड़ गया। शरीर से पूरा खून निचुड़ गया हो जैसे। सामने बैठे अब्बास अली-उनके कुछ पल्ले नहीं पड़ रहा था या कि कुछ कितना समझ पा रहे थे।

"रिलैक्स मिस्टर सिंह, मिस सिंह, टेक केयर ऑफ योर फादर।"

नीलम क्या खुद संभलती, क्या संभालती, नहीं! वह खड़ी हो गई। दिमाग खाली था पूरी तरह से। भांय-भांय लू के थपेड़े पड़ रहे थे जैसे, लेकिन शरीर यंत्रवत।

"चलिए पापा, उठिए। नो प्राब्लम, नो प्राब्लम, आप बेकार फिक्र कर रहे थे, थैंक्यू डा. साहब, थैंक्यू थैंक्यू वेरी मच।" और पापा का हाथ पकड़कर बाहर ले आई।

अब्बास अली दोनों को बाहर जाते देखते रहे...प्रॉब्लम! क्या प्राब्लम, सिर झटका उन्होंने और हिम्मत तो देखो! लौटते समय स्कूटर नीलम चला रही थी और पापा पीछे बैठे थे।

उस दिन के बाद डा. राजीव का नाम किसी के होंठों पर नहीं आया, अपनी स्मृति से जैसे धो-पोंछ दिया हो सबने। घर में तीन प्राणी। तीनों एक-दूसरे से नजर बचाते, सामान्य दिखने की कोशिश में और असामान्य होते जाते।

'डाक्टर था! लालच से कैसे बच पाता। मिल गए होंगे तीस चालीस-पचास लाख किसी व्यापारी से, सरकारी अफसर से। लालची था, अच्छा हुआ चला गया।' नीलम ने अपने मन को तसल्ली दे दी थी। एक बार ऐसे ही हल्के-फुल्के क्षणों में राजीव ने कहा भी था—

"हमारे बिहार में एक डॉक्टर की कीमत जानती हो?"

"कैसे जानूंगी। एक बार आपको शादी में मार्केट में खड़ा करूंगी तभी तो पता चलेगा।"

और बात आई-गई हो गई थी। नीलम को अब लगा कि वह मजाक नहीं था। जो कुछ राजीव के घर-परिवार और राजीव के बीच चल रहा था, यह शायद उसी का संकेत था।

छि! छि! शर्म से भर गई वह। अच्छा ही हुआ, जो साथ छूट गया। ऐसे में वह क्यों कर कमजोर बने। उसे ही मजबूत बनना पड़ेगा। वह मजबूत नहीं बनेगी तो अम्मां का क्या होगा। पापा तो और कमजोर हैं, पूरा दारोमदार उसी पर था। उसे अपनी जिम्मेदारी का अहसास था। इसलिए वह तो बेहद नार्मल थी। कम से कम नार्मल दिख रही थी। नार्मल व्यवहार कर रही थी। ऐसे में भला वह क्योंकर नींद की गोलियां खाती। गोली खाएं उसके दुश्मन। उसे तो खूब नींद आएगी। खूब गाने सुनेगी, फिल्म देखेगी, खूब पढ़ेगी, खूब काम करेगी, खूब एकस्ट्रा क्लास लेगी और फिर थककर खूब चैन से सोएगी।

उसके जीवन में हाला-डोला तो डा. महशर रज़ा लेकर आया। खैरख्वाह था कि उसका दुश्मन? या उसके रोने का बहाना बनकर आया था। नीलम जिस हादसे से गुजरी थी, जिस खंडित विश्वास के मलबे के नीचे दबी थी, उस हालात में उसका नार्मल रहना ही एबनार्मल था। महशर जाने-अनजाने उसे उसके जीवन में आए भूकंप को जैसे महसूस कराने आया था। दर्द की इंतिहा से सुन्न हो गए उसके दिल और दिमाग को जैसे होश में ले आया था।

महशर रज़ा, राजीव का दोस्त। काफी करीबी दोस्त! इसीलिए उन दोनों के बीच के संबंध की जानकारी थी उसे। एक तरह से कहना चाहिए कि राजीव के साथ-साथ उसकी भी दोस्ती हो चली थी नीलम से। कभी नीलम राजीव को देखने मेडिकल कालेज आती तो वहां कैंटीन में चाय महशर की ओर से होती।

अंग्रेजी विभाग में एक बड़े राष्ट्रीय सेमिनार की तैयारी में लगी थी नीलम। उसे भी पेपर पढ़ना था। लाइब्रेरी से उठते-उठते उस दिन सात बज गए। घर आई तो देखा डा. रज़ा को। आखिर शिष्टाचार भी कोई चीज होती है। अम्मां और पापा दोनों ही बैठे थे ड्राइंग रूम में, आए हुए मेहमान का साथ देने।

नीलम पहुंची तो जैसे दोनों को राहत मिली हो। इतनी देर से उसे बातों में लगाना कि वह बोर न हो, काफी मुश्किल था शायद। उसके आने पर पापा चले गए आराम करने और अम्मां चाय बनाने किचिन में।

यूं ही नहीं, मातमपुर्सी के लिए आया था महशर। राजीव की नीयत का खुलासा करने आया था। नहीं, वह नीलम के ज़ख्मों को कुरेदने आया था। वह दुःस्वप्न, जिसे उसने भुला दिया था, उसे और भयानक बनाने आया था। वह हमदर्द नहीं, दुश्मन बनकर आया था।। बहुत देर तक वह जाने कौन-कौन से किस्से बयान करता रहा। वह सब नीलम के सिर के उपर से गुजर रहा था। गूंगी-बहरी बनी वह जाने कहां खोई पड़ी थी, बीच-बीच में जैसे भूली हुई लय पकड़ती, सिर हिला देती थी। महशर की आवाज़ रिकार्ड की तरह बज रही थी।

"आप समझ रही हैं न नीलमजी, राजीव के सामने सिर्फ दहेज नहीं था। वह अपने मम्मी-डैडी के सामने झुक गया। उसने मुझे फोन किया था। मैंने सोचा कि आपको भी चल कर बता दूं।" नीलम का सिर घूमने लगा। चार घंटे लाइब्रेरी में बिताकर थकी-मांदी लौटी थी और अब यह खींचतान। महशर की आवाज़ गूंज रही थी।"

"नीलमजी-उसके सामने मसला था आपकी मदर का। वह ठहरे बिरहमन लोग। आपके डैडी की कास्ट को बरदाश्त भी कर लेते, लेकिन ज़रीना आंटी से उन्हें परेशानी थी, आप प्योर हिन्दू नहीं हैं न!" और हँसा वह! जैसे बहुत बड़ा मज़ाक किया हो।

महशर की आंखें अंधी थीं। उसकी आत्मा भी अंधी थी, जो नीलम का मुर्दा चेहरा, उसका डूबता दिल नहीं देख सकती थी।

नीलम उसकी आवाज झेल रही थी, झेलती रही, लेकिन अब महशर ने नयी कहानी शुरू की।

"नीलमजी, मेरी अम्मी तो आपको बहुत पसंद करती हैं, वे ज़रीना आंटी से बहुत मुत्तासिर हैं।" फिर थोड़ा रुका और धीरे-से बोला।

"मेरी अम्मी आपको बहू बनाना चाहती हैं अपनी, आपकी राय..."

इतना कहकर मानो बहुत बड़ा काम कर एक जिम्मेदारी से मुक्त हुआ हो, नीलम की ओर देखकर मुस्कुराया। उसे अब अपने कारनामे का इनाम मिलने का इंतजार था। महशर को लगता कि आखिर वह मॉडर्न आदमी है। लिबरल है। दकियानूस नहीं है। नीलम और उसका परिवार भी प्रोग्रेसिव है। इसलिए सारी बातें खुलकर होनी चाहिए। साफ-साफ। आखिर पढ़े-लिखे हैं सब लोग।

नीलम की आंखें पथरा रही थीं। उसके होंठ सूख रहे थे। वह सोच रही थी कि ये डाक्टरों की कौम इतनी पत्थर दिल क्यों होती है? सचमुच इन्हें क्या कोई दर्द महसूस नहीं होता, नीलम का सिर घूमने लगा। बोली लगा रहा है? मुझ पर तरस खा रहा है! मेरा बचावनहार बन रहा है, कौन है यह–

''थैंक्स अ लॉट डा. रज़ा! अभी फिलहाल शादी के बाजार में नहीं खड़ी हो रही हूं मैं। जब कभी इरादा होगा तो बताऊंगी आपको और आपकी अम्मी को।''

और अंदर अपने कमरे में चली गई। अम्मी चाय की ट्रे लेकर ड्राइंगरूम में आईं तो वहां कोई नहीं था।

उस रात सचमुच नीलम को नींद नहीं आई। अजीब डरावने दृश्य उसके ज़ेहन में घूम रहे थे। कभी राजीव गिद्ध जैसा पंख फड़फड़ाता हुआ आता और झपट्टा मारकर अम्मां को लहूलुहान कर जाता। कभी एक काला-सा चुटीला लाकर पापा के सिर पर चिपका रहा था। कभी महशर रज़ा बंदर जैसा मुखौटा लगाए खीसें निपोर रहा था और धमाचौकड़ी मचा रहा था। कहीं कोने से चादर लपेटे एक औरत निकलकर आ रही थी, उसके सिर पर हाथ फेर रही थी। उसके हाथ में एक बाल्टी थी, जिसमें काला रंग था। अपने हाथ में पकड़े ब्रश से वह औरत उसके ऊपर काला रंग पोते जा रही थी और कहती जा रही थी, ''मेरी बच्ची। आ मेरे पास, मैं तुझे महफूज़ रखूंगी।''

'ये क्या हो रहा है मेरे साथ!' नीलम बुदबुदाने लगी। 'मैं क्या इतनी दया के लायक हूं। ये लोग क्यूं अम्मां के पीछे पड़ गए थे, क्यों पापा को सता रहे हैं?'

उस रात बेहोशी की सी हालत में वह उठी और पापा के कमरे से लाकर नींद की गोलियां गटक गई। यह इत्तफाक था कि शीशी में कुछ ही गोलियां थीं। उस रात ज़रीना की आंखों में भी नींद कहां? सोती-जागती सी पड़ी थीं बिस्तर पर। दिल में न जाने क्यों, कुछ खुटका सा हुआ और वह नीलम को देखने उसके कमरे में चली गईं। देखा तो होश उड़ गए। नीलम बेसुध पड़ी थी। मुंह से लार निकल कर बह रही थी। पास ही खाली शीशी लुढ़की पड़ी थी। आनन-फानन में दोस्त लोग इकट्ठा हो गए और दुर्घटना रास्ते में ही रोक ली गई।

शहनाज़ आपा क्या जानती हैं सारा किस्सा? बिल्कुल नहीं। वर्ना वह ये प्रसंग कभी नहीं छेड़तीं।

मिसेज अख्तर जो नीलम का प्रसंग सुनते हुए उठते-उठते फिर बैठ गई थीं, खासी निराश हुईं। शहनाज़ आपा जरा-सी बात छेड़कर सोच में जो डूब गईं। किस्से को अंजाम तक नहीं पहुंचाया उन्होंने। मिसेज अख्तर उठ खड़ी हुईं, अपना पर्स कंधे पर डालते हुए बोलीं–

''शहनाज़ आपा! बुरा न मानो तो दो टूक कहूं। मैं जानूं नीलम को भी और ज़रीना आपा को भी। कम्युनिस्ट जो ठहरे। इनकी बिटिया रानी। निकाह ये पढ़वाएंगी ना! हिन्दू कोई इन्हें अपनाएगा ना! सारी बातों की एक बात।'' और हँसकर पर्स झुलाती हुई निकल गईं।

शहनाज़ आपा ने खिसियाकर मेरी ओर देखा, ''कैसा बोलकर चली गईं ये।''

''साहिर की एक नज़्म है। उसकी दो लाइनें मुझे याद आ रही हैं–हिम्मत है तो दुनिया से बगावत कर दो, वर्ना...'' मैं वातावरण हल्का बनाने की गरज से बोली।

''वर्ना क्या, शहनाज़ मुस्कराईं।''

''वर्ना, मां-बाप जहां कहें, शादी कर लो।''

''अच्छा है। अच्छा है।'' वे बोलीं, जैसे मेरा दिल रखने के लिए कह रही हों, और उठ खड़ी हुईं।

मधुबन से गोरखपुर तक

मैंने घड़ी देखी! साढ़े सात। लगता है अतुल की मीटिंग लंबी खिंच गई। सवेरे के निकले हुए हैं आज। दोपहर में खाना भी क्या खाया, बस निगल लिया और चले गए। समझ नहीं आ रहा कि अभी इंतजार करूं या चली जाऊं।

"आज बहुत इत्मीनान से बैठी हुई हो। जाना नहीं है तुम्हें।" कौसर ने पीछे से पीठ पर धप्प मारी।

मैंने पीछे मुड़कर मुस्कुराती खड़ी कौसरजहां को देखा। कौसर सिर्फ साइकॉलोजी में सीनियर रीडर ही नहीं हैं, बल्कि अतुल की दोस्त भी हैं।

"कहां इत्मीनान है? आपके दोस्त की वादाखिलाफी का जायजा ले रही हूं।"

"भई, तुम बीवियां क्यों हर समय अपने मियां के पीछे लगी रहती हो, एक तीसरी आंख हमेशा मियां का पीछा करती रहेगी।"

कौसर का यह बात करने का अपना ही अंदाज़ है। मैं तो तकल्लुफ के मारे कुछ नहीं कहती, लेकिन अतुल कहां चूकने वाले। वह चिढ़ाते रहेंगे उसे और कहेंगे, "बच गया एक भलामानुस, पति नाम का जीव! अच्छा हुआ कौसर तुमने शादी नहीं की।"

उस पर पलटकर कौसर कहेंगी, ''अब यही कांप्लेक्स है तुम शादी-शुदा लोगों का। कौन-सा तीर मार लिया तुमने, बस, बीवी-बच्चों के साथ जब चलोगे तो ऐसी छाती फुलाओगे कि जैसे दुनिया जीत ली हो।''

दोनों की नोकझोंक चलती रहती है। बहुत मुंहफट हैं हमारी कौसर बेगम! यूं इतनी तेज कि यूनिवर्सिटी में कभी शिक्षकों का कोई आंदोलन हो, कोई जुलूस, कोई हड़ताल, कौसरजहां आगे दिखेंगी। अमूमन महिलाएं ऐसे मौकों पर मूक समर्थन ही देती हैं। बयानबाजी हो रही हो तो कुछेक महिलाएं दस्तखत तो कर देंगी, बाकी ये जिम्मेदारी भी अपने पुरुष साथियों पर छोड़ देती हैं। रिस्क नहीं लेतीं।

कौसर चाहे अकेली हों, हमेशा ऐसे मौकों पर अगली पांत में दिखाई देंगी। धड़ल्ले से ऐलान करेंगी—

''अरे भाई। किस-किस की नाराजगी को देखूंगी। ज्यादा से ज्यादा यही तो होगा कि प्रोफेसर नहीं बनाई जाऊंगी, न सही। मैं अकेली जान, अब अपनी मर्जी से क्या जी भी न सकूं?''

उनकी यही बेबाकी और हिम्मत सभी को बल देती है। अतुल से उनकी दोस्ती भी इसीलिए है।

''लो, उल्टा चोर कोतवाल को डांटे। मैंने कहा कि भूले-भटके कभी तो हमारे मियां को खयाल आया और कहा कि मैं तुम्हें यहां से ले लूंगा और अभी तक तो आए नहीं, आप कह रही हैं कि मैं उनके पीछे पड़ रही हूं।'' मैंने उलाहना दिया।

''ऐसी बात है तो हम छोड़ देंगे तुम्हें घर तक। इतना हक तो हमारा भी बनता है।''

''बशर्ते आप धीमे गाड़ी चलाएं।''

''आज तक तो कोई एक्सीडेंट हुआ नहीं हमसे।''

''भगवान न करे ऐसा हो।''

''हो गईं न कायल।'' और कौसर अपने चिरपरिचित अंदाज में ठहाका मार कर हँसने लगीं। तभी अपने कागज-पत्तर समेटे अनवरजहा को जाते देखा तो लपक लीं उनकी ओर—

''अनवर, अबकी इतवार को थोड़ी देर बैठकर तय कर लें ओल्ड गर्ल्स एसोसिएशन के प्रोग्राम को, दिन ही कितने बचे हैं अब।''

'इतवार को...' सोचते हुए अनवर को कुछ याद आया, 'नहीं, इतवार के अलावा कोई और दिन देख लो कौसर।'

''यार, फिर वर्किंग डे में दिक्कत होती है।''

''संडे को आप कहीं जा रही हैं, अनवर आपा!'' मेरे मुंह से निकल पड़ा।

''अरे नहीं।'' उन्होंने मेरी आवाज सुनी तो पीछे मुड़कर कहने लगीं।

''इतवार को स्कूल में हमने एक प्रोग्राम रखा है।''

''अरे, हफ्ते में एक दिन तो छुट्टी करो यार। सबको क्या एक साल में आलिम बना दोगी।''

''नहीं, नहीं!'' संकोच में भरकर बोली अनवर। तुम लोग तो जानते हो कैसे माहौल से आती हैं ये बच्चियां। इन्हें तो उठना-बैठना, बोलना-चालना भी सिखाना पड़ता है। इनके घर में कोई माहौल नहीं है न! बहुत मेहनत करनी पड़ती है। कुछ बच्चियां तो अबकी बोर्ड का इम्तिहान देंगी, प्राइमरी का, उम्मीद है निकल जाएंगी कुछ तो।''

''तो कल इम्तिहान है क्या कोई! अनवर आपा, बोर्ड के इम्तिहान तो अप्रैल-मई में होते हैं।''

अनवर इतने सवालों के बीच शायद असहज हो रही थीं।

''चलो, इतवार को न सही, फिर जल्दी करो ये मीटिंग। ओल्ड गर्ल्स एसोसिएशन की कन्वीनर तो आप ही हो न।''

''हां-हां।'' अनवरजहां को लगा कि कौसर नाराज हो रही हैं। वह सफाई देने लगीं–

''दरअसल इतवार को कुदसिया बेगम और मौलाना रफ़ाकत अली आ रहे हैं।''

अनवरजहां बेहद असमंजस में थीं। वह सोच नहीं पा रही थी कि मौलाना रफ़ाकत अली के बारे में बताए कि नहीं। कुदसिया बेगम का नाम तो उसने यूं ही ले लिया था। हर आदमी तो बात की बारीकी को समझता नहीं है। कौसर अकेली होती तो वह खुलकर बता भी देती। राधारानी अब जाने क्या मतलब लगाएं बात का।

''कौन कुदसिया बेगम! तबलीगी जमात वाली, अय हय अनवर आपा किनके चक्करों में पड़ गई हो।'' कौसर ने झिड़का उन्हें।

''अब क्या किया जाए। बिना दीनी तालीम के काम भी तो नहीं चलता। रोजे रख लेंगी, नमाज पढ़ना नहीं आता।''

''अनवर आपा! जिंदगी की अच्छी बातें तो आप ही बता देतीं।'' मुझसे कहे बिना नहीं रहा गया।

कौसर मेरा हाथ पकड़कर चलने लगीं,

''चलो, देर हो रही है।''

आगे कुछ कदम चलने के बाद बोली, ''क्यों बहस में उलझ रही हो। कुछ हासिल नहीं होगा। स्कूल नहीं, मदरसा बना देंगी अनवर जहां इसे।''

मदरसा! मुझे अपनी नूरजहां और उसकी बेटी शकीला याद आई।

मैंने सोचा अनवर जहां भी लड़कियों की ऐसी ही पढ़ाई करा रही हैं, हम लोगों को बड़ा ख्वाब क्यों नहीं दे पाते। हम नीचे गिरे हुए लोगों की मदद तो करते हैं, लेकिन उन्हें उठाकर खड़ा करने के लिए नहीं। उनके पैरों को मजबूत करके दौड़ने लायक बनाने के लिए नहीं। सिर्फ इतनी मदद कि वे जहां हैं, उस हाल में खुश रहें। हम उन्हें नीचे की जमीन में बैठे रहने के लिए कुछ सुविधाएं दे दें कि वे आराम से नीचे रहकर जिंदगी गुजार दें। उठकर खड़े होने की बात न सोचें।

''जानती हो, कुछ लोग ऐसे ही सठिया जाते हैं, जैसे अनवर सठिया गई हैं। अकेली औरतों के साथ यही दिक्कत होती है।'' कौसर मेरा हाथ पकड़कर चलते हुए कह रही थीं।

''कौसर बीबी! आप मत सठियाना रिटायरमेंट के बाद, आपको तो बहुत काम करना है।''

''तुम्हें मालूम है मैंने कानून की पढ़ाई की हुई है। अपनी पी-एच.डी. के बाद जब मैं पार्ट टाइम जॉब कर रही थी, तब मैंने सोचा, चलो लगे हाथ लॉ कर लिया जाए।''

''फिर!''

''फिर क्या! मैंने सोचा है रिटायरमेंट के बाद मैं वकालत करूंगी।''

''अरे वाह, फिर तो अपनी महिला समिति के केस हम आपके पास ही लाया करेंगे।''

बाहर आकर देखा तो कौसर की गाड़ी के आगे एक और गाड़ी खड़ी थी।

''ये तो हमीदा आपा की गाड़ी है।''

''मैं बुलाकर लाती हूं उन्हें।'' मैं कह रही थी कि वे अंदर से आती दिखीं। उनके साथ उनका ड्राइवर भी था।

बहुत दिनों बाद हमीदा आपा को देखा। हमीदा आपा यहां कैसे? लेडीज़ क्लब में तो थीं नहीं वह। शायद अपने किसी मेहमान से मिलने आई हों यहां गेस्टहाउस में। खासी कमजोर लगीं वह, हालांकि उनके सजने-संवरने का अंदाज अभी बरकरार है, यह देखकर अच्छा लगता है। सुर्ख लाल बूटों वाली साड़ी, सलीके से बंधी हुई। लाल लिपस्टिक। गोरे चेहरे पर सफेद बालों का जूड़ा, चेहरे को भव्यता प्रदान कर रहा था। तकरीबन दस साल तो हो गए होंगे उन्हें रिटायर हुए। फ़ारसी विभाग की अध्यक्ष थीं तो हर साल ईरानी दूतावास के सहयोग से बड़ी कांफ्रेंस कराती थीं। उर्दू शायद उतनी अच्छी नहीं बोलतीं, जितनी अच्छी फारसी बोलती हैं। लंबा-गर्वीला चेहरा, चमकती काली आंखें। अच्छी लंबी कद-काठी। विद्यार्थी पर्शियन ब्यूटी कहा करते थे।

हमीदा हसन के डाक्टर पति का देहांत बहुत पहले हो चुका था। शहर के बड़े नामी-गिरामी डाक्टर। खुद कैंसर की चपेट में ऐसे आए कि आभास भी नहीं हुआ कि खतरनाक बीमारी शरीर के भीतर फैल रही है। जब पता चला, तब तक बहुत देर हो चुकी थी।

डाक्टर साहब जाने से पहले अपनी पर्शियन ब्यूटी को एक सौगात जरूर दे गए थे। नयी बन रही कालोनी में एक बड़ा मकान। उसे वे लोग घर नहीं, मधुबन कहा करते थे। खासे बड़े एरिया में बनी बेहद खूबसूरत कोठी। उनके स्वभाव की नफ़ासत वहां दिखाई देती। जितना खूबसूरत मकान, उतना ही हरा-भरा और रंगीन उनका बगीचा। आधे से ज्यादा हिस्से में फैला वह हरियाली बिखेरता, रंगीन फूलों से घिरा बगीचा सचमुच मधुबन की कल्पना को साकार करता। लॉन के पीछे की ओर लगे गुलमोहर और अमलतास के पेड़। एक पूरा कोना सुर्ख लाल देसी गुलाबों से भरा।

उस समय वह नया इलाका। ज्यादा भीड़भाड़ नहीं थी। यूनिवर्सिटी से आगे कई हॉस्टल। फिर लंबी अनूपशहर रोड, जो आगे घूमती हुई जी.टी. रोड की ओर मुड़ती। बीच में रेलवे क्रासिंग। पूरा इलाका सिविल लाइंस की अभिजन संस्कृति से दूर। ऐसे में वह नया मुहल्ला कबीर कालोनी के रूप में विकसित

हो रहा था। ज्यादातर प्लॉट विश्वविद्यालय के शिक्षकों के ही थे। कई मकान बन भी चुके थे।

शिक्षक बिरादरी मिलकर रहेगी, तो एक शैक्षिक वातावरण बना रहेगा। ऐसा सबका खयाल था। सारी जिंदगी जिन लोगों के बीच में गुजारी, बाद के समय में भी उन्हीं के साथ उठना-बैठना हो तो सहज लगता है। वर्ना बुढ़ापे में कहीं पुराना वृक्ष जमीन में जड़ पकड़ता है? फलता-फूलता है? जड़ों से उखड़ना पड़ता है तो फिर सूखने के अलावा कोई और नियति नहीं होती।

यही सोचकर कबीर कालोनी बसी थी और बसाई गई थी।

हमीदा हसन का चेहरा अब उनकी पुगली खाने लगा है। उग्र झलकने लगी है। उनके दोनों बेटे अमरीका में हैं। अब तो वे भी ज्यादातर वहीं रहती हैं। बीच-बीच में आती हैं सिर्फ महीने दो महीने के लिए। घर की चौकीदारी भी जरूरी है। कहती हैं कि दिल नहीं लगता था अमरीका में और अब यहां से भी तबीयत उखड़ने लगी है। न वहां चैन और न यहां सुकून। आखिर जाएं तो कहां जाएं।

यहां दिल लगेगा कैसे? जिनके मकान थे, वे छोड़कर इधर-उधर चले गए। कोई बंगलौर, कोई बंबई, कोई हैदराबाद। ज्यादातर के बच्चे विदेशों में बस गए हैं। सो मां-बाप भी वहीं जा बसे। जो मकान नहीं बना पाए थे, वे अपने प्लॉट बेच-बेचकर चले गए। ज्यादातर प्लॉट व्यापारियों या कारखानेदारों ने खरीदे हैं। बड़े कारखानेदार, जिन्होंने उद्योग लगाए, उन्हें इस ओर आने की जरूरत ही नहीं। उनकी कोठियां सिविल लाइन में हैं और कारखाने पुराने समय से ही आई.टी.आई. रोड पर हैं। कुछ ने अपने कारखाने नए इंडस्ट्रियल एरिया में शिफ्ट कर लिए। कबीर कालोनी में नए संपन्न हुए व्यापारी हैं या कारीगर से कारखानेदार बने श्रमजीवी। चार-छह लोगों को तनख्वाह पर रखकर खुद भी काम में लगे रहना उनके धंधे का तरीका है। ये सारे कारखानेदार वे हैं, जो कमाते हैं, लेकिन हिसाब-बही के झंझट से मुक्त हैं। काला धन-सफेद धन जैसी कोई बहस नहीं है यहां, न कोई नियम-कानून है। धन तो जो है, बस अपना है। इसीलिए हों चाहे लाखों के मालिक, लेकिन रहन-सहन वही गली-कूचों वाला है।

यही फांस यहां के अभिजात्य वर्ग के शिक्षक समुदाय की है। हमीदा आपा का इसीलिए अब कबीर कालोनी में रहने का मन नहीं करता। मधुबन अब शूल बनकर रह गया है। इलाका अब इतना घना हो गया है कि धीरे-धीरे शहर की

मुख्यधारा में आ बसा है। जमीनों के दाम देखते-देखते आठ गुना-दस गुना हो गए हैं। शिक्षक कालोनी अब व्यापारी कालोनी में तब्दील हो गई है।

"राधा, तुम्हारे मियां को एक दरख्वास्त दी थी हमने।" देखते ही जैसे घेरने लगी हों मुझे।

"मुझे तो कुछ नहीं मालूम हमीदा आपा।"

"हां भई, नगर निगम के चेयरमैन के लिए।"

"तो?" मैं खीझने लगी। अब अतुल सबकी मदद करते हैं तो इसका मतलब ये नहीं कि सब लोग ऐरे-गैरे काम मेरे मियां को थमा दें। चुप रही मैं।

"पूछना कि उसका कुछ हुआ कि नहीं।"

"क्या मैं पूछ सकती हूं कि दरख्वास्त काहे के लिए दी थी आपने?"

मेरा पूछना था कि जैसे डूबते को तिनके का सहारा, वो अपनी शिकायतों का और मुसीबतों का पिटारा खोलने को उतारू हो गईं। हमें जल्दी हो रही थी जाने की। मुझे झुंझलाहट होने लगी, लेकिन उनका दयनीय चेहरा देखकर तरस भी आया। इतने प्रभावशाली लोग, कैसे उम्र हो जाने पर बेबस हो जाते हैं। हमीदा आपा आज के समय का चेहरा हैं। बुढ़ापे में अकेलेपन को ढोती, कितना रहेंगी बेटे-बहू के पास। सारी जिंदगी जहां काटी, जिन लोगों के साथ काटी, वे याद आते होंगे। जिस शौक से अपना मधुबन बसाया था, वे लमहे याद आते होंगे। एक साफ-सुथरा, सौंदर्य भरा वातावरण बनाया था, वह याद आता होगा। अच्छे-अच्छे, पढ़े-लिखे पड़ोसी याद आते होंगे।

"आप मधुबन की राधिका, फिर भी इतनी परेशान! बहुत दिनों से आपने कोई पार्टी-वार्टी नहीं दी हमीदा आपा।" मैंने परिहास में बात उड़ानी चाही। कौसर मेरी वजह से रुकी थीं और कुनमुना रही थीं। मैंने अनदेखी करते हुए हमीदा आपा को सहज बनाना चाहा, "एक बढ़िया सी पार्टी की आप तैयारी करें, फिर हम सब मिलकर सोचते हैं।"

"अरे भाई तुम्हें पार्टी की सूझ रही है। मैं तो अबकी तीन साल बाद आई हूं। बिल्कुल स्लम हो गई है हमारी कालोनी, जगह-जगह कूड़े के ढेर। बंद पड़ी नालियां, कोई सफाई वाला भी नहीं आता।"

"पहले वाला आपका सिस्टम क्या हुआ, कौन करता था सफाई। उसकी तलाश कराइए ना! कूड़े के ढेर घरों के सामने बनाना, ये तो हम हिन्दुस्तानियों की फितरत में है।"

"पहले तो हम सब मिलकर चंदा देते थे। प्राइवेट सफाई वाला आता था। अब सारा इलाका नगर पालिका की जद में आ गया है और फिर कैसे-कैसे लोग आ गए हैं, पैसा खूब है, लेकिन सफाई के नाम पर दस रुपये भी नहीं निकालेंगे।"

"देखिए, आप अपने पड़ोसियों से बातचीत तो कीजिए। फिर से अपनी कबीर कालोनी एसोसिएशन चालू करिए ना!"

"ख़ाक!" क्या बताऊं। वो फज़ल साहब चले गए बेटे के पास सऊदी अरबिया। उनके वह दोनों प्लाट जिन साहब ने खरीदे, वो जरूर कोई घोसी होगा। चार-पांच भैंसे हैं उसकी। उसने तो वहीं सामने दूध का काम शुरू कर दिया। हॉरिबल, जनाब वहां कालोनी में दूध की डेयरी खोले हैं। सारी सड़क में गंदगी और गोबर की बू।" उत्तेजित होने लगीं वह। मैंने उनके कंधे पर हाथ रखकर उन्हें शांत करने की कोशिश की।

"बोलो, है कोई पूछने वाला।" वह बदस्तूर चालू थीं। मुझे हँसी आई और किंचित गुस्सा भी आया। ये है सारा मसला। मधुबन के सामने दूध का कारोबार, भैंसों की जुगाली, गोबर के ढेर, क्या सीन बना होगा।

मैंने उस जट्ट सिपाही की तरह उन्हें डांटा, जिससे मैं कुछ साल पहले डांट खा चुकी थी। वह सिपाही सचमुच मेरी ज़िंदगी का एक अहम शिक्षक जैसा साबित हुआ। कभी नहीं भूली मैं उसे। वाकया दिल्ली रेलवे स्टेशन का था। मुझे टिकट लेना था वापसी का। भीड़ थी। लाइन भी लंबी थी। हर एक को जल्दी थी, इसलिए धक्का-मुक्की भी थी। आदमियों की कतार में दो-चार औरतें फंस जाएं तो धक्का-मुक्की तो बढ़ेगी ही। मैं बड़बड़ा रही थी कि अब जमाना मॉडर्न हो गया है, इसलिए एक ही लाइन लगती है। पहले की तरह महिलाओं के लिए अलग लाइन होती तो इतने धक्के नहीं खाने होते। कहीं तो महिलाओं को विशेषाधिकार का फायदा मिले।

वह लंबा, तड़ंगा, सुदर्शन सिपाही एकाएक मेरी और मुखातिब होकर बोला—

"आप क्या बिल्कुल अनपढ़ हो जी मैडम।" वह कोई हरियाणा का वीर बांकुरा बोल रहा था। उसे मैं एम.एस-सी., पी-एच.डी. जाहिल नजर आ रही थी।

मैंने गुस्से से उसकी ओर देखा।

"आप तो बिल्कुल अनपढ़ होंगी। पढ़ना-लिखना जानती हो तो एक अप्लीकेसन भेज देना मंतरालय को, एक लेटर मंत्रीजी को भी लिखणा, कहणा कि

यहां रेलवे दफ़्तर में मरद और औरत की अलग-अलग लाइन होणी चाहिए। हर आदमी बड़-बड़ तो करता है, लेकिन ऊपर शिकायत करणे से डरता है मैडम।''

उसे शायद मर्दों की लाइन में धक्का-मुक्की सहती मुझ बंदी पर तरस आया होगा। मर्दों के बीच खड़ी औरत के रूप में उसे यह बेशर्मी लगी होगी या बेइज्जती का भान हुआ होगा।

मैं शर्म से मर गई थी। सचमुच, ठीक ही कह रहा था। हम पढ़े-लिखे डिग्रीधारी रोते ही रहेंगे। जिस-तिस का नाम लेकर शिकायतें करते रहेंगे, लेकिन तयशुदा प्रक्रिया पर भरोसा नहीं करेंगे। लिखा-पढ़ी और कागज-पत्री चलाना जैसे हमारा काम नहीं। यह सब तो मर्दों की जमात के लिए छोड़ रखा है।

उस जट्ट सिपाही ने जिस ठस्स अंदाज में मेरे लिखे-पढ़े होने का ताना दिया था और मुझे सीख दी थी, वह सचमुच मैंने हमेशा के लिए गांठ बांध ली।

हमीदा हसन की परेशानी और उनकी रोनी सूरत देख कर मैंने अपनी गांठ ढीली की।

''हमीदा आपा! इसके लिए अतुल का आसरा देखने की क्या जरूरत थी। आप तो दो-चार लोगों के दस्तखतों से एक खत तैयार करा के मिल लेतीं एम.एन.ए. से। नहीं तो सीधे कुछ लोग मिलकर कलक्टर से मिलते।''

''अरे भई! कौन सुनेगा हमारी बात, राधा आप भी...''

''प्रो. हमीदा हसन साहिबा! आप इतनी बड़ी यूनिवर्सिटी में पढ़ाती रहीं। डिपार्टमेंट की हेड रहीं, इतना ही परिचय आपका काफी है। ये अफसरान सभी पढ़े-लिखे लोग हैं। पढ़े-लिखे लोगों की कद्र करते हैं। सबसे बड़ी बात कि आपकी बात सुनना, उसका हल निकालना उनका काम है।''

मुझे समझ में नहीं आ रहा था कि बुद्धिजीवी समाज के लोगों में भी क्या आत्मविश्वास की इतनी कमी होती है या यह औरत होने की कमजोरी है। मैंने किंचित आजिजी से कहा, ''आप एक बार जाइए, बात तो कीजिए।''

''क्या करें यार! अब तो घर से बाहर निकलने को भी दिल नहीं करता। बाहर निकलो तो वही कूड़े के ढेर, बदबू! मुझे लगता है स्लम्स में रहना ही हमारी किस्मत है।''

झटका लगा मुझे। ऐसे क्यों बोल रही हैं।

''ओ, तो स्लम्स नहीं देखे अभी आपने अलीगढ़ शहर में। एक स्लम शाहजमाल और माबूद नगर में है तो दूसरी ओर शहर के दूसरे इलाके के भीतर

धंस जाइए। ब्रह्मपुरी, जनकपुरी जैसे इलाकों में देखिए, बरसात का मौसम हो या न हो, गली में हमेशा पानी और कीच मिलेगा। ब्लैकमेलिंग का जमाना है हमीदा आपा।'' कौसर जो खड़ी सुन रही थी, अब अधीर होने लगी और बोली,

''आप कितना एडमिनिस्ट्रेशन को हिला सकते हैं, कितना नेताओं को चारा दे सकते हैं। हमारे फैज़नगर में तो हमारी एम.पी. उमा देवी ने सारी सड़कें सीमेंटेड करवा दी हैं, बढ़िया पक्की नालियां।''

''हमारे रामनगर में भी बुरा हाल था कौसर! कोई सुनता ही नहीं था। आखिर में हारकर कमेटी बनाई। बुलाकर लाए अपने एम.एल.ए. को, मीटिंग कराई, धमकाया कि इस इलाके से वोट नहीं मिलेंगे अबकी बार अगर...''

कौसर फिर बेचैन होने लगी।

''चलो यार। देर हो रही है।'' ठहोका मारकर धीमे से बोली।

''हमीदा आपा, मैं अतुल से कह दूंगी। अभी तो आप इत्मीनान से घर जाएं।''

हमीदा आपा के ड्राइवर को वहीं खड़ा देखकर मैंने उन्हें तसल्ली दी। लंबी दाढ़ी वाले बड़े मियां ने आपा को गाड़ी की ओर बढ़ते देख राहत की सांस ली, पार्ट टाइम ड्राइवर होगा वह, उसे भी घर जाने की जल्दी होगी। हमीदा आपा की उम्र हो गई है। वह अब खुद ड्राइव नहीं करतीं। वर्ना जब तक यूनिवर्सिटी में रहीं, अपनी लाल रंग की वॉक्स वैगन खुद ही चलाती थीं और वह भी खासी तेज रफ्तार से। जब तक डॉ. हसन जीवित थे और अगर दोनों साथ ही कहीं जा रहे हों तो ड्राइविंग सीट पर हमीदा ही दिखाई देतीं। उस जमाने में यूनिवर्सिटी की कई महिलाएं अपनी गाड़ियां खुद चलाती थीं। एक कुलीन विशिष्ट वर्ग था उनका, इसलिए उठना-बैठना, सामाजिक स्तर पर मेल-जोल आपस में ही था। आम लोगों से हमेशा एक दूरी भी कायम रहती थी।

आज के इस बदले हुए माहौल में हमीदा आपा जैसे लोगों को सचमुच बहुत दिक्कत होती होगी सामंजस्य बिठाने में। अमरीका में बेटा-बहू के पास जाओ तो वहां अजनबीपन। आस-पड़ोस ही क्या, घर में भी नितांत औपचारिकता। आखिर घर तो बेटा-बहू का ही है। उनका परिचय तो सलमान की 'मदर' और उज़्मा की 'मदर-इन-लॉ' के रूप में ही होगा। मेहमान जैसी हैसियत होती होगी उनकी। वापस अपनों के बीच में आओ तो एक-दूसरे तरह की अजनबियत। संगी-साथी अब बिछड़ गए या धीरे-धीरे अल्लाह को प्यारे हो रहे हैं। यहां अब पड़ोसी के

रूप में घोसी और कारखानेदार। पुराने लोगों को तलाशना पड़ता है। सभी की एक जैसी नियति है बुढ़ापे में।

‘‘तुम जानती हो हमीदा आपा जैसे लोगों की दिक्कत क्या है?’’ कौसर कह रही थी।

‘‘क्या?’’

‘‘ये अपनी ऐरिस्ट्रोक्रैसी नहीं छोड़ सकतीं। इन्हें अंदाजा नहीं हिन्दुस्तान में अब हालात कितने बदल गए हैं।’’

‘‘सच कहा! अब देखिए ना, यू.पी. में अब तक महिला चीफ मिनिस्टर एक हुई तो वह सुचेता कृपलानी थीं। कुलीन, बड़े घर की बेटी। बड़े आदमी की बीवी। इसके बरअक्स अब मायावती का राज है। पूरा कल्चर ही बदल गया है और हमारी हमीदा आपा हैं कि इन्हें मधुबन के गेट से बाहर झांकते भी डर लगता है। कहती हैं वहशत होती है उन्हें वहां भैंसों को देखकर!’’

‘‘एडजस्टमेंट चाहिए माई डियर, जिंदगी में एडजस्टमेंट। अब देखो, परसों हमें दिल्ली जाना है। यू.जी.सी. की मीटिंग है। हमारी डीन साहिबा इफ़्फ़त बेगम को भी जाना है, लेकिन मैडम कार से जाना ही नहीं चाहतीं।’’

‘‘क्यों! अलीगढ़ से दिल्ली है कितनी दूर!’’

‘‘वही तो! इफ़्फ़त मैडम का कहना है कि अब उन्होंने सड़क के रास्ते सफ़र करना छोड़ दिया है।’’

‘‘कमाल है! ये तीसरी कसम की वजह?’’

‘‘डरती हैं कि रास्ते में कोई भीड़ मिल गई और गाड़ी रोक ली तो।’’

‘‘पैरानॉयड हो गई हैं।’’

‘‘हां! और अब तो कोढ़ में खाज, पिछले महीने गोरखपुर का दंगा फिर उन्हें डरा गया।’’

‘‘कौसर! इस बात पर हँसा जाए कि रोया जाए।’’

‘‘एक ही बात है।’’ कौसर ड्राइव करते में कभी सामने से नजर नहीं हटाती और फलमंडी वाली सड़क में तो रात के समय गहमागहमी ज्यादा हो जाती है। वो अपलक सामने नजरें जमाए हुए थीं।

‘‘ज्यादा हँसोगी तो फिर रोना पड़ेगा और रोने की इंतिहा फिर हँसी में ही होती है न!’’

''कौसर! क्या फ़लसफ़ा सुनाया आपने। अतुल के सामने आप कहतीं तो जरूर वह इसे आपकी कविता कह देते।''

''यार, मैं इफ़्फ़त को क्या कहूं। हमारी यूनिवर्सिटी की वो नामी-गिरामी शख्सियत, जो पद्मश्री हैं, देश-दुनिया में जाने जाते हैं—काजी अब्दुल समद साहब, कल अपने क्लर्क से लखनऊ जाने के लिए रिजर्वेशन कराने के लिए कह रहे थे। उससे खोद-खोद कर पूछ रहे थे कि मियां, जरा पता लगाइए कि अब गोरखपुर में हालात ठीक हैं कि नहीं। मुझे लखनऊ जाना है—कहीं गोरखपुर का दंगा वहां तक न पहुंच जाए।''

''इतना डर! कौसर आपको नहीं लगता कि कुछ है और कुछ बना दिया गया है, ऐसे तो दंगे होते ही रहते हैं। हम लोग आदी नहीं हो गए क्या इन सब बातों के।''

''यह अहसास कि हम महफ़ूज़ नहीं हैं, यह बहुत खतरनाक होता है राधा! मुझे लगता है ये न सिर्फ ज़हनियत बदलता है, पूरी पर्सनालिटी को ट्रांसफॉर्म कर देता है, आप इन्सान नहीं रह जाते, केंचुआ बनकर रेंगने लगते हैं।''

''कौसर, कमाल है, आप भी ऐसे ही सोचती हैं।''

''माई डियर, सोचते नहीं, तसव्वुर करते हैं। मान लो, दिल्ली के रास्ते पर कभी किसी ने गाड़ी रोक ली, काम पूछा, नाम पूछा, क्या कहेंगे?''

''इट इज टू मच कौसर। हमारे दिमाग में ऐसी कल्पना क्यों नहीं आती, आप ऑब्सेस्ड हैं, बी लॉजिकल! दिमाग भी तो कोई चीज होती है इस्तेमाल करने के लिए।''

''माई डियर! तुम राधा हो, सविता, अमिता-गीता, कृष्णा हो, तुम ये बात कह सकती हो। तुम्हें क्यों डर लगेगा, खैर छोड़ो। अच्छी-अच्छी बात करो। देखो यार! अपन तो डरते नहीं। कभी दिमाग में ऐसा कुछ ख्याल आता है तो वह गाना मैं चालू कर देती हूं—जीना यहां, मरना यहां; इसके सिवा जाना कहां...''

''अरे-अरे, कहां आगे लिए जा रही हैं मैडम, हमारा आशियाना तो इसी मोड़ पर है।''

''ओह यस!'' और झटके से गाड़ी रुकी।

''वैसे अच्छा लगा आपका ये गाना सुनकर कि आपने यह नहीं कहा कि नसीब अपना-अपना। वर्ना नसीब बेचारे पर सब अपना ठीकरा फोड़ते हैं।'' गाड़ी से नीचे उतरते हुए मैंने कहा।

"अब आप नीचे तशरीफ़ लाएं, देखिए, दरवाज़े का ताला खुला है और बाहर की लाइट जल रही है यानी अतुल घर पहुंच गए हैं। कम से कम एक कॉफी तो हो जाए।"

"नहीं यार। कॉफी में ही टरका दोगी क्या? खाना खिलाओगी, तब आऊंगी।" कौसर ने गाड़ी बैक करते हुए कहा!

मैं हाथ हिलाती, कौसर को देखती रह गई। उनकी गाड़ी आगे निकल चुकी थी। कॉलबेल की आवाज सुनकर अतुल ने दरवाजा खोला।

"माफ करना, मुझे देर हो गई थी, इसीलिए नहीं आया तुम्हें लेने, लेकिन माई डियर, तुम्हें भी तो आज बहुत देर हो गई। कैसे आईं, रिक्शे से?"

"नहीं, कौसर छोड़ गईं।"

भीतर आते हुए मैंने सोचा, अब अतुल का अगला सवाल होगा, 'क्या हुआ तुम्हारे लेडीज़ क्लब में। कोई खास बात!!'

क्या-क्या खास बताऊंगी, कितना बताऊंगी, साड़ी उतारकर मैंने बिस्तर पर पटकी। गाउन डाला और रसोई की ओर बढ़ गई।

• • •